Aider le Parisien à mieux profiter des ressources de la capitale.

Apporter au touriste à Paris une information fiable et complète pour son séjour et ses repas.

Tel est le double service que vise la nouvelle présentation de cette plaquette annuelle, extraite du Guide Rouge FRANCE, à travers sa sélection d'adresses à tous les prix.

Merci de vos appréciations et de vos suggestions.

Sommaire

Comprendre

CATÉGORIES

AGRÉMENT ET TRANQUILLITÉ

INSTALLATION

LES ÉTOILES

LES PRIX

Ce guide vous propose une sélection d'hôtels et restaurants établie à l'usage de l'automobiliste de passage. Les établissements, classés selon leur confort, sont cités par ordre de préférence dans chaque catégorie.

CATÉGORIES

	Grand luxe et tradition	XXXXX
	Grand confort	XXXX
	Très confortable	XXX
	De bon confort	XX
	Assez confortable	X
M	Dans sa catégorie, hôtel d'équipement moderne	
sans rest.	L'hôtel n'a pas de restaurant	
	Le restaurant possède des chambres	avec ch.

AGRÉMENT ET TRANQUILLITÉ

Certains établissements se distinguent dans le guide par les symboles rouges indiqués ci-après. Le séjour dans ces hôtels se révèle particulièrement agréable ou reposant.

Cela peut tenir d'une part au caractère de l'édifice, au décor original, au site, à l'accueil et aux services qui sont proposés, d'autre part à la tranquillité des lieux.

à	Hôtels agréables
XXXXX à X	Restaurants agréables
« Jardin »	Élément particulièrement agréable
	Hôtel très tranquille ou isolé et tranquille
	Hôtel tranquille
< Notre-Dame	Vue exceptionnelle
<	Vue intéressante ou étendue

INSTALLATION

Les chambres des hôtels que nous recommandons possèdent, en général, des installations sanitaires complètes. Il est toutefois possible que dans les catégories 🏘 et 🏠, certaines chambres en soient dépourvues.

30 ch	Nombre de chambres
[ascenseur]	Ascenseur
[air conditionné]	Air conditionné
TV	Télévision dans la chambre
[non-fumeurs]	Établissement en partie réservé aux non-fumeurs
[téléphone]	Téléphone dans la chambre relié par standard
☎	Téléphone dans la chambre, direct avec l'extérieur
♿	Chambres accessibles aux handicapés physiques
[terrasse]	Repas servis au jardin ou en terrasse
[remise en forme]	Salle de remise en forme
[piscine] [piscine couverte]	Piscine : de plein air ou couverte
[jardin]	Jardin de repos
[tennis]	Tennis à l'hôtel
[conférences] 25 à 150	Salles de conférences : capacité des salles
[garage]	Garage dans l'hôtel (généralement payant)
Ⓟ	Parking réservé à la clientèle
[chiens interdits]	Accès interdit aux chiens (dans tout ou partie de l'établissement)
Fax	Transmission de documents par télécopie
fermé 3 août-15 sept.	Période de fermeture, communiquée par l'hôtelier En l'absence de mention, l'établissement est ouvert toute l'année.

LES ÉTOILES

Certains établissements méritent d'être signalés à votre attention pour la qualité de leur cuisine. Nous les distinguons par **les étoiles de bonne table.**

Nous indiquons, pour ces établissements, trois spécialités culinaires qui pourront orienter votre choix.

✿✿✿ **Une des meilleures tables, vaut le voyage**

Table merveilleuse, grands vins, service impeccable, cadre élégant... Prix en conséquence.

✿✿ **Table excellente, mérite un détour**

Spécialités et vins de choix... Attendez-vous à une dépense en rapport.

✿ **Une très bonne table dans sa catégorie**

L'étoile marque une bonne étape sur votre itinéraire.

Mais ne comparez pas l'étoile d'un établissement de luxe à prix élevés avec celle d'une petite maison où à prix raisonnables, on sert également une cuisine de qualité.

LES PRIX

Les prix que nous indiquons dans ce guide ont été établis en automne 1991. Ils sont susceptibles de modifications, notamment en cas de variations des prix des biens et services. Ils s'entendent taxes et services compris. Aucune majoration ne doit figurer sur votre note, sauf éventuellement la taxe de séjour.
Les hôtels et restaurants figurent en gros caractères lorsque les hôteliers nous ont donné tous leurs prix et se sont engagés, sous leur propre responsabilité, à les appliquer aux touristes de passage porteurs de notre guide.
Entrez à l'hôtel le guide à la main, vous montrerez ainsi qu'il vous conduit là en confiance.

Repas

enf. 65	Prix du menu pour enfants
◆	Établissement proposant un menu simple à **moins de 75 F**
R 120/280	**Menus à prix fixe** : minimum 120 maximum 280
120/210	Menu à prix fixe minimum 120 non servi les fins de semaine et jours fériés
bc	Boisson comprise
🍶	vin de table en carafe
R carte 160 à 385	**Repas à la carte** – Le premier prix correspond à un repas normal comprenant : hors-d'œuvre, plat garni et dessert. Le 2e prix concerne un repas plus complet (avec spécialité) comprenant : deux plats, fromage et dessert.
☕ 30	Prix du petit déjeuner (généralement servi dans la chambre)

Chambres

ch 165/320	Prix minimum 165 pour une chambre d'une personne, prix maximum 320 pour une chambre de deux personnes.
29 ch ☕ 260/450	Prix des chambres petit déjeuner compris

Demi-pension

1/2 P 250/650	Prix minimum et maximum de la demi-pension par personnes et par jour, en saison. Il est indispensable de s'entendre par avance avec l'hôtelier pour conclure un arrangement définitif.

Les arrhes – Cartes de crédit

Certains hôteliers demandent le versement d'arrhes. Il s'agit d'un dépôt-garantie qui engage l'hôtelier comme le client. Bien faire préciser les dispositions de cette garantie.

AE ⓓ GB JCB	American Express – Diners Club – Carte bancaire – Japan Card Bank

To help the Parisian make the most of what the capital has to offer.

To provide the visitor to the capital with exact and varied information for choosing a hotel or restaurant.

These are the services which we hope to provide by publishing this annual booklet - with a new presentation. This extract from the Red Guide France offers a selection of addresses in a wide price range.

Your opinions and suggestions are most welcome Thank you.

Contents

How to use this guide

CATEGORIES

PEACEFUL ATMOSPHERE AND SETTING

HOTEL FACILITIES

STARS

PRICES

GLOSSARY OF MENU TERMS

This guide offers a selection of hotels and restaurants to help the motorist on his travels. In each category establishments are listed in order of preference according to the degree of comfort they offer.

CATEGORIES

⌂⌂⌂⌂⌂	Luxury in the traditional style	XXXXX
⌂⌂⌂⌂	Top class comfort	XXXX
⌂⌂⌂	Very comfortable	XXX
⌂⌂	Comfortable	XX
⌂	Quite comfortable	X
M	In its category, hotel with modern amenities	
sans rest.	No restaurant in the hotel	
	The restaurant also offers accommodation	avec ch.

PEACEFUL ATMOSPHERE AND SETTING

Certain establishments are distinguished in the guide by the red symbols shown below.

Your stay in such hotels will be particularly pleasant or restful, owing to the character of the building, its decor, the setting, the welcome and services offered, or simply the peace and quiet to be enjoyed there.

⌂⌂⌂⌂⌂ to ⌂	Pleasant hotels
XXXXX to X	Pleasant restaurants
« Jardin »	Particularly attractive feature
(red rocking chair symbol)	Very quiet or quiet, secluded hotel
(rocking chair symbol)	Quiet hotel
⩽ Notre-Dame	Exceptional view
⩽	Interesting or extensive view

HOTEL FACILITIES

In general the hotels we recommend have full bathroom and toilet facilities in each room. However, this may not be the case for certain rooms in categories 🏠 and 🏠.

30 ch	Number of rooms
[lift symbol]	Lift (elevator)
[air conditioning symbol]	Air conditioning
TV	Television in room
[no smoking symbol]	Hotel partly reserved for non-smokers
[telephone symbol]	Telephone in room : outside calls connected by the operator
[telephone symbol]	Direct-dial phone in room
[wheelchair symbol]	Rooms accessible to the physically handicapped
[terrace symbol]	Meals served in garden or on terrace
[exercise symbol]	Exercise room
[pool symbols]	Outdoor or indoor swimming pool
[garden symbol]	Garden
[tennis symbol]	Hotel tennis court
[conference symbol] 25 à 150	Equipped conference hall (minimum and maximum capacity)
[garage symbol]	Hotel garage (additional charge in most cases)
P	Car park for customers only
[no dogs symbol]	Dogs are not allowed in all or part of the hotel
Fax	Telephone document transmission
fermé 3 août-15 sept.	Dates when closed, as indicated by the hotelier Where no date or season is shown, establishments are open all year round

STARS

Certain establishments deserve to be brought to your attention for the particularly fine quality of their cooking. **Michelin stars** are awarded for the standard of meals served.

For each of these restaurants we indicate three culinary specialities to assist you in your choice.

❁❁❁ **Exceptional cuisine, worth a special journey**

Superb food, fine wines, faultless service, elegant surroundings. One will pay accordingly !

❁❁ **Excellent cooking, worth a detour**

Specialities and wines of first class quality. This will be reflected in the price.

❁ **A very good restaurant in its category**

The star indicates a good place to stop on your journey.

But beware of comparing the star given to an expensive « de luxe » establishment to that of a simple restaurant where you can appreciate fine cuisine at a reasonable price.

PRICES

Prices quoted are valid for late 1991. Changes may arise if goods and service costs are revised. The rates include tax and service and no extra charge should appear on your bill, with the possible exception of visitor's tax.
Hotels and restaurants in bold type have supplied details of all their rates and have assumed responsibility for maintaining them for all travellers in possession of this guide.
Your recommendation is self-evident if you always walk into a hotel Guide in hand.

Meals

enf. 65	Price of children's menu
◆	Establishment serving a simple menu **for less than 75 F**
R 120/280	**Set meals** – Lowest 120 and highest 280 prices for set meals
120/210	The cheapest set meal 120 is not served on Saturdays, Sundays or public holidays
bc	House wine included
	Table wine available by the carafe
R carte 160 à 385	**« A la carte » meals** – The first figure is for a plain meal and includes hors-d'œuvre, main dish of the day with vegetables and dessert. The second figure is for a fuller meal (with « spécialité ») and includes 2 main courses, cheese, and dessert
30	Price of continental breakfast (generally served in the bedroom)

Rooms

ch 165/320	Lowest price 165 for a single room and highest price 320 for a double.
29 ch 260/450	Price includes breakfast

Half board

1/2 P 250/650	Lowest and highest prices per person, per day in the season. It is advisable to agree on terms with the hotelier before arriving.

Deposits – Credit cards

Some hotels will require a deposit, which confirms the commitment of customer and hotelier alike. Make sure the terms of the agreement are clear.

AE D GB JCB	American Express – Diners Club – Eurocar, Visa – Japan Card Bank.

GLOSSARY OF MENU TERMS

This section provides translations and explanations of many terms commonly found on French menus. It will also give visitors some idea of the specialties listed under the "starred" restaurants which we have recommended for fine food. Far be it from us, however, to spoil the fun of making your own inquiries to the waiter, as, indeed, the French do when confronted with a mysterious but intriguing dish !

A

Agneau – Lamb
Aiguillette (caneton *or* **canard)** – Thin, tender slice of duckling, cut lengthwise
Ail – Garlic
Andouillette – Sausage made of pork or veal tripe
Artichaut – Artichoke
Avocat – Avocado pear

B

Ballottine – A variety of galantine (white meat moulded in aspic)
Bar – Sea bass (see *Loup au fenouil* p 21)
Barbue – Brill
Baudroie – Burbot
Béarnaise – Sauce made of butter, eggs, tarragon, vinegar served with steaks and some fish dishes.
Belons – Variety of flat oyster with delicate flavor
Beurre blanc – "White butter", a creamy sauce made of butter well-whipped with vinegar and shallots, served with pike and other fish
Bœuf bourguignon – Beef stewed in red wine
Bordelaise (à la) – Red wine sauce with shallots and bone marrow
Boudin grillé – Grilled pork blood-sausage
Bouillabaisse – A soup of fish and, sometimes, shellfish, cooked with garlic, parsley, tomatoes, olive oil, spices, onions and saffron. The fish and the soup are served separately. A Marseilles specialty
Bourride – Fish chowder prepared with white fish, garlic, spices, herbs and white wine, served with *aïoli*
Brochette (en) – Skewered

C

Caille – Quail

Calamar – Squid

Canard à la rouennaise – Roast or fried duck, stuffed with its liver

Canard à l'orange – Roast duck with oranges

Canard aux olives – Roast duck with olives

Carré d'agneau – Rack of lamb (loin chops)

Cassoulet – Casserole dish made of white beans, condiments, served (depending on the recipe) with sausage, pork, mutton, goose or duck

Cèpes – Variety of mushroom

Cerfeuil – Chervil

Champignons – Mushrooms

Charcuterie d'Auvergne – A region of central France, Auvergne is reputed to produce the best country-prepared pork-meat specialties, served cold as a firt course

Charlotte – A moulded sponge cake although sometimes made with vegetables

Chartreuse de perdreau – Young partridge cooked with cabbage

Châtaignes – Chestnuts

Châteaubriand – Thick, tender cut of steak from the heart of the fillet or tenderloin

Chevreuil – Venison

Chou farci – Stuffed cabbage

Choucroute garnie – Sauerkraut, an Alsatian specialty, served hot and "garnished" with ham, frankfurters, bacon, smoked pork, sausage and boiled potatoes. A good dish to order in a *brasserie*

Ciboulette – Chives

Civet de gibier – Game stew with wine and onions (*civet de lièvre* = jugged hare)

Colvert – Wild duck

Confit de canard *or* d'oie – Preserved duck or goose cooked in its own fat sometimes served with *cassoulet*

Coq au vin – Chicken (literally, "rooster") cooked in red wine sauce with onions, mushrooms and bits of bacon

Coques – Cockles

Coquilles St-Jacques – Scallops

Cou d'oie farci – Stuffed goose neck

Coulis – Thick sauce

Couscous – North African dish of semolina (crushed wheat grain) steamed and served with a broth of chick-peas and other vegetables, a spicy sauce, accompanied by chicken, roast lamb and sausage

Crêpes – Thin, light pancakes

Crevettes – Shrimps

Croustade – Small moulded pastry (puff pastry)

Crustacés – Shellfish

D – E

Daube (Bœuf en) – Beef braised with carrots and onions in red wine sauce

Daurade – Sea bream

Écrevisses – Fresh water crayfish

Entrecôte marchand de vin – Rib steak in a red wine sauce with shallots

Escalope de veau – (Thin) veal steak, sometimes served *panée*, breaded, as with *Wiener Schnitzel*

Escargot – Snails, usually prepared with butter, garlic and parsley

Estragon – Tarragon

F

Faisan – Pheasant

Fenouil – Fennel

Feuillantine – See feuilleté

Feuilleté – Flaky puff pastry used for making pies or tarts

Filet de bœuf – Fillet (tenderloin) of beef

Filet mignon – Small, round, very choice cut of meat

Flambé(e) – "Flamed", i.e., bathed in brandy, rum, etc., which is then ignited

Flan – Baked custard

Foie gras au caramel poivré – Peppered caramelized goose or duck liver

Foie gras d'oie *or* de canard – Liver of fatted geese or ducks, served fresh *(frais)* or in *pâté* (see p 22)

Foie de veau – Calf's liver

Fruits de mer – Seafood

G

Gambas – Prawns

Gibier – Game

Gigot d'agneau – Roast leg of lamb

Gigot de mer – Burdot

Gingembre – Ginger

Goujon *or* goujonnette de sole – Small fillets of fried sole

Gratin (au) – Dish baked in the oven to produce thin crust on surface

Gratinée – See : onion soup under *soupe à l'oignon*

Grenadin de veau – Veal tournedos

Grenouilles (cuisses de) – Frogs' legs, often served *à la provençale* (see p 22)

Grillades – Grilled meats, mostly steaks

H – J – L

Homard – Lobster

Homard à l'américaine *or* à l'armoricaine – Lobster sauted in butter and olive oil, served with a sauce of tomatoes, garlic, spices, white wine and cognac

Huîtres – Oysters

Jambon – Ham (raw or cooked)

Jambonnette de barbarie – Stuffed leg of Barbary duck

Joue de bœuf – A very tasty piece of beef, literally the cheek of the beef

Julienne – Vegetables, fruit, meat or fish cut up in small sticks

Lamproie – Lamprey, often served *à la bordelaise* (see p 18)

Langoustines – Large prawns

Lapereau – Young rabbit

Lièvre – Hare (for *civet de lièvre*, see p 19)

Lotte – Burbot

Loup au fenouil – In the south of France, sea bass with fennel (same as *bar*)

M

Magret – Duck steak

Marcassin – Young wild boar

Mariné – Marinated

Marjolaine – A pastry of different flavors often with a chocolate base

Marmite dieppoise – Fish soup from Dieppe

Matelote d'anguilles *or* de lotte – Eel or burbot stew with red wine, onions and herbs

Méchoui – A whole roasted lamb

Merlan – Whiting

Millefeuille – Napoleon, vanilla slice

Moelle (à la) – With bone marrow

Morilles – Morel mushroom

Morue fraîche – Fresh cod

Mouclade – Mussels prepared without shells, in white wine and shallots with cream sauce and spices

Moules farcies – Stuffed mussels (usually filled with butter, garlic and parsley)

Moules marinières – Mussels steamed in white wine, onions and spices

N – O

Nage (à la) – A court-bouillon with vegetables and white wine

Nantua – Sauce made with fresh water crayfish tails and served with *quenelles* fish, seafood, etc.

Navarin – Lamb stew with small onions, carrots, turnips and potatoes

Noisettes d'agneau – Small, round, choice morsels of lamb

Œufs brouillés – Scrambled eggs

Œufs en meurette – Poached eggs in red wine sauce with bits of bacon

Œufs sur le plat – Fried eggs, sunnyside up

Omble Chevalier – Fish : Char

Omelette soufflée – Souffled omelette

Oseille – Sorrel

Oursin – Sea urchin

P

Paëlla – A saffron-flavored rice dish made with a mixture of seafood, sausage, chicken and vegetables

Palourdes – Clams

Panaché de poissons – A selection of different kinds of fish

Pannequet – Stuffed *crêpe* (see p 19)

Pâté – Also called terrine. A common French hors-d'œuvre, a kind of cold, sliced meat loaf which is made from pork, veal, liver, fowl, rabbit or game and seasoned appropriately with spices. Also served hot in pastry crust *(en croûte)*

Paupiette – Usually, slice of veal wrapped around pork or sausage meat

Perdreau – Young partridge

Petit salé – Salt pork tenderloin, usually served with lentils or cabbage

Petits-gris – Literally, "small grays" ; a variety of snail with brownish, pebbled shell

Pétoncles – Small scallops

Pieds de mouton Poulette – Sheep's feet in cream sauce

Pigeonneau – Young pigeon

Pintade – Guinea fowl

Piperade – Kind of "Spanish omelette", a Basque dish of scrambled eggs and cooked tomato, green pepper and Bayonne ham

Plateau de fromages – Tray with a selection of cheeses made from cow's or goat's milk (see *cheeses* p 24)

Poireaux – Leek

Poivron – Red or green pepper

Pot-au-feu – Beef soup which is served first and followed by a joint of beef cooked in the soup, garnished with vegetables

Potiron – Pumpkin

Poule au pot – Boiled chicken and vegetables served with a hot broth

Poulet à l'estragon – Chicken with tarragon

Poulet au vinaigre – Chicken cooked in vinegar

Poulet aux écrevisses – Chicken with crayfish

Poulet de Bresse – Finest breed of chicken in France, grain-fed

Pré-salé – A particularly fine variety of lamb raised on salt marshes near the sea

Provençale (à la) – With tomato, garlic and parsley

Q

Quenelles de brochet – Fish-balls made of pike ; *quenelles* are also made of veal or chicken forcemeat

Queue de bœuf – Oxtail

Quiche lorraine – Hot custard pie flavored with chopped bacon and baked in an unsweetened pastry shell

R – S

Ragoût – Stew
Raie aux câpres – Skate fried in butter garnished with capers
Ris de veau – Sweetbreads
Rognons de veau – Veal kidneys
Rouget – Red mullet
St-Jacques – Scallops, as *coquilles St-Jacques*
St-Pierre – Fish : John Dory
Salade niçoise – A first course made of lettuce, tomatoes, celery, olives, green pepper, cucumber, anchovy and tuna, seasoned to taste. A favorite hors-d'œuvre
Sandre – Pike perch
Saucisson chaud – Pork sausage, served hot with potato salad, or sometimes in pastry shell *(en croûte)*
Saumon fumé – Smoked salmon
Scampi fritti – French-fried shrimp
Selle d'agneau – Saddle of lamb
Soufflé – A light, fluffy baked dish made of egg yolks and whites beaten separately and combined with cheese or fish, for example, to make a first course, or with fruit or liqueur as a dessert
Soupe à l'oignon – Onion soup with grated cheese and *croûtons* (small crisp pieces of toasted bread)
Soupe de poissons – Fish chowder
Steak au poivre – Pepper steak, often served flamed
Suprême – Usually refers to poultry or fish served with a white sauce

T – V

Tagine – A stew with either chicken, lamb, pigeon or vegetables
Tartare – Raw meat or fish minced up and then mixed with egg, herbs and other condiments before being shaped into a patty
Terrine – See *pâté* p. 22
Tête de veau – Calf's head
Thon – Tuna
Tournedos – Small, round tenderloin steak
Tourteaux – Large crab (from Atlantic)
Tripes à la mode de Caen – Beef tripe with white wine and carrots
Truffe – Truffle
Truite – Trout
Volaille – Fowl
Vol-au-Vent – Puff pastry shell filled with chicken, meat, fish, fish-balls *(quenelles)* usually in cream sauce with mushrooms

Desserts

Baba au rhum – Sponge cake soaked in rum, sometimes served with whipped cream
Beignets de pommes – Apple fritters
Clafoutis – Dessert of apples (cherries, or other fruit) baked in batter
Glace – Ice cream

Gourmandises – Selection of desserts
Nougat glacé – Iced nougat
Pâtisseries – Pastry, cakes
Profiteroles – Small round pastry puffs filled with cream or ice cream and covered with chocolate sauce
St-Honoré – Cake made of two kinds of pastry and whipped cream, named after the patron saint of pastry cooks
Sorbet – Sherbet
Soufflé – See above
Soupe de pêches – Peaches in syrup or in wine
Tarte aux pommes – Open apple tart
Tarte Tatin – Apple upside-down cake, caramelized and served warm
Vacherin – Meringue with ice-cream and whipped cream

Fromages

Several famous French cheeses

Cows' milk – Bleu d'Auvergne, Brie, Camembert, Cantal, Comté, Gruyère, Munster, Pont-l'Évêque, Tomme de Savoie
Goats' milk – Chabichou, Crottin de Chavignol, Ste-Maure, Selles-sur-Cher, Valençay
Sheep's milk – Roquefort

Fruits

Airelles – Cranberries
Cassis – Blackcurrant
Cerises – Cherries
Citron – Lemon
Fraises – Strawberries
Framboises – Raspberries
Pamplemousse – Grapefruit
Pêches – Peaches
Poires – Pears
Pomme – Apple
Pruneaux – Prunes
Raisin – Grapes

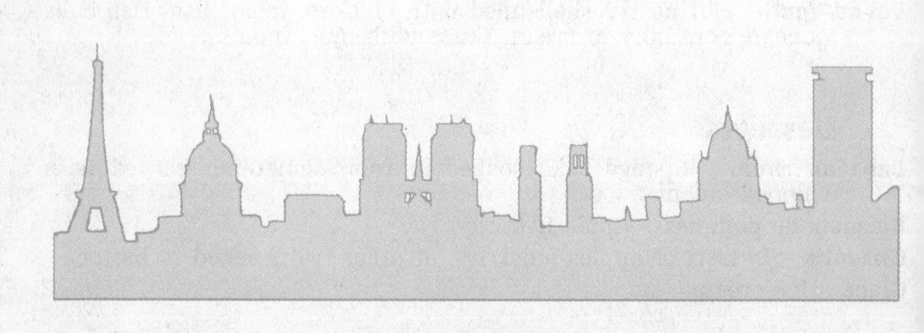

Restaurants

Nous vous présentons ci-après une liste d'établissements sélectionnés pour la qualité de leur table ou pour leurs spécialités françaises ou étrangères. Vous trouverez également des adresses pour souper après le spectacle, pour déjeuner en plein air à Paris ou en banlieue...

You will find below a list of establishments selected for the quality of their cuisine or for the traditional French and foreign dishes which they offer. In addition we give suggestions where to eat after a show and where to enjoy a meal out of doors in Paris or in the suburbs.

LES BONNES TABLES A ÉTOILES

✿✿✿

		Arr.	Page
XXXXX	Lucas Carton (Senderens)	8e	89
XXXXX	Taillevent (Vrinat)	8e	89
XXXXX	Tour d'Argent (Terrail)	5e	67
XXXX	Ambroisie (L') (Pacaud)	4e	57
XXXX	Jamin (Robuchon)	16e	126

✿✿

		Arr.	Page
XXXXX	Ambassadeurs (Les)	8e	89
XXXXX	Espadon	1er	48
XXXXX	Lasserre	8e	89
XXXXX	Laurent	8e	89
XXXX	Arpège	7e	76
XXXX	Carré des Feuillants	1er	48
XXXX	Chiberta	8e	90
XXXX	Clos Longchamp (Le)	17e	134
XXXX	Duc d'Enghien	à Enghien-les-Bains	158
XXXX	Duquesnoy	7e	76
XXXX	Faugeron	16e	126
XXXX	Gérard Besson	1er	48
XXXX	Grand Vefour	1er	48
XXXX	Guy Savoy	17e	134
XXXX	Le Divellec	7e	76
XXXX	Michel Rostang	17e	134
XXXX	Trois Marches (Les)	à Versailles	186
XXXX	Vivarois	16e	126
XXX	Amphyclès	17e	134
XXX	Apicius	17e	134
XXX	Jacques Cagna	6e	67
XXX	Tastevin (Le)	à Maisons-Laffitte	163
XXX	Vieille Fontaine	à Maisons-Laffitte	163

✿

		Arr.	Page
XXXXX	Bristol	8e	89
XXXXX	Ledoyen	8e	89
XXXXX	Régence	8e	89
XXXX	Célébrités (Les)	15e	117
XXXX	Drouant	2e	48
XXXX	Elysée Lenôtre	8e	89
XXXX	Etoile d'or	17e	134
XXXX	Fouquet's Europe	la Défense	157
XXXX	Grande Cascade	16e	128
XXXX	Manoir de Paris	17e	134
XXXX	Marée (La)	8e	90
XXXX	Meurice (Le)	1er	48
XXXX	Montparnasse 25	14e	117
XXXX	Pré Catelan	16e	128
XXXX	Princes (Les)	8e	89
XXXX	Relais de Sèvres	15e	117
XXXX	Rest. Opéra-Café de la Paix	9e	99
XXX	Barrière de Clichy	à Clichy	155
XXX	Beauvilliers	18e	143
XXX	Belle Epoque (La)	à Châteaufort	153
XXX	Boule d'Or (La)	7e	77
XXX	Camélia (Le)	à Bougival	151

✿

OÙ TROUVER UN MENU A MOINS DE 170 F

BANLIEUE

LE PLAT QUE VOUS RECHERCHEZ

Une andouillette

Restaurant	Arr.	Page
Ambassade d'Auvergne	3e	57
Bistrot d'Alex	6e	68
Bofinger	4e	58
Cochon d'Or	19e	143
Comme Chez Soi	9e	100
Coupole (La)	14e	118
Duquesnoy	7e	76
Ferme des Mathurins	8e	92
Gasnier	à Puteaux	173
Gastroquet (Le)	15e	120
Georges (Chez)	1er	51
Joséphine	6e	69
Julien	10e	100
Marlotte (La)	6e	68
Moissonnier	5e	69
Nuit de St-Jean	7e	79
Petits Pères (Aux) "Chez Yvonne"	2e	51
Pharamond	1er	50
Pied de Cochon (Au)	1er	49
Pierre (Chez)	15e	120
Pouilly-Reuilly (Au)	au Pré St-Gervais	172
Quai d'Orsay (Au)	7e	77
Rhône (Le)	13e	109
Saint-Vincent (Le)	15e	120
Sousceyrac (A)	11e	58
Traversière (Le)	12e	109

Du boudin

Restaurant	Arr.	Page
Ambassade d'Auvergne	3e	57
Cochon d'Or	19e	143
D'Chez Eux	7e	77
Marlotte (La)	6e	68
Moissonnier	5e	69
Pierre Au Palais Royal	1er	49
Pouilly-Reuilly (Au)	au Pré St-Gervais	172
Quai d'Orsay (Au)	7e	77
Rhône (Le)	13e	109
Yvette (Chez)	15e	120

Une bouillabaisse

Restaurant	Arr.	Page
Augusta (Chez)	17e	135
Charlot 1er « Merveilles des Mers »	18e	143
Charlot « Roi des Coquillages »	9e	99
Dôme (Le)	14e	118
Ecailler du Palais (L')	17e	137
Frégate (La)	12e	109
Jarrasse	à Neuilly-sur-Seine	169
Marius	16e	128
Marius et Janette	8e	91
Moniage Guillaume	14e	117
Senteurs de Provence	15e	119
Truite Vagabonde (La)	17e	136

Un cassoulet

Restaurant	Arr.	Page
Bœuf sur le Toit	8e	91
Brasserie de la Poste	16e	128
Clef du Périgord (La)	1er	51
Cochon Doré	2e	51
D'Chez Eux	7e	77
Écrevisse (L')	17e	136
Etchegorry	13e	109
Flambée (La)	12e	109
Gasnier	à Puteaux	173
Gourmets Landais (Aux)	à la Garenne Colombes	159
Julien	10e	100
Léon (Chez)	17e	137
Lous Landès	14e	117
Pierre (Chez)	15e	120
Pyrénées-Cévennes	11e	58
Quercy (Le)	9e	100
Quincy	12e	109
St-Vincent	15e	120
Sarladais (Le)	8e	91
Thoumieux	7e	79
Vendanges (Les)	14e	119

Une choucroute

Restaurant	Arr.	Page
Andrée Baumann	17e	135
Baumann-Marbeuf	8e	91
Bofinger	4e	58
Brasserie de la Poste	16e	128
Brasserie Flo	10e	100
Coupole (La)	14e	118
Luneau (Le)	12e	108
Terminus Nord	9e	101

Un confit

Des coquillages, crustacés, poissons

Des escargots

Une grillade

De la tête de veau

SPÉCIALITÉS ÉTRANGÈRES

POUR SOUPER APRÈS LE SPECTACLE

(Nous indiquons entre parenthèses l'heure limite d'arrivée)

XXXXX	Drouant (Café Drouant) (0 h 30)	2e	48
XXX	Charlot Ier « Merveilles des Mers » (1 h)	18e	143
XXX	Charlot « Roi des Coquillages » (1 h)	9e	99
XXX	Le Grill (1 h)	8e	90
XXX	Le Louis XIV (1 h)	10e	99
XXX	Pierre "A la Fontaine Gaillon" (0 h 30)	2e	49
XXX	Le Procope (1 h)	6e	67
XXX	Relais-Plaza (1 h 15)	8e	90
XXX	Chez Vong (0 h 30)	1er	49
XX	Andrée Baumann (1 h)	17e	135
XX	Le Ballon des Ternes (0 h 30)	17e	136
XX	Le Bœuf sur le Toit (2 h)	8e	91
XX	Bofinger (1 h)	4e	58
XX	Brasserie Flo (1 h 30)	10e	100
XX	La Coupole (2 h)	14e	118
XX	Le Dôme (0 h 45)	14e	118
XX	L'Ecailler du Palais (1 h)	17e	137
XX	Grand Café Capucines (jour et nuit)	9e	100
XX	Le Grand Colbert (1 h)	2e	50
XX	Julien (1 h 30)	10e	100
XX	Pied de Cochon (jour et nuit)	1er	49
XX	Brasserie Café de la Paix (1 h 15)	9e	100
XX	Vaudeville (2 h)	2e	50
X	Bistro des Deux Théâtres (0 h 30)	9e	101
X	Brasserie de la Poste (1 h)	16e	128
X	La Main à la Pâte (0 h 30)	1er	51
X	La Poule au Pot (5 h)	1er	51

RESTAURANTS DE PLEIN AIR

XXXXX	✿✿	Laurent	8e	89
XXXX	✿	Grande Cascade	16e	128
XXXX	✿	Pré Catelan	16e	128
XXX		Pavillon Puebla	19e	143

Champrosay	XXX		Bouquet de la Forêt	157
Chennevières-sur-Marne	XXX		Écu de France	154
Maisons-Laffitte	XXX	✿✿	Vieille Fontaine	163
»	XXX	✿✿	Le Tastevin	163
Rueil-Malmaison	XXX		El Chiquito	175
St-Germain-en-Laye	XXX		Cazaudehore	178
Vaucresson	XX		La Poularde	182

RESTAURANTS AVEC SALONS PARTICULIERS

2

RESTAURANTS OUVERTS SAMEDI ET DIMANCHE

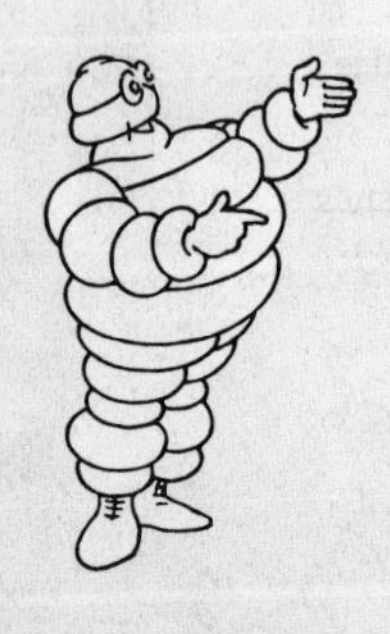

Hôtels

Restaurants

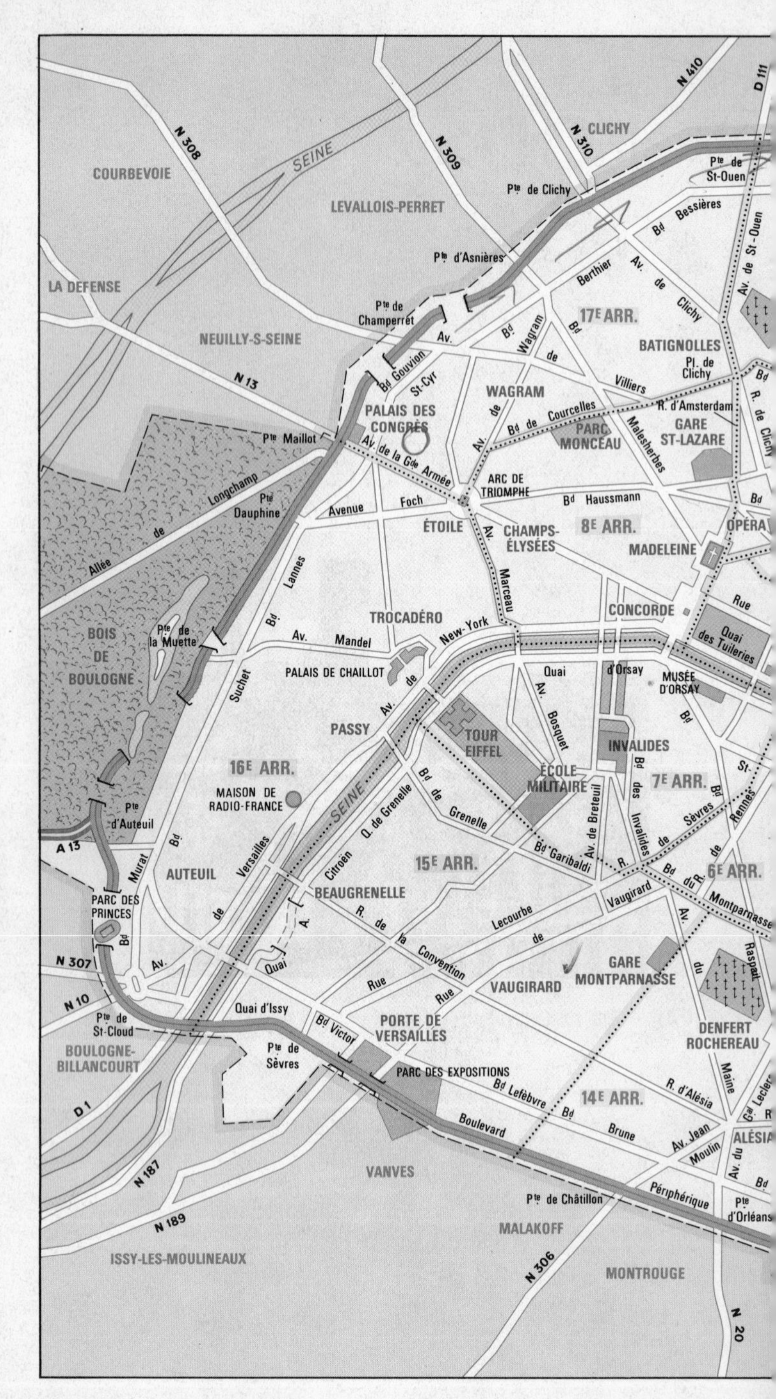
COURBEVOIE
SEINE
LEVALLOIS-PERRET
CLICHY
N 308
N 309
N 310
N 410
D 111
Pte de Clichy
Pte de St-Ouen
Bd Bessières
Av. de St-Ouen
Pte d'Asnières
Berthier
Av. de Clichy
LA DEFENSE
Pte de Champerret
17E ARR.
BATIGNOLLES
NEUILLY-S-SEINE
Av.
Bd Wagram
Bd de Villiers
Pl. de Clichy
Bd Gouvion St-Cyr
N 13
WAGRAM
R. d'Amsterdam
PALAIS DES CONGRÈS
Av. de
Bd de Courcelles
PARC MONCEAU
Malesherbes
GARE ST-LAZARE
R. de Clichy
Pte Maillot
Av. de la Gde Armée
ARC DE TRIOMPHE
Bd Haussmann
Longchamp
Pte Dauphine
Avenue Foch
ÉTOILE
Av.
CHAMPS-ÉLYSÉES
8E ARR.
OPÉRA
Allée de
MADELEINE
Lannes
Marceau
Rue
TROCADÉRO
CONCORDE
BOIS DE BOULOGNE
Pte de la Muette
Bd.
Av. Mandel
New-York
Quai des Tuileries
PALAIS DE CHAILLOT
Quai d'Orsay
MUSÉE D'ORSAY
Suchet
Av. de
Av. Bosquet
Bd
PASSY
TOUR EIFFEL
INVALIDES
16E ARR.
ÉCOLE MILITAIRE
7E ARR.
St-
MAISON DE RADIO-FRANCE
SEINE
Bd de Grenelle
Q. de Grenelle
Bd des Invalides
Bd de Sèvres
Rennes
Pte d'Auteuil
Av. de Breteuil
A 13
Bd Murat
AUTEUIL
Versailles
Citroën
15E ARR.
Bd Garibaldi
R.
Bd du R. de
6E ARR.
PARC DES PRINCES
BEAUGRENELLE
Vaugirard
Montparnasse
Lecourbe
Av.
Raspail
R. de la Convention
de
A.
Bd
Av.
N 307
Quai
GARE MONTPARNASSE
du
Rue
Rue
VAUGIRARD
N 10
Pte de St-Cloud
Quai d'Issy
Bd Victor
PORTE DE VERSAILLES
DENFERT ROCHEREAU
BOULOGNE-BILLANCOURT
Pte de Sèvres
PARC DES EXPOSITIONS
Bd Lefèbvre
14E ARR.
R. d'Alésia
Maine
Gal Leclerc
D 1
Boulevard
Bd Brune
Av. Jean Moulin
ALÉSIA
Av. du
Bd
N 187
VANVES
Pte de Châtillon
Périphérique
Pte d'Orléans
N 189
MALAKOFF
ISSY-LES-MOULINEAUX
N 306
MONTROUGE
N 20

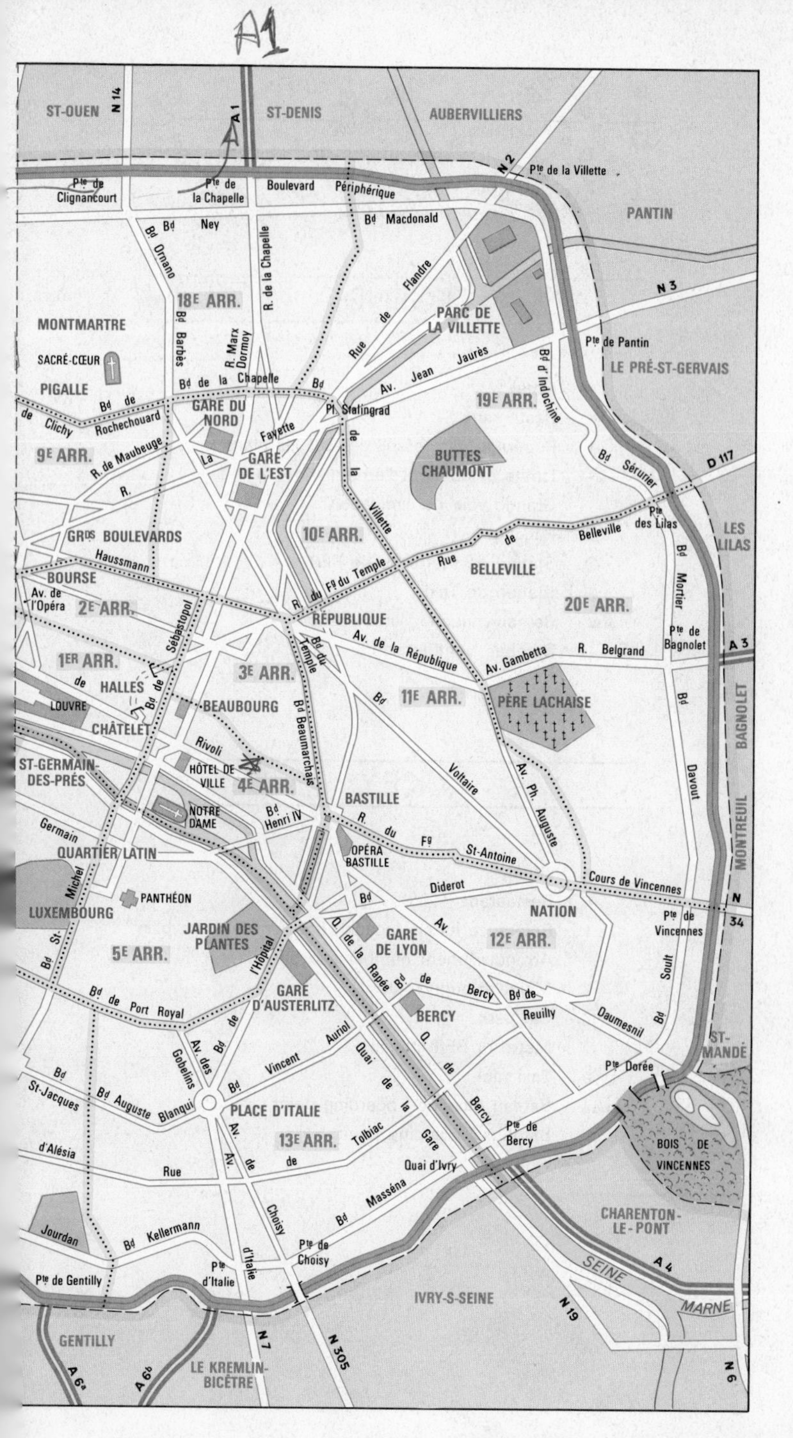
ST-OUEN
ST-DENIS
AUBERVILLIERS
PANTIN
LE PRÉ-ST-GERVAIS
LES LILAS
BAGNOLET
MONTREUIL
ST-MANDÉ
BOIS DE VINCENNES
CHARENTON-LE-PONT
IVRY-S-SEINE
GENTILLY
LE KREMLIN-BICÊTRE
MONTMARTRE
SACRÉ-CŒUR
PIGALLE
18E ARR.
19E ARR.
20E ARR.
9E ARR.
10E ARR.
11E ARR.
12E ARR.
13E ARR.
1ER ARR.
2E ARR.
3E ARR.
4E ARR.
5E ARR.
PARC DE LA VILLETTE
GARE DU NORD
GARE DE L'EST
BUTTES CHAUMONT
BELLEVILLE
GRDS BOULEVARDS
BOURSE
RÉPUBLIQUE
HALLES
LOUVRE
BEAUBOURG
CHÂTELET
ST-GERMAIN-DES-PRÉS
HÔTEL DE VILLE
NOTRE DAME
BASTILLE
OPÉRA BASTILLE
PÈRE LACHAISE
NATION
QUARTIER LATIN
PANTHÉON
LUXEMBOURG
JARDIN DES PLANTES
GARE DE LYON
GARE D'AUSTERLITZ
BERCY
PLACE D'ITALIE
Pte de Clignancourt
Pte de la Chapelle
Boulevard Périphérique
Pte de la Villette
Pte de Pantin
Pte des Lilas
Pte de Bagnolet
Pte de Vincennes
Pte Dorée
Pte de Bercy
Pte de Choisy
Pte d'Italie
Pte de Gentilly
Bd Ney
Bd Macdonald
Bd Ornano
R. de la Chapelle
Bd Barbès
R. Marx Dormoy
Bd de la Chapelle
Rue de Flandre
Av. Jean Jaurès
Bd d'Indochine
Bd Sérurier
Bd Mortier
Bd Davout
Bd Soult
Pl. Stalingrad
Bd de Rochechouart
Bd de Clichy
R. de Maubeuge
R. La Fayette
Rue de la Villette
Rue de Belleville
R. du Fg du Temple
Haussmann
Av. de l'Opéra
Sébastopol
Bd du Temple
Av. de la République
Av. Gambetta
R. Belgrand
Bd Beaumarchais
Bd Voltaire
Av. Ph. Auguste
Rivoli
Bd Henri IV
R. du Fg St-Antoine
Cours de Vincennes
Bd Diderot
Av. Daumesnil
Bd de Bercy
Bd de Reuilly
Q. de la Rapée
Q. de Bercy
Bd de l'Hôpital
Bd St-Germain
Bd St-Michel
Bd de Port Royal
Av. des Gobelins
Bd Vincent Auriol
Quai de la Gare
Bd St-Jacques
Bd Auguste Blanqui
Rue de Tolbiac
Quai d'Ivry
Av. de Choisy
Av. d'Italie
Bd Masséna
Bd Kellermann
Jourdan
R. d'Alésia
N 14
A 1
N 2
N 3
D 117
A 3
N 34
A 4
N 19
N 6
N 7
N 305
A 6a
A 6b
SEINE
MARNE
A1

LÉGENDE

•	Hôtel
•	Restaurant
AX 1	Repérage des ressources sur les plans
2E	Limite et numéro d'arrondissement
	Grande voie de circulation
P	Parking
M	Station de métro ou de RER
T	Station de Taxi
	Bateau mouche : embarcadère
	Batobus : embarcadère

KEY

•	Hotel
•	Restaurant
AX 1	Reference letters locating position on town plan
2E	Arrondissement number and boundary
	Major through route
P	Car park
M	Metro or RER station
T	Taxi rank
	Bateau mouche : boarding point
	Batobus : boarding point

1er 2e arrondissements

OPÉRA – PALAIS ROYAL

HALLES – BOURSE

CHATELET – TUILERIES

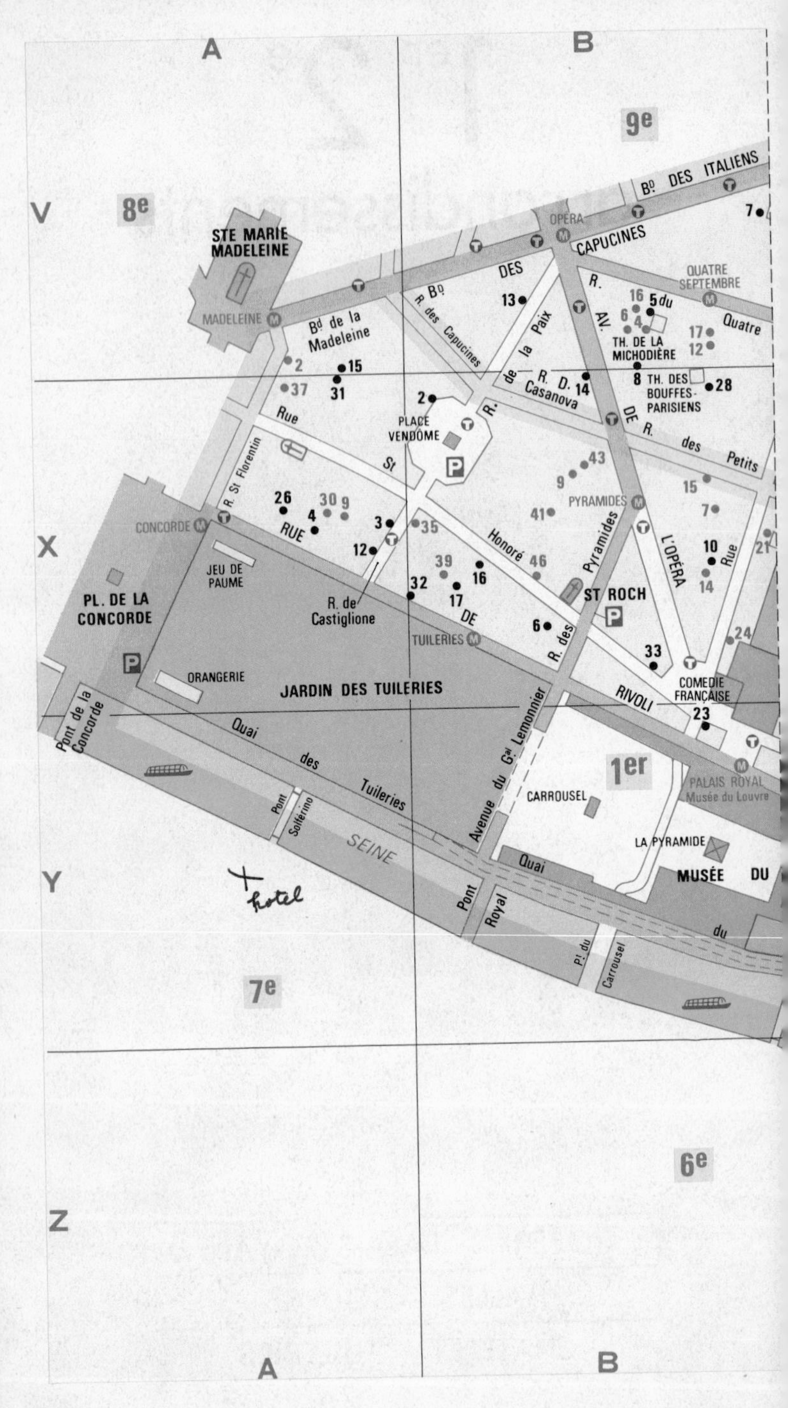
A
B
9e
Bd DES ITALIENS
V
8e
STE MARIE MADELEINE
OPÉRA
CAPUCINES
DES
Bd
QUATRE SEPTEMBRE
MADELEINE
Bd de la Madeleine
R. des Capucines
de la Paix
AV.
Quatre
TH. DE LA MICHODIÈRE
R. D. Casanova
TH. DES BOUFFES-PARISIENS
Rue
PLACE VENDÔME
R.
DE
R.
des
Petits
St
R. St Florentin
PYRAMIDES
CONCORDE
RUE
Honoré
Pyramides
L'OPÉRA
X
Rue
JEU DE PAUME
PL. DE LA CONCORDE
R. de Castiglione
DE
ST ROCH
TUILERIES
R. des
ORANGERIE
JARDIN DES TUILERIES
RIVOLI
COMEDIE FRANÇAISE
Pont de la Concorde
Quai
des
Tuileries
Avenue du Gal Lemonnier
1er
CARROUSEL
PALAIS ROYAL
Musée du Louvre
Pont Solférino
SEINE
LA PYRAMIDE
Quai
MUSÉE DU
Y
hotel
Pont Royal
du
Pt du Carrousel
7e
6e
Z
A
B

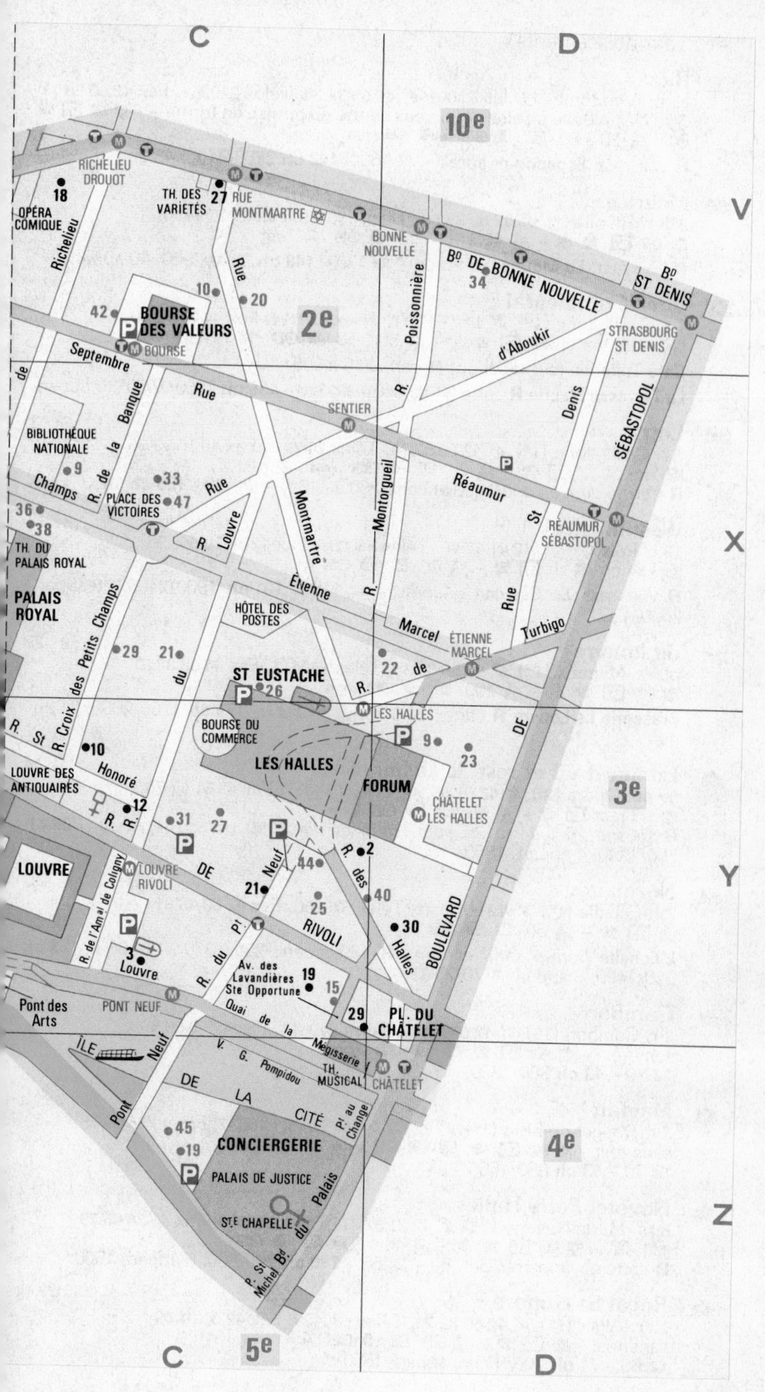

C
D
10e
2e
3e
4e
5e
V
X
Y
Z
RICHELIEU DROUOT
OPÉRA COMIQUE
TH. DES VARIÉTÉS
RUE MONTMARTRE
BONNE NOUVELLE
Bd DE BONNE NOUVELLE
Bd ST DENIS
STRASBOURG ST DENIS
BOURSE DES VALEURS
BOURSE
SENTIER
BIBLIOTHÈQUE NATIONALE
PLACE DES VICTOIRES
TH. DU PALAIS ROYAL
PALAIS ROYAL
RÉAUMUR SÉBASTOPOL
SÉBASTOPOL
HÔTEL DES POSTES
ÉTIENNE MARCEL
ST EUSTACHE
LES HALLES
BOURSE DU COMMERCE
FORUM
CHÂTELET LES HALLES
LOUVRE DES ANTIQUAIRES
LOUVRE
LOUVRE RIVOLI
RIVOLI
BOULEVARD
Av. des Lavandières Ste Opportune
PL. DU CHÂTELET
Pont des Arts
PONT NEUF
ÎLE
DE LA CITÉ
TH. MUSICAL
CHÂTELET
CONCIERGERIE
PALAIS DE JUSTICE
STE CHAPELLE
Bd. du Palais
P. St Michel

Ritz
BX 2

15 pl. Vendôme (1er) ✉ 75001 ☏ 42 60 38 30, Télex 220262, Fax 42 60 23 71
, , « Belle piscine et luxueux centre de remise en forme » –
– 30 à 80. AE GB JCB. rest
R voir rest. **Espadon** ci-après – 160 – **142 ch** 2750/4100, 45 appart.

Meurice
BX 32

228 r. Rivoli (1er) ☏ 42 60 38 60, Télex 230673, Fax 49 27 94 97
– 40 à 100. AE GB. rest
R voir rest. **Le Meurice** ci-après – 130 – **148 ch** 2200/2900, 40 appart.

Inter-Continental
AX 12

3 r. Castiglione (1er) ☏ 44 77 11 11, Télex 220114, Fax 44 77 14 60
– ch – 500. AE GB. rest
Café Tuileries (coffee shop) **R** carte 215 à 295
La Terrasse Fleurie R carte 340 à 540 – 120 – **435 ch** 1650/2450, 16 appart.

Lotti
AX 3

7 r. Castiglione (1er) ☏ 42 60 37 34, Télex 240066, Fax 40 15 93 56
ch – 25. AE GB JCB. rest
R *(fermé dim. en août)* 230 et carte 260 à 410 – 120 – **129 ch** 1600/3000.

Westminster
BV 13

13 r. Paix (2e) ☏ 42 61 57 46, Télex 680035, Fax 42 60 30 66
ch ch – 40. AE GB
R voir rest. **Le Céladon** ci-après – 110 – **101 ch** 1900/2400, 18 appart. 2600/4200.

du Louvre
BY 23

pl. A. Malraux (1er) ☏ 44 58 38 38, Télex 240412, Fax 44 58 38 01
– 100. AE GB JCB
Brasserie Le Louvre R carte 190 à 330 – 90 – **179 ch** 1200/2000, 21 appart.

Édouard VII et rest. le Delmonico
BX 14

39 av. Opéra (2e) ☏ 42 61 56 90, Télex 680217, Fax 42 61 47 73
rest – 45. AE GB JCB
R *(fermé 25 juil. au 25 août, sam. et dim.)* 250 bc/350 – 30 – **68 ch** 750/1290, 4 appart. 1800.

Normandy
BX 33

7 r. Échelle (1er) ☏ 42 60 30 21, Télex 670250, Fax 42 60 45 81
– 50. AE GB JCB
L'Échelle *(fermé sam. et dim.)* **R** 180 et carte 230 à 320 – 68 – **123 ch** 920/1490, 8 appart. 1770/2500.

Cambon
AX 26

3 r. Cambon (1er) ☏ 42 60 38 09, Télex 240814, Fax 42 60 30 59
sans rest – . AE GB JCB
70 – **43 ch** 880/1380.

Mayfair
AX 4

3 r. Rouget-de-Lisle (1er) ☏ 42 60 38 14, Télex 240037, Fax 40 15 04 78
sans rest – . AE GB JCB.
70 – **53 ch** 850/1555.

Novotel Paris Halles
CY 2

8 pl. M.-de-Navarre (1er) ☏ 42 21 31 31, Télex 216389, Fax 40 26 05 79
M, – – 40 à 100. AE GB
R carte environ 150, enf. 50 – 55 – **280 ch** 790/860, 5 appart. 1500.

Royal St Honoré
BX 16

13 r. Alger (1er) ☏ 42 60 32 79, Télex 680429, Fax 42 61 21 49
sans rest – – 25. AE GB JCB
60 – **71 ch** 700/900, 3 appart. 1650.

de Noailles BV 5
9 r. Michodière (2e) ✆ 47 42 92 90, Télex 290644, Fax 49 24 92 71
M sans rest – |‡| TV ☎. AE GB
☕ 35 – **58 ch** 800.

Favart BV 7
5 r. Marivaux (2e) ✆ 42 97 59 83, Télex 213126, Fax 40 15 95 58
sans rest – |‡| TV ☎ ♿. AE GB
☕ 20 – **37 ch** 490/590.

François CV 27
3 bd Montmartre (2e) ✆ 42 33 51 53, Télex 211097, Fax 40 26 29 90
sans rest – |‡| TV ☎. AE ⓓ GB. ✱
☕ 48 – **61 ch** 680/820, 11 appart. 795/930.

Montana Tuileries BX 6
12 r. St-Roch (1er) ✆ 42 60 35 10, Télex 214404, Fax 42 61 12 28
sans rest – |‡| TV ☎. AE ⓓ GB JCB
☕ 48 – **25 ch** 690/990.

Duminy Vendôme BX 17
3 r. Mont Thabor (1er) ✆ 42 60 32 80, Télex 213492, Fax 42 96 07 83
sans rest – |‡| TV ☎ – 🏆 30. AE ⓓ GB JCB. ✱
79 ch ☕ 780/850.

Louvre St-Honoré CY 12
141 r. St-Honoré (1er) ✆ 42 96 23 23, Télex 215044, Fax 42 96 21 61
M sans rest – |‡| TV ☎. AE ⓓ GB JCB
☕ 45 – **40 ch** 450/945.

Molière BX 10
21 r. Molière (1er) ✆ 42 96 22 01, Télex 213292, Fax 42 60 48 68
sans rest – |‡| TV ☎. AE ⓓ GB. ✱
☕ 35 – **29 ch** 430/650, 3 appart.

Lautrec Opéra CV 18
8 r. d'Amboise (2e) ✆ 42 96 67 90, Télex 216502, Fax 42 96 06 83
M sans rest – |‡| TV ☎. AE GB. ✱
☕ 25 – **30 ch** 500/800.

Baudelaire Opéra BX 28
61 r. Ste Anne (2e) ✆ 42 97 50 62, Télex 216116, Fax 42 86 85 85
M sans rest – |‡| TV ☎. AE ⓓ GB JCB
☕ 30 – **29 ch** 420/570, 5 duplex 680.

Gd H. de Champagne CY 19
17 r. J.-Lantier (1er) ✆ 42 36 60 00, Télex 215955, Fax 45 08 43 33
sans rest – |‡| TV ☎. AE ⓓ GB
☕ 55 – **40 ch** 545/850, 3 appart. 1150.

Le Relais du Louvre CY 3
19 r. Prêtres-St-Germain-L'Auxerrois (1er) ✆ 40 41 96 42, Fax 40 41 96 44
sans rest – |‡| TV ☎. AE ⓓ GB
☕ 50 – **20 ch** 575/1100.

Gaillon-Opéra BV 8
9 r. Gaillon (2e) ✆ 47 42 47 74, Télex 215716, Fax 47 42 01 23
sans rest – |‡| TV ☎. AE ⓓ GB JCB
☕ 30 – **25 ch** 600/850.

Britannique CY 29
20 av. Victoria (1er) ✆ 42 33 74 59, Télex 220240, Fax 42 33 82 65
sans rest – |‡| TV ☎. AE ⓓ GB. ✱
☕ 40 – **40 ch** 490/680.

Ducs de Bourgogne CY 21
19 r. Pont-Neuf (1er) 42 33 95 64, Télex 216367, Fax 40 39 01 25
sans rest – . AE GB JCB.
43 – **50 ch** 450/650.

Ducs d'Anjou DY 30
1 r. Ste-Opportune (1er) 42 36 92 24, Télex 218681, Fax 42 36 16 63
sans rest – . AE GB JCB
42 – **38 ch** 410/565.

Timhôtel Le Louvre CY 10
4 r. Croix des Petits Champs (1er) 42 60 34 86, Télex 216405, Fax 42 60 10 39
sans rest – . AE GB JCB
45 – **56 ch** 389/523.

Espadon - Hôtel Ritz BX 2
15 pl. Vendôme (1er) 42 60 38 30, Télex 220262, Fax 42 60 23 71
– . AE GB JCB.
fermé août – **R** 340 (déj.)/560 et carte 450 à 750
Spéc. Foie gras de canard au Médoc, Omble chevalier du lac Pavin (nov. à déc.), Canette de Barbarie.

Grand Vefour CX 38
17 r. Beaujolais (1er) 42 96 56 27, Fax 42 86 80 71
« Ancien café du Palais Royal fin 18e siècle » – . AE GB JCB.
fermé août, sam. et dim. – **R** 305 (déj.) et carte 510 à 720
Spéc. Saumon mi-cuit en terrine, Pigeon de Bresse rôti, Déclinaison de pomme.

Le Meurice - Hôtel Meurice BX 32
228 r. Rivoli (1er) 42 60 38 60, Télex 230673, Fax 49 27 94 97
. AE GB
R 300 (déj.) et carte 355 à 460.
Spéc. Crêpes de maïs fourrées au foie de canard, Filets de sole en bouillon d'écrevisses, Pomme de ris de veau truffée au Vin Jaune.

Carré des Feuillants (Dutournier) BX 35
14 r. Castiglione (1er) 42 86 82 82, Fax 42 86 07 71
. AE GB JCB
fermé sam. (sauf le soir de sept. à juin) et dim. – **R** 250 (déj.) et carte 410 à 570
Spéc. Gaspacho blanc de homard (été), Merlu poêlé, Jarret de veau de lait à la daube de cèpes (automne-hiver).

Drouant BV 4
pl. Gaillon (2e) 42 65 15 16, Fax 49 24 02 15
. AE GB JCB
R 320 (déj.) et carte 405 à 550

Café Drouant R 200bc (dîner et dim.) et carte 245 à 340
Spéc. Charlotte de langoustines aux aubergines confites, Aile de raie en papillote aux aromates, Filet de veau à la ficelle.

Goumard-Prunier AX 37
9 r. Duphot (1er) 42 60 36 07, Fax 42 60 04 54
produits de la mer – . AE GB JCB
fermé dim. et lundi – **R** carte 410 à 560
Spéc. Friture de petits calamars, Carpaccio de Saint-Jacques et truffes (oct. à mai), Poissons de roche en soupe safranée.

Gérard Besson CX 21
5 r. Coq Héron (1er) 42 33 14 74, Fax 42 33 85 71
. AE GB
fermé 11 juillet au 2 août, 25 déc. au 2 janv., sam. et dim. – **R** 260 (déj.) et carte 335 à 520
Spéc. Homard et poissons de la baie d'Erquy, Champignons et truffes (saison), Gibier (saison).

XXX ✿ **Mercure Galant** CX 36
15 r. Petits-Champs (1er) ✆ 42 96 98 89, Fax 42 96 08 89
GB
fermé sam. midi, dim. et fêtes – **R** 250 (déj.)/400
Spéc. Tournedos de saumon fumé, Coeur de Charolais à la moelle en papillote, Mille et une feuilles.

XXX ✿ **Le Céladon** - Hôtel Westminster BV 13
15 r. Daunou (2e) ✆ 42 61 57 46, Télex 680035, Fax 42 60 30 66
▤. AE ⓓ GB
fermé août, sam., dim. et fériés – **R** 290 et carte 420 à 545
Spéc. Oeufs brouillés aux oursins en coque (oct. à mars), Saint-Jacques grillées bardées de magret de canard (oct. à mars), Escalope de ris de veau panée.

XXX **Pierre " A la Fontaine Gaillon "** BV 6
pl. Gaillon (2e) ✆ 42 65 87 04
– ▤. AE ⓓ GB JCB
fermé août, sam. midi et dim. – **R** carte 200 à 360.

XXX **Serge Granger** BX 9
36 pl. Marché St-Honoré (1er) ✆ 42 60 03 00, Fax 42 60 00 89
– ▤. AE ⓓ GB.
fermé mi-août à mi-sept., sam. midi, dim. et fériés – **R** 170/220 bc.

XXX **La Corbeille** CV 20
154 r. Montmartre (2e) ✆ 40 26 30 87
AE GB
fermé 10 au 20 août, sam. et dim. – **R** 150/280.

XXX **Chez Vong** DY 23
10 r. Grande-Truanderie (1er) ✆ 40 39 99 89
cuisine chinoise et vietnamienne – ▤. AE ⓓ GB
fermé dim. – **R** carte 170 à 340.

XX **Au Pied de Cochon** CX 26
6 r. Coquillière (1er) ✆ 42 36 11 75, Fax 45 08 48 90
(ouvert jour et nuit) – ▤. AE ⓓ GB JCB
R carte 170 à 310.

XX **Gaya** AV 2
17 r. Duphot (1er) ✆ 42 60 43 03, Fax 42 60 39 57
« Belles fresques d'azulejos » – ▤. AE ⓓ GB JCB
fermé dim. et lundi – **R** carte environ 250.

XX ✿ **Chez Pauline** (Génin) BX 7
5 r. Villédo (1er) ✆ 42 96 20 70, Fax 49 27 99 89
AE GB
fermé 9 au 23 août, 20 au 27 déc., sam. (sauf le midi d'oct. à avril) et dim. –
R (▤ 1er étage) 190 (déj.) et carte 290 à 480
Spéc. Salade tiède de tête de veau, Terrine de lapereau en gelée de Pouilly, Ris de veau en croûte.

XX ✿ **Pierre Au Palais Royal** BX 24
10 r. Richelieu (1er) ✆ 42 96 09 17
ⓓ GB
fermé août, sam., dim. et fériés – **R** carte 215 à 380
Spéc. Escalopes de foie gras de canard chaud, Quenelles de brochet, Rognon de veau rôti.

XX **Saudade** CY 25
34 r. Bourdonnais (1er) ✆ 42 36 30 71
cuisine portugaise – ▤. AE ⓓ GB.
fermé dim. soir – **R** carte 170 à 270.

XX **Kinugawa** BX 39
9 r. Mont Thabor (1er) ✆ 42 60 65 07, Fax 42 60 45 21
cuisine japonaise – ▤. AE GB JCB.
fermé 23 déc. au 8 janv. et dim. – **R** carte 175 à 310.

XX ✿ **Pharamond** DY 9
24 r. Grande-Truanderie (1er) ✆ 42 33 06 72
AE ⓓ GB
fermé 19 juil. au 17 août, lundi midi et dim. – **R** carte 210 à 360
Spéc. Tripes à la mode de Caen, Coquilles Saint-Jacques au cidre (15 oct. au 15 mai), Dodine de caneton au Saumur-Champigny.

XX **Palais Cardinal** BX 21
43 r. Montpensier (1er) ✆ 42 61 20 23
GB
fermé 1er au 25 août, dim. et lundi – **R** carte 195 à 315.

XX ✿ **Pile ou Face** CV 10
52 bis r. N.-D. des Victoires (2e) ✆ 42 33 64 33, Fax 42 36 61 09
▤. GB
fermé 27 juil. au 23 août, 23 déc. au 1er janv., sam., dim. et fériés – **R** carte 285 à 435
Spéc. Pigeonneau rôti à l'huile de truffe, Fricassée de ris de veau et coques à l'oseille, Mousse de thé "Earl Grey".

XX **Bernard Chirent** AX 9
28 r. Mont-Thabor (1er) ✆ 42 86 80 05
GB
fermé sam. midi et dim. – **R** 170 bc/450.

XX **Velloni** CY 40
22 r. des Halles (1er) ✆ 42 21 12 50
cuisine italienne – AE ⓓ GB JCB. ✗
fermé août et dim. – **R** carte 180 à 290.

XX **A la Grille St-Honoré** BX 41
15 pl. Marché St-Honoré (1er) ✆ 42 61 00 93, Fax 47 03 31 64
AE GB
fermé 30 juil. au 19 août, 24 déc. au 2 janv., dim. et lundi – **R** 180 et carte 260 à 395 ♁.

XX **La Passion** BX 15
41 r. Petits Champs (1er) ✆ 42 97 53 41
▤. GB. ✗
fermé 26 juil. au 26 août, sam. et dim. – **R** 170/360.

XX **Vaudeville** CV 42
29 r. Vivienne (2e) ✆ 40 20 04 62, Fax 49 27 08 78
brasserie – AE ⓓ GB
R carte 150 à 290 ♁.

XX **Chatelet Gourmand** CY 15
13 r. Lavandières Ste-Opportune (1er) ✆ 40 26 45 00
AE ⓓ GB
fermé août, sam. midi et dim. – **R** 160 et carte 245 à 335.

XX **Le Grand Colbert** CX 9
2 r. Vivienne (2e) ✆ 42 86 87 88
brasserie – ▤. AE ⓓ GB
fermé août – **R** carte 160 à 240 ♁.

XX **Coup de Coeur** BV 12
19 r. St Augustin (2e) ✆ 47 03 45 70
AE ⓓ GB
fermé 8 au 23 août, sam. midi et dim. – **R** 130/165 bc.

XX **Le Soufflé** AX 30
36 r. Mont Thabor (1er) ✆ 42 60 27 19
▤. AE ⓓ GB JCB
fermé dim. et fériés – **R** 200.

XX **Les Cartes Postales** BX 4
7 r. Gomboust (1er) ✆ 42 61 02 93
GB. ✗
fermé 2 au 23 août, 20 déc. au 3 janv., sam. midi, dim. et fériés – **R** (nombre de couverts limité, prévenir) carte 220 à 330.

XX **Chez Gabriel** CY 31
123 r. St-Honoré (1er) ✆ 42 33 02 99
▤. AE ⓓ GB JCB. ✻
fermé 1er au 20 août, 24 déc. au 4 janv. dim. et fêtes – **R** 145/235.

XX **Le Saint Amour** BV 16
8 r. Port Mahon (2e) ✆ 47 42 63 82
▤. AE ⓓ GB
fermé 13 juil. au 15 août, sam. (sauf le soir du 16 sept. au 14 juin), dim. et fériés – **R** 165 et carte 200 à 315.

XX **Escargot Montorgueil** DX 22
38 r. Montorgueil (1er) ✆ 42 36 83 51, Fax 42 36 35 05
« Cadre bistrot 1830 » – AE ⓓ GB
fermé 2 au 17 août et lundi – **R** carte 240 à 380.

XX **Caveau du Palais** CZ 45
19 pl. Dauphine (1er) ✆ 43 26 04 28, Fax 43 26 81 84
AE GB
fermé sam. d'oct. à mai et dim. – **R** carte 190 à 335.

XX **Bonne Fourchette** BX 46
320 r. St Honoré, au fond de la cour (1er) ✆ 42 60 45 27
▤. ⓓ GB. ✻
fermé 1er au 30 août, dim. midi et sam. – **R** 105/145 🍷.

X **La Main à la Pâte** CY 44
35 r. St-Honoré (1er) ✆ 45 08 85 73
cuisine italienne – AE ⓓ GB
fermé dim. – **R** 168 et carte 180 à 310.

X **Aux Petits Pères " Chez Yvonne "** CX 33
8 r. N.-D.-des-Victoires (2e) ✆ 42 60 91 73
▤. AE GB
fermé 2 au 8 mars, août, sam., dim. et fêtes – **R** 158 et carte 170 à 315.

X **Chez Georges** CX 47
1 r. Mail (2e) ✆ 42 60 07 11
▤. AE GB
fermé 6 au 20 août, dim. et fêtes – **R** carte 195 à 335.

X **La Clef du Périgord** CX 29
38 r. Croix des Petits Champs (1er) ✆ 40 20 06 46
GB
fermé 1er au 15 mai, 15 au 31 août, sam. midi et dim. – **R** 145/198 bc.

X **Joss Dumoulin** BV 17
16 r. St-Augustin (2e) ✆ 49 27 09 90
▤. GB
fermé août, sam. (sauf le soir du 1er oct. au 30 juin) et dim. – **R** carte 145 à 230.

X **Cochon Doré** DV 34
16 r. Thorel (2e) ✆ 42 33 29 70
▤. GB
fermé 1er au 16 août et lundi – **R** 78/150.

X **Paul** CZ 19
15 pl. Dauphine (1er) ✆ 43 54 21 48
GB. ✻
fermé 2 au 10 mars, 3 au 27 août, lundi et mardi – **R** carte 185 à 310.

X **La Poule au Pot** CY 27
9 r. Vauvilliers (1er) ✆ 42 36 32 96
GB
fermé lundi – **R** (dîner seul.) carte 210 à 360.

Notes

3e 4e 11e arrondissements

RÉPUBLIQUE

NATION – BASTILLE

ILE ST-LOUIS – BEAUBOURG

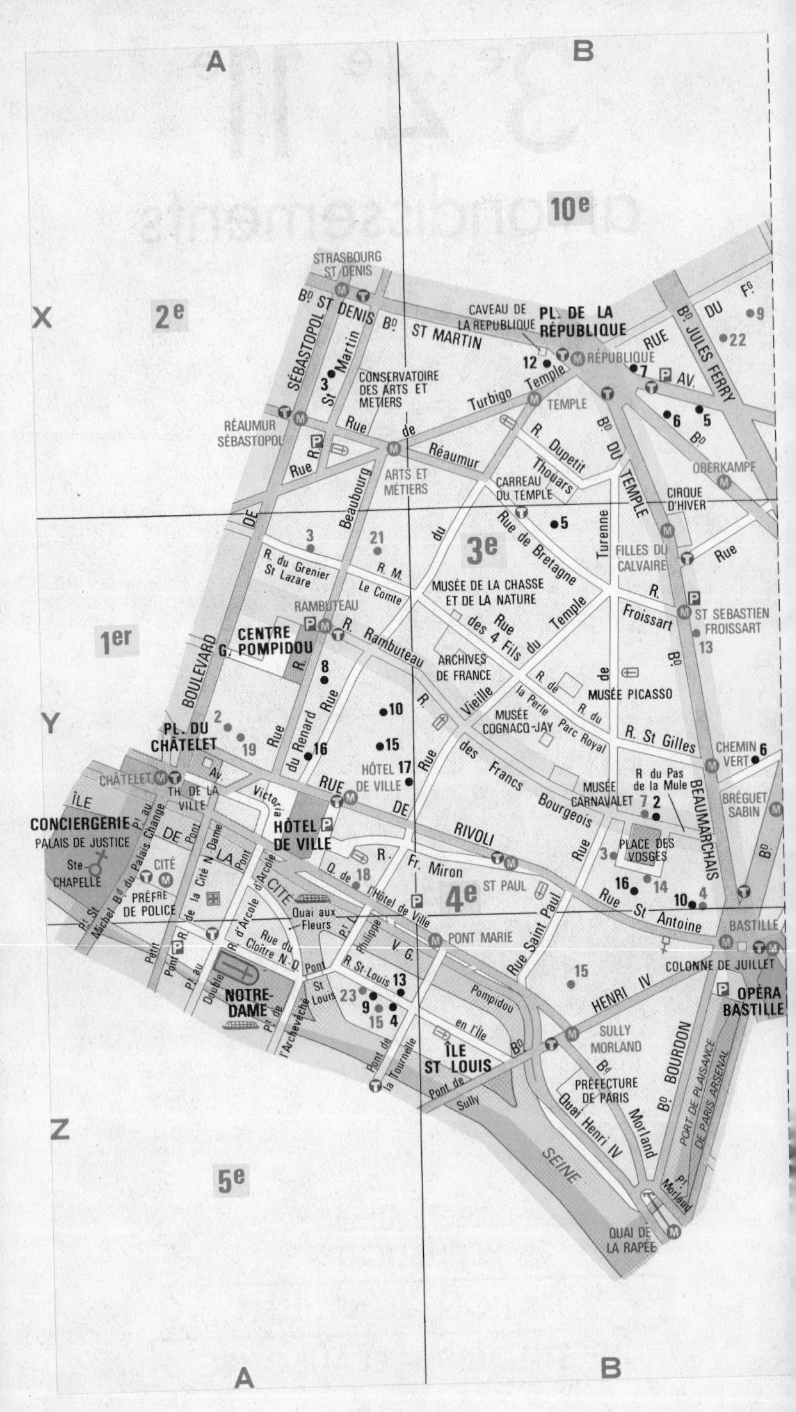
A
B
10e
2e
1er
3e
4e
5e
X
Y
Z
STRASBOURG ST DENIS
Bd ST DENIS
Bd ST MARTIN
SÉBASTOPOL
CAVEAU DE LA REPUBLIQUE
PL. DE LA RÉPUBLIQUE
RÉPUBLIQUE
Bd JULES FERRY
CONSERVATOIRE DES ARTS ET METIERS
Turbigo
Temple
TEMPLE
RÉAUMUR SÉBASTOPOL
Réaumur
ARTS ET MÉTIERS
Beaubourg
R. Dupetit Thouars
CARREAU DU TEMPLE
Bd DU TEMPLE
OBERKAMPF
CIRQUE D'HIVER
FILLES DU CALVAIRE
Rue de Bretagne
Turenne
R. du Grenier St Lazare
R. M. Le Comte
MUSÉE DE LA CHASSE ET DE LA NATURE
R. Froissart
ST SEBASTIEN FROISSART
RAMBUTEAU
R. Rambuteau
CENTRE G. POMPIDOU
Rue des 4 Fils
Rue du Temple
ARCHIVES DE FRANCE
MUSÉE PICASSO
Vieille
la Perle
R. du Parc Royal
MUSÉE COGNACQ-JAY
R. St Gilles
CHEMIN VERT
BOULEVARD
PL. DU CHÂTELET
Rue du Renard
HÔTEL DE VILLE
des Francs Bourgeois
MUSÉE CARNAVALET
R du Pas de la Mule
BEAUMARCHAIS
BRÉGUET SABIN
CHÂTELET
TH. DE LA VILLE
Av. Victoria
RUE DE RIVOLI
ÎLE DE LA CITÉ
CONCIERGERIE
PALAIS DE JUSTICE
Ste CHAPELLE
PRÉFRE DE POLICE
Pont au Change
Pont N. Dame
Pont d'Arcole
PLACE DES VOSGES
R. Fr. Miron
Q. de l'Hôtel de Ville
ST PAUL
Rue St Antoine
BASTILLE
Quai aux Fleurs
Rue du Cloître N.D.
Pont St Michel
Petit Pont
Pt au Double
NOTRE-DAME
Pt de l'Archevêché
PONT MARIE
Rue Saint Paul
COLONNE DE JUILLET
OPÉRA BASTILLE
R. St-Louis
St Louis
Pompidou
en l'Île
ÎLE ST LOUIS
Pont de la Tournelle
Pont de Sully
HENRI IV
SULLY MORLAND
Bd BOURDON
PRÉFECTURE DE PARIS
Quai Henri IV
Bd Morland
PORT DE PLAISANCE DE PARIS ARSENAL
SEINE
Pt Morland
QUAI DE LA RAPÉE

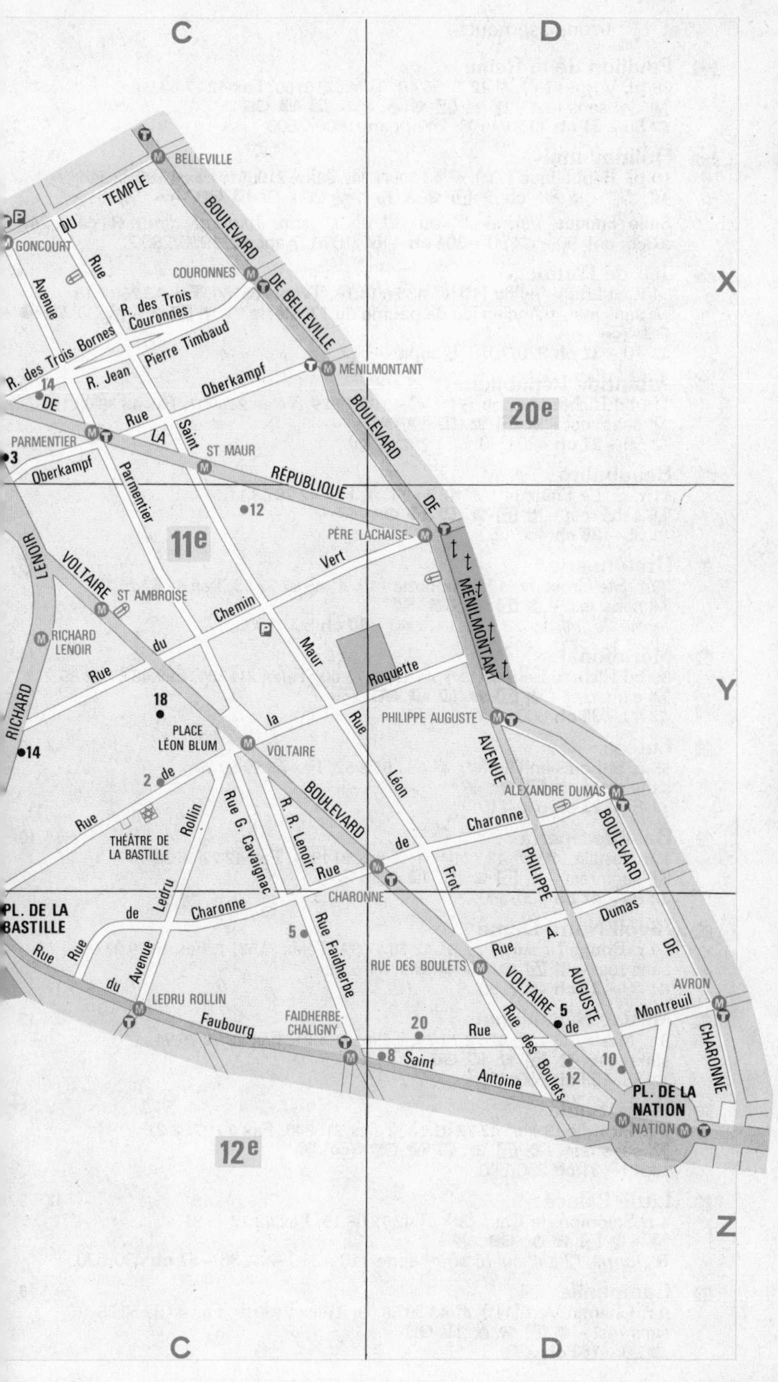
C
D
X
Y
Z
BELLEVILLE
TEMPLE
DU
GONCOURT
Rue
Avenue
COURONNES
R. des Trois Couronnes
BOULEVARD
DE BELLEVILLE
R. des Trois Bornes
Pierre Timbaud
R. Jean
Oberkampf
MÉNILMONTANT
DE
Rue
LA
Saint
PARMENTIER
ST MAUR
Oberkampf
Parmentier
RÉPUBLIQUE
BOULEVARD
DE
20e
11e
PÈRE LACHAISE
Vert
MÉNILMONTANT
LENOIR
VOLTAIRE
ST AMBROISE
Chemin
RICHARD LENOIR
Rue
du
Maur
Roquette
RICHARD
PLACE LÉON BLUM
la
Rue
PHILIPPE AUGUSTE
VOLTAIRE
AVENUE
Léon
ALEXANDRE DUMAS
Rue
Rollin
Rue G. Cavaignac
R. R. Lenoir
BOULEVARD
Charonne
THÉATRE DE LA BASTILLE
de
Rue
Frot
PHILIPPE
BOULEVARD
CHARONNE
PL. DE LA BASTILLE
de
Ledru
Charonne
Rue Faidherbe
Dumas
A.
DE
Rue
Rue
Avenue
RUE DES BOULETS
VOLTAIRE
AUGUSTE
AVRON
du
LEDRU ROLLIN
Rue
Montreuil
Faubourg
FAIDHERBE-CHALIGNY
Rue
des
de
CHARONNE
Saint
Antoine
Boulets
PL. DE LA NATION
NATION
12e
14
3
12
18
2
5
20
8
10

Pavillon de la Reine BY 2
28 pl. Vosges (3e) ☎ 42 77 96 40, Télex 216160, Fax 42 77 63 06
M sans rest – ⎮ TV ☎ ♿. AE ⓓ GB
☕ 85 – **31 ch** 1150/1600, 24 appart. 1600/2800.

Holiday Inn BX 7
10 pl. République (11e) ☎ 43 55 44 34, Télex 210651, Fax 47 00 32 34
M, – ⎮ ch TV ☎ ♿ P – 200. AE ⓓ GB JCB. rest
Belle Epoque *(fermé 1er au 30 août, sam. midi et dim.)* **R** carte 240 à 335, enf. 90 – ☕ 90 – **304 ch** 1150/1590, 7 appart. 1950/2800.

Jeu de Paume AZ 13
54 r. St-Louis-en-l'Ile (4e) ☎ 43 26 14 18, Télex 205160, Fax 43 26 14 18
M sans rest, « Ancien jeu de paume du 17e siècle » – ⎮ TV ☎ – 30. AE ⓓ GB JCB
☕ 70 – **32 ch** 820/1070, 8 duplex.

Atlantide République CX 3
114 bd Richard-Lenoir (11e) ☎ 43 38 29 29, Télex 216907, Fax 43 38 03 18
M sans rest – ⎮ TV ☎. AE ⓓ GB
☕ 35 – **27 ch** 420/630.

Beaubourg AY 8
11 r. S. Le Franc (4e) ☎ 42 74 34 24, Fax 42 78 68 11
M sans rest – ⎮ TV ☎. AE ⓓ GB.
☕ 35 – **28 ch** 450/650.

Bretonnerie AY 15
22 r. Ste-Croix-de-la-Bretonnerie (4e) ☎ 48 87 77 63, Fax 42 77 26 78
M sans rest – ⎮ TV ☎. GB.
fermé 26 juil. au 23 août – ☕ 40 – **30 ch** 500/700.

Méridional CY 14
36 bd Richard-Lenoir (11e) ☎ 48 05 75 00, Télex 211324, Fax 43 57 42 85
M sans rest – ⎮ TV ☎. AE ⓓ GB JCB
☕ 40 – **36 ch** 600.

Lutèce AZ 9
65 r. St-Louis-en-l'Ile (4e) ☎ 43 26 23 52, Fax 43 29 60 25
sans rest – ⎮ TV ☎.
☕ 37 – **23 ch** 690/710.

Bastille Spéria BY 10
1 r. Bastille (4e) ☎ 42 72 04 01, Télex 214327, Fax 42 72 56 38
M sans rest – ⎮ TV ☎. AE ⓓ GB.
☕ 35 – **42 ch** 490/580.

Rivoli Notre Dame AY 17
19 r. Bourg Tibourg (4e) ☎ 42 78 47 39, Télex 215314, Fax 40 29 07 00
sans rest – ⎮ TV ☎. AE ⓓ GB.
☕ 38 – **31 ch** 480/590.

Meslay République BX 12
3 r. Meslay (3e) ☎ 42 72 79 79, Télex 213021, Fax 42 72 76 94
sans rest – ⎮ TV ☎. AE GB
☕ 38 – **39 ch** 660/690.

Vieux Saule BY 5
6 r. Picardie (3e) ☎ 42 72 01 14, Télex 216840, Fax 40 27 88 21
M sans rest – ⎮ TV ☎. AE ⓓ GB JCB.
☕ 40 – **31 ch** 350/550.

Little Palace AX 3
4 r. Salomon de Caus (3e) ☎ 42 72 08 15, Fax 42 72 45 81
M – ⎮ TV ☎ ♿. GB.
R *(fermé 13 juil. au 16 août)* carte 110 à 190 – ☕ 35 – **57 ch** 430/620.

Campanile BY 6
9 r. Chemin Vert (11e) ☎ 43 38 58 08, Télex 218019, Fax 43 38 52 28
sans rest – ⎮ TV ☎ ♿. AE GB
☕ 29 – **162 ch** 395.

Deux Iles AZ 4
59 r. St-Louis-en-l'Ile (4e) ✆ 43 26 13 35, Fax 43 29 60 25
sans rest – |♦| TV ☎
☕ 40 – **17 ch** 600/750.

Axial Beaubourg AY 16
11 r. Temple (4e) ✆ 42 72 72 22, Télex 216250, Fax 42 72 03 53
sans rest – |♦| TV ☎. AE GB. ✂
☕ 35 – **39 ch** 450/550.

Nord et Est BX 6
49 r. Malte (11e) ✆ 47 00 71 70, Fax 43 57 51 16
sans rest – |♦| TV ☎. GB. ✂
fermé août et 24 déc. au 2 janv. – ☕ 30 – **45 ch** 300/330.

Vieux Marais AY 10
8 r. Plâtre (4e) ✆ 42 78 47 22, Fax 42 78 34 32
sans rest – |♦| TV ☎. GB. ✂
☕ 35 – **30 ch** 320/540.

Prince Eugène DZ 5
247 bd Voltaire (11e) ✆ 43 71 22 81, Télex 215603, Fax 43 71 24 71
sans rest – |♦| TV ☎. AE ⓓ GB
☕ 30 – **35 ch** 320/380.

Paris Voltaire CY 18
79 r. Sedaine (11e) ✆ 48 05 44 66, Télex 215401, Fax 48 07 87 96
M sans rest – |♦| TV ☎. AE GB JCB. ✂
fermé 15 au 31 août et 23 au 28 déc. – ☕ 35 – **28 ch** 350/500.

Mondia BX 5
22 r. Gd Prieuré (11e) ✆ 47 00 93 44, Fax 43 38 66 14
sans rest – |♦| TV ☎. AE ⓓ GB
☕ 35 – **23 ch** 310/420.

Place des Vosges BY 16
12 r. Biragué (4e) ✆ 42 72 60 46, Fax 42 72 02 64
sans rest – |♦| ☎. AE ⓓ GB
☕ 32 – **16 ch** 275/400.

XXXX ✿✿✿ **L'Ambroisie** (Pacaud) BY 3
9 pl. des Vosges (4e) ✆ 42 78 51 45
GB. ✂
fermé 1er au 16 mars, 3 au 23 août, dim. et lundi – **R** carte 550 à 810
Spéc. Feuillantine de queues de langoustines, Foie de veau fermier en persillade, Tarte fine sablée au cacao amer et glace vanille.

XXX ✿ **Miraville** (Épié) AY 18
72 quai Hôtel de Ville (4e) ✆ 42 74 72 22, Fax 42 74 64 85
▤. AE GB
fermé sam. midi et dim. – **R** 150 (déj.)/500
Spéc. Beignet de foie gras au Porto, Pissalat de loup à la mozzarella, Tournedos de pied de cochon aux truffes.

XXX **Ambassade d'Auvergne** AY 3
22 r. Grenier St-Lazare (3e) ✆ 42 72 31 22, Fax 42 78 85 47
⇆ ▤. GB
fermé 26 juil. au 11 août – **R** carte 175 à 275.

XXX **Le Péché Mignon** CY 12
5 r. Guillaume-Bertrand (11e) ✆ 43 57 02 51
▤. AE GB
fermé dim. – **R** 160 (déj.) et carte 220 à 325.

XX **Bofinger** BZ 4
5 r. Bastille (4e) ✆ 42 72 87 82, Fax 42 72 97 68
brasserie, « Décor Belle Époque » – AE ⓓ GB
R 160 bc et carte 200 à 320 ♁.

XX ✿ **Benoît** AY 19
20 r. St-Martin (4e) ✆ 42 72 25 76
fermé août, sam. et dim. – **R** carte 325 à 460
Spéc. Langue de boeuf Lucullus, Selle d'agneau en rognonnade, Boeuf mode braisé à l'ancienne.

XX ✿ **A Sousceyrac** (Asfaux) CZ 5
35 r. Faidherbe (11e) ✆ 43 71 65 30, Fax 40 09 79 75
▤. AE GB
fermé août, sam. et dim. – **R** carte 185 à 345
Spéc. Les foies gras en terrine, Ris de veau aux pleurotes, Lièvre à la royale (saison).

XX **Blue Elephant** CY 2
43 r. Roquette (11e) ✆ 47 00 42 00, Fax 47 00 45 44
« Décor thaïlandais » – AE ⓓ GB
fermé 24 au 28 déc. et sam. midi – **R** carte 180 à 260 ♁.

XX **Repaire de Cartouche** BY 13
8 bd Filles-du-Calvaire (11e) ✆ 47 00 25 86
AE ⓓ GB
fermé 25 juil. au 25 août, sam. midi et dim. – **R** 140/350.

XX **L'Aiguière** DZ 20
37 bis r. Montreuil (11e) ✆ 43 72 42 32
▤. AE ⓓ GB
fermé sam. midi et dim. – **R** 120 (déj.) et carte 240 à 340.

XX **Coconnas** BY 14
2 bis pl. Vosges (4e) ✆ 42 78 58 16
☂ – GB
fermé mi-janv. à mi-fév., lundi midi et mardi – **R** carte 230 à 350.

XX **L'Alisier** AY 21
26 r. Montmorency (3e) ✆ 42 72 31 04, Fax 42 72 74 83
AE GB. ✱
fermé 3 au 30 août, sam. midi et dim. – **R** 145 (sauf sam. soir)/195.

XX **La Table Richelieu** DZ 12
276 bd Voltaire (11e) ✆ 43 72 31 23
▤. AE GB
R carte 220 à 320.

XX **Wally** AZ 15
16 r. Le Regrattier (4e) ✆ 43 25 01 39, Fax 45 86 08 35
cuisine nord-africaine – ⋈. ⓓ GB. ✱
fermé lundi midi et dim. – **R** 300.

XX **Les Amognes** DZ 8
243 r. Fg St-Antoine (11e) ✆ 43 72 73 05
GB
fermé août, dim. soir et lundi – **R** 160.

XX **Pyrénées Cévennes** BX 22
106 r. Folie-Méricourt (11e) ✆ 43 57 33 78
AE GB
fermé août, sam. et dim. – **R** carte 190 à 370.

XX **Guirlande de Julie** BY 7
25 pl. des Vosges (3e) ✆ 48 87 94 07
☂ – ▤. GB
R 200/250.

X **Le Navarin** DZ 10
3 av. Philippe Auguste (11e) ✆ 43 67 17 49
GB.
fermé 14 au 18 août, 23 au 26 déc., sam. midi et dim. soir – **R** 117 (déj) et carte 175 à 335.

X **Le Monde des Chimères** AZ 23
69 r. St-Louis-en-L'Ile (4e) ✆ 43 54 45 27
GB
fermé vacances de fév., dim. et lundi – **R** carte 230 à 340.

X **Le Grizzli** AY 2
7 r. St-Martin (4e) ✆ 48 87 77 56
GB
fermé 20 déc. au 3 janv., lundi midi et dim. – **R** 110 (déj.) et carte 145 à 225.

X **Astier** CX 14
44 r. J.-P. Timbaud (11e) ✆ 43 57 16 35
GB
fermé 24 avril au 11 mai, 31 juil. au 7 sept., 18 déc. au 4 janv., sam., dim. et fêtes – **R** 125.

X **Le Maraicher** BZ 15
5 r. Beautreillis (4e) ✆ 42 71 42 49
GB
fermé 2 au 30 août, sam. midi et dim. – **R** carte 195 à 270.

X **Chez Fernand** BX 9
17 r. Fontaine au Roi (11e) ✆ 43 57 46 25
GB
fermé 3 au 24 août, dim. et lundi – **R** 100 (déj.) et carte 155 à 250
Les Fernandises R 100 (déj.) et carte 115 à 170.

Notes

5e 6e arrondissements

ST-GERMAIN DES PRÉS

QUARTIER LATIN – LUXEMBOURG

JARDIN DES PLANTES

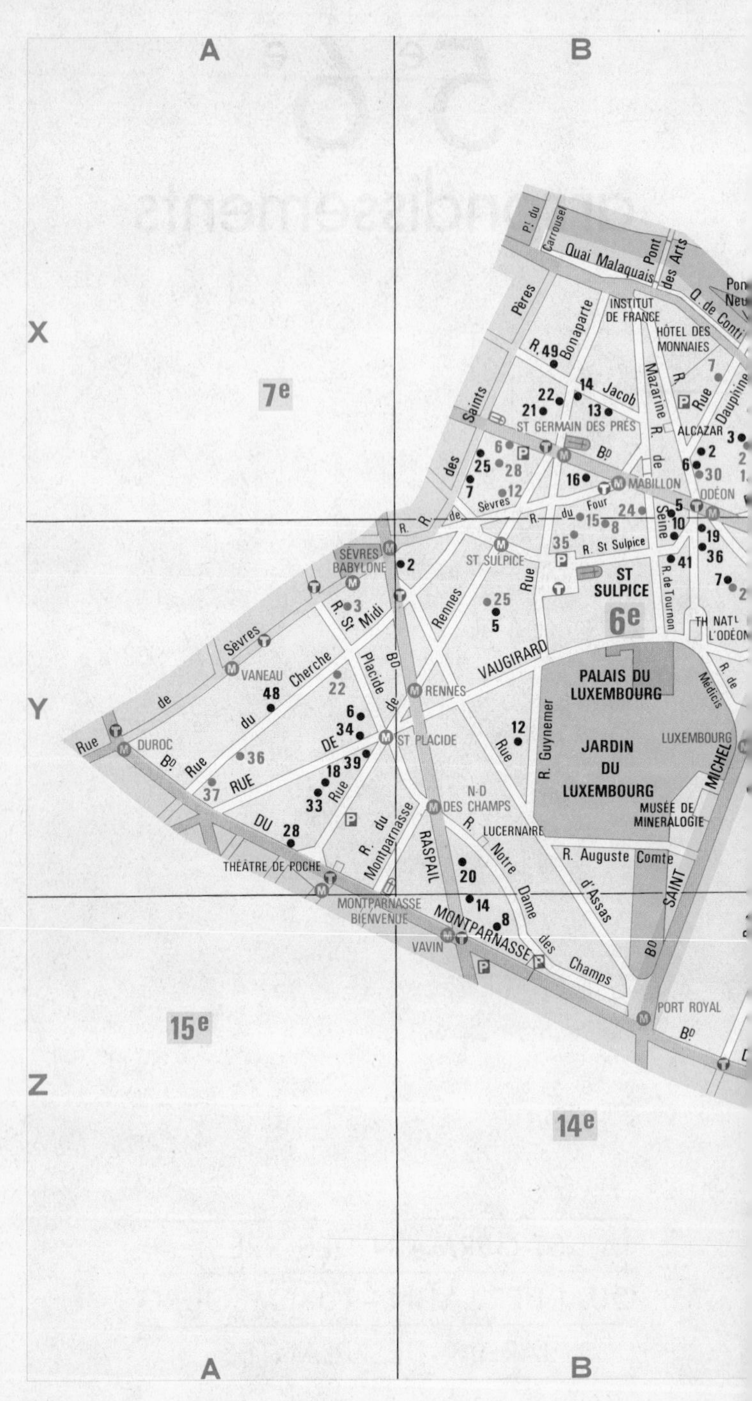
A
B
X
Y
Z
7e
6e
15e
14e
Pl. du Carrousel
Quai Malaquais
Pont des Arts
Q. de Conti
INSTITUT DE FRANCE
HÔTEL DES MONNAIES
R. Bonaparte
Pères
R. des Saints
Jacob
Mazarine
R. Dauphine
ALCAZAR
ST GERMAIN DES PRÉS
Bd
MABILLON
ODÉON
R. de Seine
R. du Four
Sèvres
R. de
R. St Sulpice
ST SULPICE
SULPICE
R. de Tournon
TH NATL L'ODÉON
SÈVRES BABYLONE
R. St Midi
Rennes
Rue
VAUGIRARD
PALAIS DU LUXEMBOURG
R. de Médicis
Sèvres
VANEAU
Cherche
Placide
BD
RENNES
JARDIN DU LUXEMBOURG
LUXEMBOURG
R. Guynemer
MICHEL
Rue de
Rue du
DUROC
Bd
ST PLACIDE
RUE DU DE
N-D DES CHAMPS
R. du Montparnasse
RASPAIL
R. LUCERNAIRE
Notre Dame des Champs
MUSÉE DE MINERALOGIE
R. Auguste Comte
d'Assas
SAINT
THÉATRE DE POCHE
MONTPARNASSE BIENVENUE
MONTPARNASSE
VAVIN
Bd
PORT ROYAL
Bd

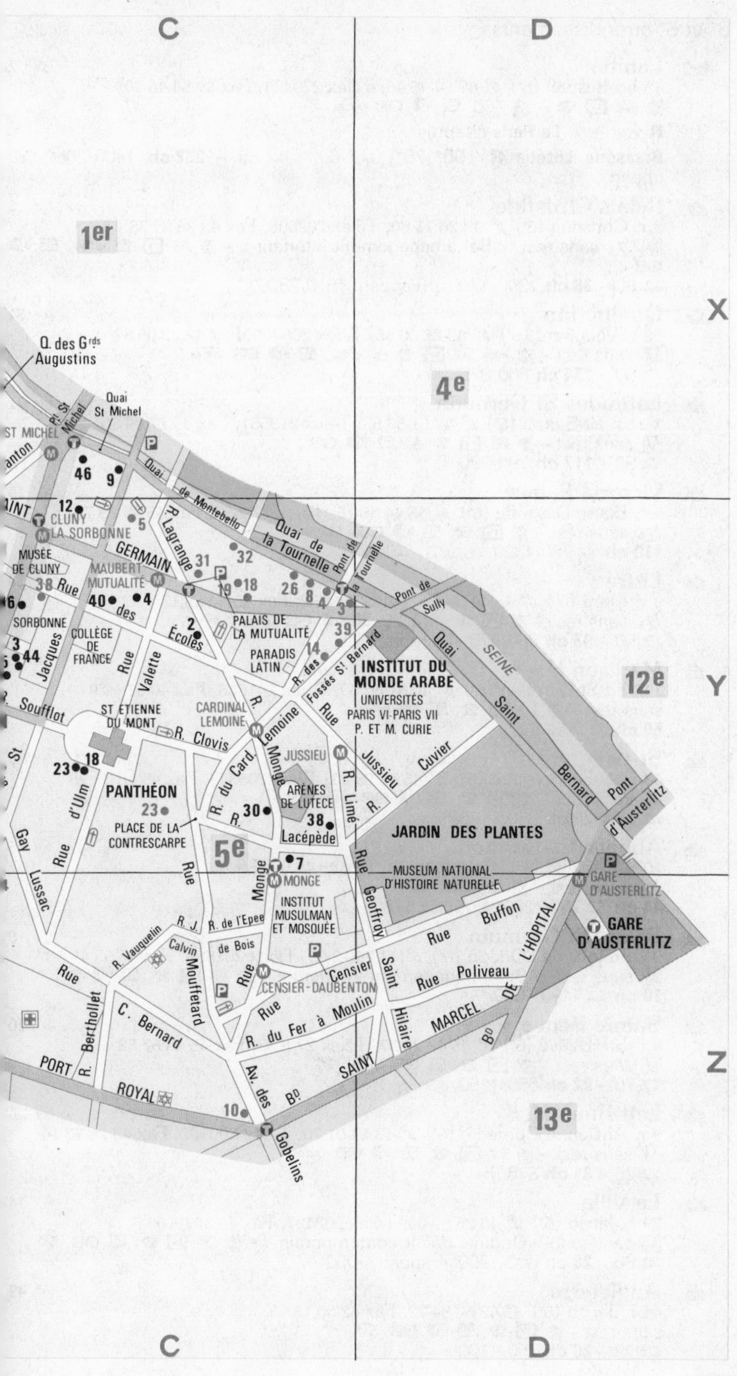
C
D
X
Y
Z
1er
4e
5e
12e
13e
Q. des Grds Augustins
Quai St Michel
Pt. St Michel
ST MICHEL
Quai de Montebello
Quai de la Tournelle
Pont de la Tournelle
Pont de Sully
Quai Saint Bernard
SEINE
Pont d'Austerlitz
CLUNY LA SORBONNE
MUSÉE DE CLUNY
MAUBERT MUTUALITÉ
SORBONNE
COLLÈGE DE FRANCE
R. Lagrange
GERMAIN
Rue des Écoles
PALAIS DE LA MUTUALITÉ
PARADIS LATIN
R. des Fossés St Bernard
INSTITUT DU MONDE ARABE
UNIVERSITÉS PARIS VI-PARIS VII P. ET M. CURIE
Rue Jacques
Rue Valette
Soufflot
ST ETIENNE DU MONT
R. Clovis
CARDINAL LEMOINE
R. Lemoine
R. du Card.
R. Monge
JUSSIEU
Rue Jussieu
R. Linné
Rue Cuvier
PANTHÉON
PLACE DE LA CONTRESCARPE
ARÈNES DE LUTECE
Rue d'Ulm
Gay Lussac
R. Lacépède
JARDIN DES PLANTES
MUSEUM NATIONAL D'HISTOIRE NATURELLE
MONGE
INSTITUT MUSULMAN ET MOSQUÉE
Rue Geoffroy Saint Hilaire
Rue Buffon
GARE D'AUSTERLITZ
R. J. Calvin
R. de l'Epee de Bois
R. Vauquelin
Rue Mouffetard
CENSIER-DAUBENTON
Rue Censier
Rue Poliveau
Rue du Fer à Moulin
Rue C. Bernard
R. Berthollet
Bd DE L'HÔPITAL
Bd SAINT MARCEL
PORT ROYAL
Av. des Gobelins
46
9
12
5
31
32
19
18
26
8
4
3
39
38
40
2
14
44
23
30
7
10

Lutétia BY 2
45 bd Raspail (6e) 49 54 46 46, Télex 270424, Fax 49 54 46 00
– 400.
R voir rest. **Le Paris** ci-après
Brasserie Lutétia R 105/175, enf. 60 – 85 – **232 ch** 1400/2050, 39 appart.

Relais Christine BX 3
3 r. Christine (6e) 43 26 71 80, Télex 202606, Fax 43 26 89 38
sans rest, « Bel aménagement intérieur » –
80 – **38 ch** 1300/1700, 13 appart. 1800/2500.

Quality Inn AY 34
92 r. Vaugirard (6e) 42 22 00 56, Télex 206900, Fax 42 22 05 39
sans rest –
60 – **134 ch** 660/825.

Latitudes St Germain BX 21
7-11 r. St-Benoit (6e) 42 61 53 53, Télex 213531, Fax 49 27 09 33
sans rest –
58 – **117 ch** 790/890.

Victoria Palace AY 18
6 r. Blaise-Desgoffe (6e) 45 44 38 16, Télex 270557, Fax 45 49 23 75
sans rest –
110 ch 780/1320.

Littré AY 33
9 r. Littré (6e) 45 44 38 68, Télex 203852, Fax 45 44 88 13
sans rest – – 25.
50 – **93 ch** 660/875, 4 appart. 1345.

Madison H. BX 16
143 bd St-Germain (6e) 40 51 60 00, Télex 201628, Fax 40 51 60 01
sans rest –
55 ch 700/1200.

St-Grégoire AY 6
43 r. Abbé Grégoire (6e) 45 48 23 23, Télex 205343, Fax 45 48 33 95
sans rest –
55 – **20 ch** 830/1160.

Abbaye St-Germain BY 5
10 r. Cassette (6e) 45 44 38 11, Fax 45 48 07 86
sans rest –
44 ch 760/1200, 4 duplex 1780.

Relais St Germain BY 19
9 carrefour de l'Odéon (6e) 43 29 12 05, Télex 201889, Fax 46 33 45 30
sans rest, « Bel aménagement intérieur » –
10 ch 1190/1380.

Sainte Beuve BY 20
9 r. Ste Beuve (6e) 45 48 20 07, Télex 270182, Fax 45 48 67 52
sans rest –
70 – **22 ch** 650/1150.

Left Bank H. BX 6
9 r. Ancienne Comédie (6e) 43 54 01 70, Télex 200502, Fax 43 26 17 14
sans rest –
25 – **31 ch** 875/950.

La Villa BX 14
29 r. Jacob (6e) 43 26 60 00, Télex 202437, Fax 46 34 63 63
sans rest, « Original décor contemporain » –
80 – **28 ch** 800/1250, 4 appart. 1950.

Angleterre BX 49
44 r. Jacob (6e) 42 60 34 72, Fax 42 60 16 93
sans rest –
40 – **29 ch** 750/1100.

St-Germain-des-Prés BX 22
36 r. Bonaparte (6e) 43 26 00 19, Télex 200409, Fax 40 46 83 63
sans rest, « Bel aménagement intérieur » – TV . GB.
30 ch 780/1200.

Villa des Artistes BZ 8
9 r. Grande Chaumière (6e) 43 26 60 86, Télex 204080, Fax 43 54 73 70
M sans rest – TV . AE GB.
59 ch 580/780.

Ferrandi AY 48
92 r. Cherche-Midi (6e) 42 22 97 40, Télex 205201, Fax 45 44 89 97
sans rest – TV . AE GB
60 – **40 ch** 400/850.

Panthéon CY 23
19 pl. Panthéon (5e) 43 54 32 95, Télex 206435, Fax 43 26 64 65
M sans rest, ← – TV . AE GB.
35 – **34 ch** 600/700.

Grands Hommes CY 18
17 pl. Panthéon (5e) 46 34 19 60, Télex 200185, Fax 43 26 67 32
M sans rest, ← – TV . AE GB.
35 – **32 ch** 600/700.

des Saints-Pères BX 7
65 r. des Sts-Pères (6e) 45 44 50 00, Télex 205424, Fax 45 44 90 83
sans rest – TV . GB.
45 – **34 ch** 450/1500, 3 appart. 1500.

Odéon H., BY 36
3 r. Odéon (6e) 43 25 90 67, Télex 202943, Fax 43 25 55 98
M sans rest – TV . AE GB.
50 – **34 ch** 700/900.

de Fleurie BX 5
32 r. Grégoire de Tours (6e) 43 29 59 81, Télex 206153, Fax 43 29 68 44
sans rest – TV . AE GB.
45 – **29 ch** 550/950.

Le Régent BX 2
61 r. Dauphine (6e) 46 34 59 80, Télex 206257, Fax 40 51 05 07
M sans rest – TV . AE GB JCB
50 – **25 ch** 600/900.

Parc St-Séverin CY 12
22 r. Parcheminerie (5e) 43 54 32 17, Télex 270905, Fax 43 54 70 71
M sans rest – TV . AE GB.
45 – **27 ch** 500/1500.

St Christophe CY 7
17 r. Lacépède (5e) 43 31 81 54, Télex 204304, Fax 43 31 12 54
M sans rest – TV . AE GB JCB
40 – **31 ch** 650.

Select CY 3
1 pl. Sorbonne (5e) 46 34 14 80, Télex 201207, Fax 46 34 51 79
M sans rest – TV . AE GB
30 – **67 ch** 590/750.

Elysa Luxembourg BY 6
6 r. Gay-Lussac (5e) 43 25 31 74, Télex 206881
M sans rest – TV . AE GB JCB.
35 – **30 ch** 560/660.

Aramis St Germain AY 39
124 r. Rennes (6e) 45 48 03 75, Télex 205098, Fax 45 44 99 29
sans rest – TV – 30. AE GB JCB.
45 – **42 ch** 550/750.

de l'Odéon BY 41
13 r. St-Sulpice (6e) 43 25 70 11, Télex 206731, Fax 43 29 97 34
sans rest, « Maison du 16e siècle » – TV . AE GB
39 – **29 ch** 520/760.

Jardin des Plantes CY 38
5 r. Linné (5e) ✆ 47 07 06 20, Télex 203684, Fax 47 07 62 74
M sans rest – TV ☎. AE GB
☕ 40 – **33 ch** 390/640.

Jardin de Cluny CY 4
9 r. Sommerard (5e) ✆ 43 54 22 66, Télex 206975, Fax 40 51 03 36
sans rest – TV ☎. AE GB JCB.
☕ 30 – **40 ch** 500/660.

Notre Dame CX 9
1 quai St-Michel (5e) ✆ 43 54 20 43, Télex 206650, Fax 43 26 61 75
M sans rest, ← – TV ☎. AE GB JCB
☕ 35 – **23 ch** 470/770, 3 duplex 1030.

Avenir BY 12
65 r. Madame (6e) ✆ 45 48 84 54, Télex 200428, Fax 45 49 26 80
sans rest – TV ☎. AE GB.
35 ch ☕ 432/614.

Agora St-Germain CY 2
42 r. Bernardins (5e) ✆ 46 34 13 00, Télex 205965, Fax 46 34 75 05
sans rest – TV ☎. AE GB JCB.
☕ 35 – **39 ch** 550/610.

Collège de France CY 40
7 r. Thénard (5e) ✆ 43 26 78 36, Fax 46 34 58 29
M sans rest – TV ☎. AE.
☕ 30 – **29 ch** 480/530.

Trois Collèges CY 45
16 r. Cujas (5e) ✆ 43 54 67 30, Télex 206034, Fax 46 34 02 99
M sans rest – TV ☎. AE GB.
☕ 42 – **44 ch** 320/560.

Bréa BZ 14
14 r. Bréa (6e) ✆ 43 25 44 41, Télex 202053, Fax 44 07 19 25
sans rest – TV ☎. AE GB JCB
☕ 40 – **23 ch** 550/680.

Terminus Montparnasse AY 28
59 bd Montparnasse (6e) ✆ 45 48 99 10, Télex 202636, Fax 45 48 59 10
sans rest – TV ☎. AE GB JCB
fermé 1er au 24 août – ☕ 35 – **63 ch** 435/540.

Pas-de-Calais BX 25
59 r. Sts-Pères (6e) ✆ 45 48 78 74, Télex 270476, Fax 45 44 94 57
sans rest – TV ☎. GB
☕ 40 – **41 ch** 540/640.

Delavigne BY 7
1 r. Casimir Delavigne (6e) ✆ 43 29 31 50, Télex 201579, Fax 43 29 78 56
sans rest – TV ☎. GB.
☕ 35 – **34 ch** 520.

Albe CX 46
1 r. Harpe (5e) ✆ 46 34 09 70, Télex 203328, Fax 40 46 85 70
M sans rest – TV ☎. AE GB JCB.
☕ 33 – **45 ch** 436/554.

Louis II BY 10
2 r. St-Sulpice (6e) ✆ 46 33 13 80, Télex 206561, Fax 46 33 17 29
sans rest – TV ☎. AE GB
☕ 35 – **22 ch** 415/620.

Marronniers BX 13
21 r. Jacob (6e) ✆ 43 25 30 60, Fax 40 46 83 56
sans rest – ☎.
☕ 45 – **37 ch** 650/690.

Nations CY 30
54 r. Monge (5e) ✆ 43 26 45 24, Télex 200397, Fax 46 34 00 13
sans rest – TV ☎. AE GB
☕ 50 – **38 ch** 520/550.

La Sorbonne — CY 44
6 r. Victor Cousin (5e) ✆ 43 54 58 08, Télex 206373, Fax 40 51 05 18
sans rest – |♦| TV ☎. GB
☐ 35 – **37 ch** 380/500.

Gd H. Suez — CY 16
31 bd St-Michel (5e) ✆ 46 34 08 02, Télex 202019, Fax 40 51 79 44
sans rest – |♦| TV ☎. AE ⓓ GB JCB. ✈
49 ch ☐ 345/475.

Tour d'Argent (Terrail) — CY 3
✿✿✿ 15 quai Tournelle (5e) ✆ 43 54 23 31, Fax 44 07 12 04
« ≤ Notre Dame - Petit musée de la table. Dans les caves : spectacle historique sur le vin » – AE ⓓ GB
fermé lundi – **R** 375 (déj. sauf dim.) et carte 700 à 880
Spéc. Quenelles de brochet André Terrail, Caneton Tour d'Argent, Poire "Vie Parisienne".

Jacques Cagna — BX 29
✿✿ 14 r. Gds Augustins (6e) ✆ 43 26 49 39, Fax 43 54 54 48
« Maison du Vieux Paris » – ▤. AE ⓓ GB JCB
fermé sam. et dim. – **R** 260 (déj.) et carte 460 à 690
Spéc. Petits escargots frais en surprise, Goujonnettes de sole et rouget de roche, Côte de veau mijotée à l'ancienne.

Paris - Hôtel Lutétia — BY 2
✿ 45 bd Raspail (6e) ✆ 49 54 46 90, Télex 270424, Fax 49 54 46 00
« Cadre paquebot "Art Déco" » – ▤. AE ⓓ GB JCB
fermé août, vacances de fév., sam., dim. et fériés – **R** 395 (déj.) et carte 380 à 470
Spéc. Ravioles de tourteau et chou vert, Tronçon de turbot rôti au lard, Feuilles de chocolat noir et blanc.

Relais Louis XIII — BX 4
✿ 1 r. Pont de Lodi (6e) ✆ 43 26 75 96, Fax 44 07 07 80
« Caveau du 16e siècle, beau mobilier » – ▤. AE ⓓ GB JCB
fermé 26 juil. au 25 août, lundi midi et dim. – **R** 240 (déj.) et carte 375 à 580
Spéc. Ravioli de langoustines, Panaché de poissons de petite pêche, Filet de boeuf aux truffes du Perigord.

Lapérouse — CX 17
51 quai Gds Augustins (6e) ✆ 43 26 68 04, Fax 43 26 99 39
« Salons Belle Époque » – ▤. AE ⓓ GB JCB. ✈
fermé août, lundi midi et dim. – **R** 250 (déj.) et carte 375 à 550.

Le Procope — BX 30
13 r. Ancienne Comédie (6e) ✆ 43 26 99 20, Fax 43 54 16 86
« Ancien café littéraire du 18e siècle » – AE ⓓ GB
R 128 bc/289 bc ♁.

Aub. des Deux Signes — CY 5
46 r. Galande (5e) ✆ 43 25 46 56, Fax 46 33 20 49
« Cadre médiéval » – AE ⓓ GB JCB
fermé août, sam. midi et dim. – **R** 140 (déj.) et carte 310 à 490.

Au Pactole — CY 18
44 bd St-Germain (5e) ✆ 46 33 31 31
AE GB
fermé sam. midi et dim. – **R** 139/279.

Dodin-Bouffant — CY 31
✿ 25 r. F.-Sauton (5e) ✆ 43 25 25 14
– ▤. AE ⓓ GB
fermé 10 au 23 août et dim. – **R** 170 (déj.) et carte 230 à 370
Spéc. Daube d'huîtres et pieds de porc, Ragoût de canard et ris de veau, Soufflé chaud aux fruits de saison.

3

XX **Calvet** BX 6
165 bd St-Germain (6e) ✆ 45 48 93 51
▤. AE ⓓ GB JCB
fermé août – **R** 139/195.

XX **Quai de la Tournelle** CY 8
25 quai de la Tournelle (5e) ✆ 43 54 05 17
▤. GB. ✻
fermé sam. midi et dim. – **R** carte 260 à 430.

XX **Diapason** CY 19
30 r. Bernardins (5e) ✆ 43 54 21 13
AE ⓓ GB JCB
fermé 1er au 15 août, sam. midi et dim. – **R** 165/300.

XX ✿ **Clavel** CY 32
65 quai Tournelle (5e) ✆ 46 33 18 65
▤. GB. ✻
fermé 3 au 24 août, dim. soir et lundi – **R** 160 (déj.)/450 bc
Spéc. Feuilleté de haddock aux poireaux, Tourte de canard sauvage (saison), Gateau au chocolat noir.

XX **Yugaraj** BX 7
14 r. Dauphine (6e) ✆ 43 26 44 91
cuisine indienne – ▤. AE ⓓ GB. ✻
fermé lundi – **R** 196/230.

XX **L'Arrosée** BY 35
12 r. Guisarde (6e) ✆ 43 54 66 59
▤. AE ⓓ GB JCB. ✻
fermé 2 au 8 janv. et dim. – **R** 145/450.

XX **La Truffière** CY 23
4 r. Blainville (5e) ✆ 46 33 29 82
▤. AE ⓓ GB
fermé 10 au 24 août sam. midi et lundi – **R** 162/210.

XX **La Petite Cour** BY 8
8 r. Mabillon (6e) ✆ 43 26 52 26
☂ – GB
R 180/250.

XX **Marty** CZ 10
20 av. Gobelins (5e) ✆ 43 31 39 51, Fax 43 37 63 70
AE ⓓ GB
R 159 bc et carte 175 à 320 🍷.

XX ✿ **La Timonerie** (de Givenchy) CY 26
35 quai Tournelle (5e) ✆ 43 25 44 42
▤. GB
fermé 24 au 30 août, 22 au 28 fév., dim. et lundi – **R** carte 260 à 425
Spéc. Fleurs de courgettes farcies aux aubergines (mai à sept.), Sandre rôti au céleri frit (oct. à juin), Tarte fine au chocolat.

XX **La Marlotte** AY 22
55 r. Cherche-Midi (6e) ✆ 45 48 86 79
AE ⓓ GB
fermé août, sam. et dim. – **R** carte 185 à 320.

XX **Bistrot d'Alex** BY 24
2 r. Clément (6e) ✆ 43 25 77 66
▤. AE GB JCB
fermé 24 déc. au 2 janv., lundi midi et dim. – **R** 140/190 🍷.

XX **Au Régent** AY 36
97 r. Cherche Midi (6e) ✆ 42 22 32 44
AE ⓓ GB
fermé août, dim. et lundi – **R** 125/170.

XX **Petit Germain** AY 3
11 r. Dupin (6e) ✆ 42 22 64 56
GB
fermé 3 au 24 août, sam. et dim. – **R** carte 170 à 230.

XX **Le Sybarite** BX 12
6 r. Sabot (6e) ✆ 42 22 21 56, Fax 42 22 26 21
▤. AE ⓓ GB
fermé sam. midi et dim. – **R** 75 (déj.)/168 ♁.

XX **Joséphine** "Chez Dumonet" AY 37
117 r. Cherche-Midi (6e) ✆ 45 48 52 40, Fax 42 84 06 83
GB
fermé 4 juil. au 2 août, 19 au 27 déc., sam. et dim. – **R** 170 bc (déj.) et carte 215 à 350

La Rôtisserie ✆ 42 22 81 19 *fermé 3-31/8, 28/12-5/1, sam. et dim. en juil., lundi et mardi sauf juil.* **R** 140 bc (déj.) et carte 185 à 285.

XX **Chez Maître Paul** BY 27
12 r. Monsieur-le-Prince (6e) ✆ 43 54 74 59
AE ⓓ GB
fermé sam. midi et dim. – **R** 180 et carte 170 à 285.

XX **Au Grilladin** BY 25
13 r. Mézières (6e) ✆ 45 48 30 38
AE GB
fermé août, 23 déc. au 3 janv., lundi midi et dim. – **R** 149 et carte 170 à 250.

X **Allard** BX 13
41 r. St-André-des-Arts (6e) ✆ 43 26 48 23
AE ⓓ GB
fermé 31 juil. au 3 sept., 23 déc. au 3 janv., sam. et dim. – **R** carte 215 à 395.

X **Moissonnier** CY 14
28 r. Fossés-St-Bernard (5e) ✆ 43 29 87 65
GB
fermé 24 juil. au 2 sept., dim. soir et lundi – **R** carte 170 à 270.

X **Moulin à Vent "Chez Henri"** CY 39
20 r. Fossés-St-Bernard (5e) ✆ 43 54 99 37
GB. ✗
fermé août, dim. et lundi – **R** carte 225 à 340.

X **Rôtisserie du Beaujolais** CY 4
19 quai Tournelle (5e) ✆ 43 54 17 47
GB
fermé lundi – **R** carte 165 à 260.

X **Le Palanquin** BX 15
12 r. Princesse (6e) ✆ 43 29 77 66
cuisine vietnamienne – GB
fermé dim. – **R** 118 et carte 145 à 240.

X **Balzar** CY 38
49 r. Écoles (5e) ✆ 43 54 13 67
, brasserie – AE GB
fermé août et Noël au Jour de l'An – **R** carte 145 à 275.

X **La Vigneraie** BX 28
16 r. Dragon (6e) ✆ 45 48 57 04
AE ⓓ GB JCB
fermé 10 au 20 août et dim. midi – **R** 130 et carte 190 à 290.

Pour traverser Paris et vous diriger en banlieue,
utilisez la carte Michelin *Banlieue de Paris n°* **101** *à 1/50 000*
et les plans de banlieue *n°s* **17-18**, **19-20**, **21-22**, **23-24** *à 1/15 000.*

Notes

7e arrondissement

TOUR EIFFEL

ÉCOLE MILITAIRE

INVALIDES

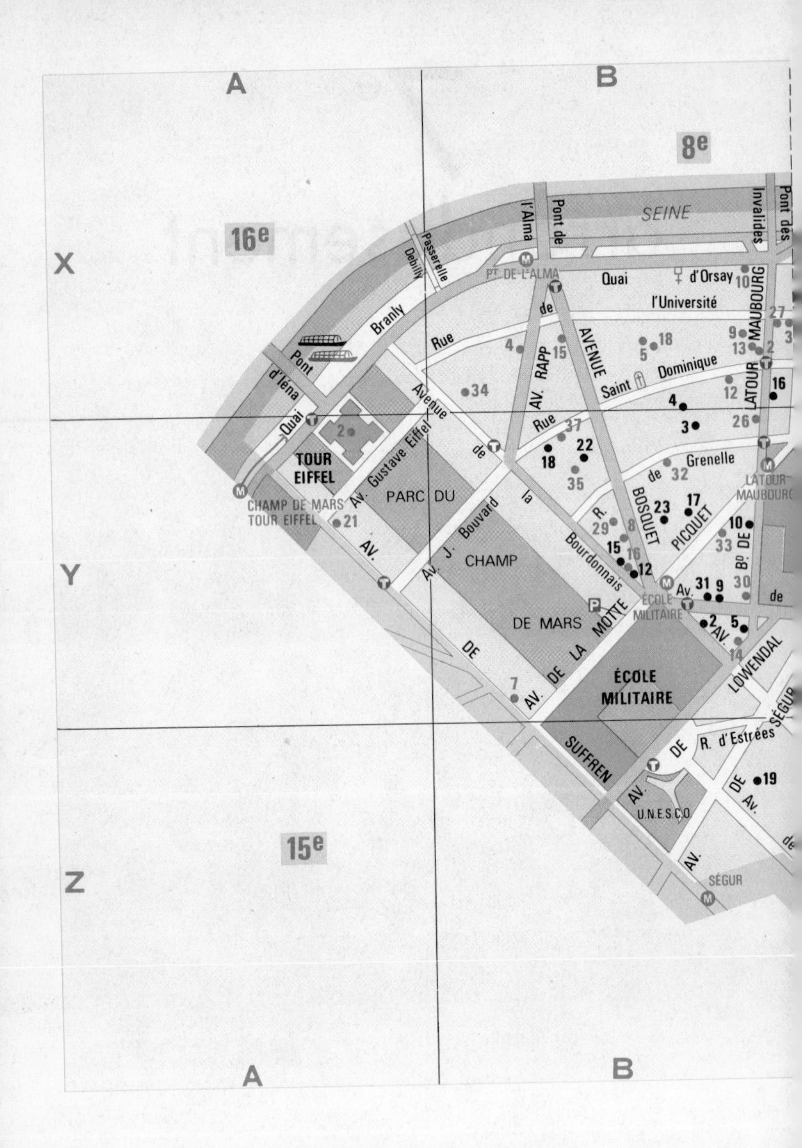

Pour vous diriger dans Paris : **le plan Michelin**
transports (n° 9)
en une feuille (n° 10)
avec répertoire des rues (n° 12)
un atlas avec répertoire des rues et adresses utiles (n° 11)
un atlas avec répertoire des rues (n° 14)
Pour visiter Paris : **le guide Vert Michelin**
Ces ouvrages se complètent utilement.

C
D
X
Y
Z
1er
6e
7e
Solferino
Pont Alexandre III
d'Orsay
Pont de la Concorde
Quai Anatole France
ASSEMBLÉE NATIONALE
AÉROGARE
INVALIDES
ESPLANADE DES INVALIDES
AV. DU MAL GALLIÉNI
Pont Solferino
MUSÉE D'ORSAY
MUSEE DE LA LEGION D'HONNEUR
Pont Royal
Pt du Carrousel
Q. Voltaire
R. de Constantine
Rue de Bourgogne
Rue Saint Dominique
Bd Saint Germain
R. de Bellechasse
R. de l'Université
R. du Bac
Rue des Saints Pères
SOLFÉRINO
VARENNE
R. de Varenne
HÔTEL DES INVALIDES
MUSÉE RODIN
HÔTEL MATIGNON
RUE DU BAC
Bd RASPAIL
R. de Grenelle
Rue Vaneau
Rue de Babylone
BOULEVARD DES INVALIDES
Av. de Villars
Tourville
ST FRANÇOIS XAVIER
SÈVRES BABYLONE
Rue de Sèvres
VANEAU
R. Oudinot
DUQUESNE
Rue Eblé
Saxe
DUROC

Pont Royal et rest. Les Antiquaires DY 2
7 r. Montalembert ✆ 45 44 38 27, Télex 270113, Fax 45 44 92 07
cuisinette TV ☎ – 30. AE GB JCB
R *(fermé août, sam. et dim.)* 160 – **73 ch** 850/1550, 5 appart. 2800.

Montalembert DY 1
3 r. Montalembert ✆ 45 48 68 11, Télex 200132, Fax 42 22 58 19
« Décoration originale » – ch TV ☎ – 25. AE GB
R 165 (déj.) et carte 195 à 320 – 90 – **51 ch** 1450/1850, 5 appart. 3000.

Duc de Saint Simon CY 24
14 r. St-Simon ✆ 45 48 35 66, Télex 203277, Fax 45 48 68 25
sans rest, « Belle décoration intérieure » – TV ☎.
70 – **29 ch** 950/1500, 5 appart. 1900.

Cayré DY 3
4 bd Raspail ✆ 45 44 38 88, Télex 270577, Fax 45 44 98 13
M sans rest – TV ☎ – 30. AE GB JCB
126 ch 920/1400.

La Bourdonnais BY 15
111 av. La Bourdonnais ✆ 47 05 45 42, Télex 201416, Fax 45 55 75 54
TV ☎. GB JCB
R voir rest. **La Cantine des Gourmets** ci-après – **60 ch** 445/615.

Eiffel Park H. BY 3
17 bis r. Amélie ✆ 45 55 10 01, Télex 202950, Fax 47 05 28 68
M sans rest – TV ☎ – 40. AE GB JCB.
49 – **36 ch** 695/900.

Université DY 25
22 r. Université ✆ 42 61 09 39, Fax 42 60 40 84
sans rest, « Beau mobilier » – TV ☎.
50 – **27 ch** 600/1350.

Les Jardins d'Eiffel BX 4
8 r. Amélie ✆ 47 05 46 21, Télex 206582, Fax 45 55 28 08
M sans rest – TV ☎. AE GB JCB
44 ch 690/850.

Élysées Maubourg BX 16
35 bd La Tour-Maubourg ✆ 45 56 10 78, Télex 206227, Fax 47 05 65 08
M sans rest – TV ☎. AE GB JCB
35 – **30 ch** 520/800.

Beaugency BY 17
21 r. Duvivier ✆ 47 05 01 63, Télex 201494, Fax 45 51 04 96
M sans rest – TV ☎. AE GB
30 ch 580.

Lenox Saint-Germain DY 5
9 r. Université ✆ 42 96 10 95, Fax 42 61 52 83
sans rest – TV ☎. AE GB JCB
40 – **32 ch** 490/690.

De Varenne CY 6
44 r. Bourgogne ✆ 45 51 45 55, Télex 205329, Fax 45 51 86 63
M sans rest – TV ☎. AE GB
37 – **24 ch** 450/610.

Londres BY 18
1 r. Augereau ✆ 45 51 63 02, Télex 206398, Fax 47 05 28 96
sans rest – TV ☎. AE GB JCB.
35 – **30 ch** 440/560.

Suède CY 27
31 r. Vaneau ✆ 47 05 00 08, Télex 200596, Fax 47 05 69 27
sans rest – ☎. AE GB.
40 ch 540/850.

Bourgogne et Montana CX 7
3 r. Bourgogne ℘ 45 51 20 22, Télex 270854, Fax 45 56 11 98
|‡| ▤ rest TV ☎. AE ⓓ GB
R *(fermé août, sam. et dim.)* 160, enf. 150 – **30 ch** ☕ 600/950, 5 appart. 1200.

St-Germain CY 28
88 r. Bac ℘ 45 48 62 92, Fax 45 48 26 89
sans rest – |‡| TV ☎. AE GB. ✗
☕ 36 – **29 ch** 330/640.

France BY 5
102 bd Latour-Maubourg ℘ 47 05 40 49, Télex 205020, Fax 45 56 96 78
M sans rest – |‡| TV ☎ ♿. AE GB
☕ 30 – **60 ch** 310/440.

Derby H. BY 2
5 av. Duquesne ℘ 47 05 12 05, Télex 206236, Fax 47 05 43 43
sans rest – |‡| TV ☎. AE ⓓ GB
☕ 50 – **43 ch** 550/620.

Saxe Résidence BZ 19
9 villa Saxe ℘ 47 83 98 28, Télex 270139, Fax 47 83 85 47
sans rest – |‡| TV ☎. AE GB. ✗
☕ 55 – **52 ch** 575/760.

Chomel CY 20
15 r. Chomel ℘ 45 48 55 52, Télex 206522, Fax 45 48 89 76
sans rest – |‡| TV ☎. AE ⓓ GB JCB. ✗
☕ 46 – **23 ch** 495/695.

Lindbergh DY 8
5 r. Chomel ℘ 45 48 35 53, Télex 201777, Fax 45 49 31 48
sans rest – |‡| TV ☎. AE ⓓ GB
☕ 35 – **26 ch** 370/480.

Bersoly's DY 30
28 r. Lille ℘ 42 60 73 79, Télex 217505, Fax 49 27 05 55
sans rest – |‡| TV ☎. GB
fermé août – ☕ 45 – **16 ch** 550/650.

Solférino CX 21
91 r. Lille ℘ 47 05 85 54, Télex 203865, Fax 45 55 51 16
sans rest – |‡| ☎. GB. ✗
fermé 23 déc. au 3 janv. – **33 ch** ☕ 265/650.

L'Empereur BY 10
2 r. Chevert ℘ 45 55 88 02, Fax 45 51 88 54
sans rest – |‡| TV ☎. GB
☕ 34 – **34 ch** 390/430.

Tour Eiffel BY 22
17 r. Exposition ℘ 47 05 14 75, Fax 47 53 99 46
sans rest – |‡| TV ☎. GB
☕ 25 – **22 ch** 320/420.

Turenne BY 31
20 av. Tourville ℘ 47 05 99 92, Télex 203407, Fax 45 56 06 04
sans rest – |‡| ☎. AE ⓓ GB
☕ 30 – **34 ch** 290/500.

Mars H. BY 12
117 av. La Bourdonnais ℘ 47 05 42 30, Fax 47 05 45 91
sans rest – |‡| TV ☎. GB. ✗
☕ 30 – **24 ch** 290/350.

Champ de Mars BY 23
7 r. Champ de Mars ✆ 45 51 52 30
sans rest – |$| ☎. GB
fermé 10 au 25 août – ☕ 35 – **25 ch** 320/380.

Résidence Orsay CX 32
93 r. Lille ✆ 47 05 05 27
sans rest – |$| ☎. GB
fermé août – ☕ 30 – **32 ch** 190/400.

XXXX **Jules Verne** AY 2
2e étage Tour Eiffel, ascenseur privé pilier sud ✆ 45 55 61 44, Télex 205789, Fax 47 05 94 40
← Paris – ▤. AE ⓓ GB. ✻
R 290 (déj.) et carte 450 à 600

XXXX ✿✿ **Le Divellec** CX 3
107 r. Université ✆ 45 51 91 96, Fax 45 51 31 75
produits de la mer – ▤. AE ⓓ GB JCB. ✻
fermé août, dim. et lundi – **R** 270 (déj.) et carte 440 à 730
Spéc. Homard à la presse et son corail, Filet de Saint-Pierre poêlé aux chicons, Merlu braisé à la lie de vin.

XXXX ✿✿ **Arpège** (Passard) CY 25
84 r. Varenne ✆ 45 51 47 33, Fax 44 18 98 39
▤. AE ⓓ GB
fermé dim. midi et sam. – **R** 240 (déj.) et carte 430 à 570
Spéc. Homard et navet à la vinaigrette aigre douce, Canard "Louise Passard", Feuilletage au chocolat.

XXXX ✿✿ **Duquesnoy** BX 15
6 av. Bosquet ✆ 47 05 96 78, Fax 44 18 90 57
▤. AE GB
fermé août, sam. midi et dim. – **R** 250 (déj.) et carte 400 à 590
Spéc. Croustillants d'escargots frais, Noix de ris de veau rôtie au "caramel poivré", Millefeuille aux poires.

XXX ✿ **La Cantine des Gourmets** BY 16
113 av. La Bourdonnais ✆ 47 05 47 96, Fax 45 51 09 29
▤. AE ⓓ GB JCB
R 220 bc et carte 280 à 450
Spéc. Soufflé d'artichaut au foie gras de canard poêlé, Petit ragoût de homard au curry, Tourte de pigeonneau au foie gras.

XXX ✿ **Regain** (Delaveyne) BY 37
135 r. St-Dominique ✆ 47 53 09 85, Fax 45 56 96 16
▤. AE GB JCB. ✻
fermé août, sam. et dim. – **R** 240 (déj.) et carte 335 à 470
Spéc. Soupière de palourdes, Friandise de merlan "Plein Ciel", Tomate farcie fondante à la Brivadoise.

XXX **Chez les Anges** BY 26
54 bd La Tour Maubourg ✆ 47 05 89 86, Fax 45 56 03 83
▤. AE ⓓ GB JCB
fermé dim. soir – **R** 230/320 bc.

XXX **La Flamberge** BX 4
12 av. Rapp ✆ 47 05 91 37
▤. AE ⓓ GB
fermé 1er au 21 août, Noël au Jour de l'An, sam. midi et dim. – **R** 230 et carte 260 à 455.

XXX **La Boule d'Or** BX 27
✿ 13 bd La Tour Maubourg ✆ 47 05 50 18
▤. AE ⓓ GB JCB
fermé sam. midi et lundi – **R** 195 et carte 250 à 360
Spéc. Foie gras frais de canard, Saumon piqué au lard fumé, Soufflé chaud au citron.

XXX **Beato** BX 5
8 r. Malar ✆ 47 05 94 27
cuisine italienne – ▤. AE GB. ✻
fermé août, Noël au Jour de l'An, dim. et lundi – **R** 145 (déj.) et carte 215 à 315 ♨.

XXX **Focly** BY 7
71 av. Suffren ✆ 47 83 27 12
cuisine chinoise et thaïlandaise – ▤. AE GB
fermé 6 au 19 juil. – **R** 130 bc/160 bc ♨.

XX **Ferme St-Simon** (Vandenhende) CY 16
✿ 6 r. St-Simon ✆ 45 48 35 74
▤. GB
fermé 1er au 23 août, sam. midi et dim. – **R** 160 (déj.) et carte 250 à 370
Spéc. Gâteau de cèpes aux petits gris (oct. à janv.), Saint-Jacques poêlées en feuilleté (oct. à mars), Pêche rôtie aux fraises (juin à oct.).

XX **Récamier** (Cantregrit) DY 17
✿ 4 r. Récamier ✆ 45 48 86 58, Fax 42 22 84 76
☂ – ▤. ⓓ GB
fermé dim. – **R** carte 290 à 475
Spéc. Oeufs en meurette, Mousse de brochet sauce Nantua, Sauté de boeuf Bourguignon.

XX **Au Quai d'Orsay** BX 10
49 quai d'Orsay ✆ 45 51 58 58
AE GB
R carte 225 à 365.

XX **Le Petit Laurent** CY 8
38 r. Varenne ✆ 45 48 79 64, Fax 42 66 68 59
AE ⓓ GB
fermé 9 au 22 août, sam. midi et dim. – **R** 175, enf. 75.

XX **Le Florence** BY 29
22 r. Champ-de-Mars ✆ 45 51 52 69
cuisine italienne – ▤. AE GB
fermé août, dim. et lundi – **R** carte 215 à 355.

XX **Le Bellecour** (Goutagny) BX 9
✿ 22 r. Surcouf ✆ 45 51 46 93
AE ⓓ GB
fermé août, lundi (sauf de juin à sept.), sam. et dim. – **R** 180 (déj.) et carte 285 à 450
Spéc. Langoustines rôties aux poireaux frits (mars à oct.), Lotte rôtie à l'ail en chemise, Pigeonneau fermier à la moelle.

XX **D'Chez Eux** BY 14
2 av. Lowendal ✆ 47 05 52 55
▤. ⓓ GB
fermé 3 juil. au 3 sept. et dim. – **R** carte 270 à 425.

XX **Giulio Rebellato** BX 34
20 r. Monttessuy ✆ 45 55 79 01
cuisine italienne – ▤. AE GB. ✻
fermé 25 juil. au 18 août, sam. midi et dim. – **R** carte 240 à 340.

XX **Vert Bocage** BY 30
96 bd La Tour Maubourg ✆ 45 51 48 64
▤. AE ⓓ GB
fermé sam. et dim. – **R** carte 245 à 370.

XX **Le Luz** CZ 18
4 r. Pierre Leroux ✆ 43 06 99 39
▤. AE ⓓ GB
fermé 9 au 23 août, sam. midi et dim. – **R** 150 et carte 190 à 325.

XX **Les Glénan** CY 7
54 r. Bourgogne ✆ 47 05 96 65
produits de la mer – ▤. GB
fermé 10 au 20 août, dim. midi et sam. – **R** carte 240 à 310.

XX **Aux Délices de Szechuen** CZ 20
40 av. Duquesne ✆ 43 06 22 55
terrasse, cuisine chinoise – ▤. AE GB
fermé 27 juil. au 24 août et lundi – **R** 96 (sauf dim.) et carte 155 à 260 ♁.

XX **Le Club** CZ 4
(Au Bon Marché) 38 r. Sèvres - 1er étage magasin 2 ✆ 45 48 95 25, Fax 45 49 27 99
▤. AE ⓓ GB
fermé août et dim. – **R** (déj. seul.) 149 et carte 170 à 290 ♁.

XX **Chez Ribe** AY 21
15 av. Suffren ✆ 45 66 53 79
AE ⓓ GB
fermé août, 23 déc. au 4 janv., sam. midi et dim. – **R** 168, enf. 98.

XX **Gildo** BY 32
153 r. Grenelle ✆ 45 51 54 12, Fax 45 51 57 42
cuisine italienne – ▤. GB
fermé 20 juil. au 20 août, 24 déc. au 3 janv., lundi midi et dim – **R** carte 210 à 330.

XX **Tan Dinh** DX 22
60 r. Verneuil ✆ 45 44 04 84
cuisine vietnamienne
fermé août et dim. – **R** carte 225 à 300.

XX **Le Champ de Mars** BY 33
17 av. La Motte-Picquet ✆ 47 05 57 99
AE ⓓ GB
fermé 13 juil. au 20 août, mardi soir et lundi – **R** 118/159.

XX **Clémentine** BY 8
62 av. Bosquet ✆ 45 51 41 16
GB
fermé 15 au 30 août, sam. midi et dim. – **R** 168.

X ✿ **Vin sur Vin** (Vidal) BX 34
20 r. Monttessuy ✆ 47 05 14 20
GB
fermé 1er au 8 mai, 12 au 31 août, 22 déc. au 3 janv., sam. midi, lundi midi et dim. – **R** carte 230 à 345
Spéc. Salade de ris de veau aux noisettes (oct. à janv.), Raquette de boeuf (juin à sept.), Crème brûlée à la vergeoise.

X **L'Oeillade** CY 12
10 r. St-Simon ✆ 42 22 01 60
▤. GB
fermé 15 août au 1er sept., 22 déc. au 2 janv., sam. midi et dim. – **R** 152.

X **Le Maupertu** BX 2
94 bd La Tour Maubourg ✆ 45 51 37 96
AE GB
fermé 3 au 24 août, sam. midi et dim. – **R** 130 et carte 190 à 280.

X **Bistrot de Breteuil** CZ 5
3 pl. de Breteuil ✆ 45 67 07 27
terrasse – GB
R 170 bc.

X **Chez Collinot** CZ 2
1 r. P. Leroux ✆ 45 67 66 42
GB
fermé août, sam. (sauf le soir en hiver) et dim. – **R** 120 et carte 165 à 285.

X **Clos de l'Alma** BX 18
17 r. Malar ✆ 45 55 79 77
GB
fermé 10 au 25 août, sam. midi et dim. – **R** carte 150 à 230.

X **Nuit de St Jean** BX 13
29 r. Surcouf ✆ 45 51 61 49, Fax 47 05 36 40
AE ⓓ GB. ⚘
fermé 7 au 15 mars, 1er au 10 mai, 1er au 16 août, 23 déc. au 4 janv., sam. midi et dim. – **R** 120 et carte 145 à 270 ♁.

X **Pantagruel** BY 35
20 r. Exposition ✆ 45 51 79 96
AE ⓓ GB
fermé sam. midi – **R** carte 190 à 325.

X **La Calèche** DY 23
8 r. Lille ✆ 42 60 24 76
AE ⓓ GB
fermé 5 au 31 août, 26 déc. au 1er janv., sam. et dim. – **R** 130/170.

X **Thoumieux** BX 12
79 r. St Dominique ✆ 47 05 49 75, Fax 47 05 36 96
▤. GB
R carte 145 à 250 ♁.

Notes

8e arrondissement

CHAMPS-ÉLYSÉES – CONCORDE

MADELEINE

ST-LAZARE – MONCEAU

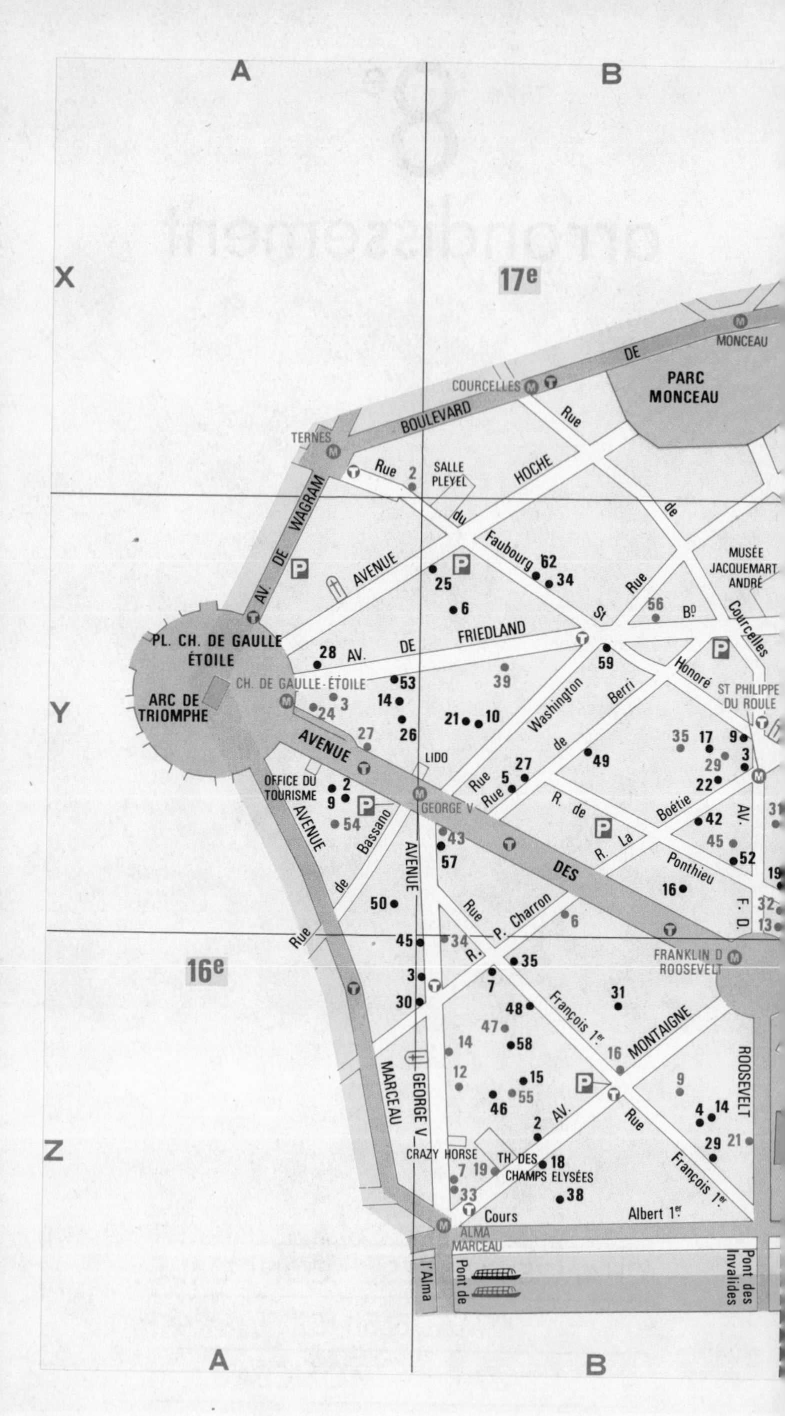

A
B
X
Y
Z
17e
16e
MONCEAU
PARC MONCEAU
COURCELLES
BOULEVARD
DE
TERNES
Rue
SALLE PLEYEL
HOCHE
AV. DE WAGRAM
AVENUE
du
Faubourg
St
Honoré
MUSÉE JACQUEMART ANDRÉ
Bd
Courcelles
PL. CH. DE GAULLE ÉTOILE
ARC DE TRIOMPHE
AV. DE FRIEDLAND
CH. DE GAULLE-ÉTOILE
ST PHILIPPE DU ROULE
Washington
Berri
AVENUE
LIDO
OFFICE DU TOURISME
GEORGE V
R. de La Boétie
Ponthieu
AVENUE
Bassano
DES
AV.
F. D.
Rue P. Charron
Rue de
FRANKLIN D ROOSEVELT
François 1er
MONTAIGNE
ROOSEVELT
MARCEAU
GEORGE V
CRAZY HORSE
TH. DES CHAMPS ELYSÉES
Cours
Albert 1er
ALMA MARCEAU
Pont de l'Alma
Pont des Invalides

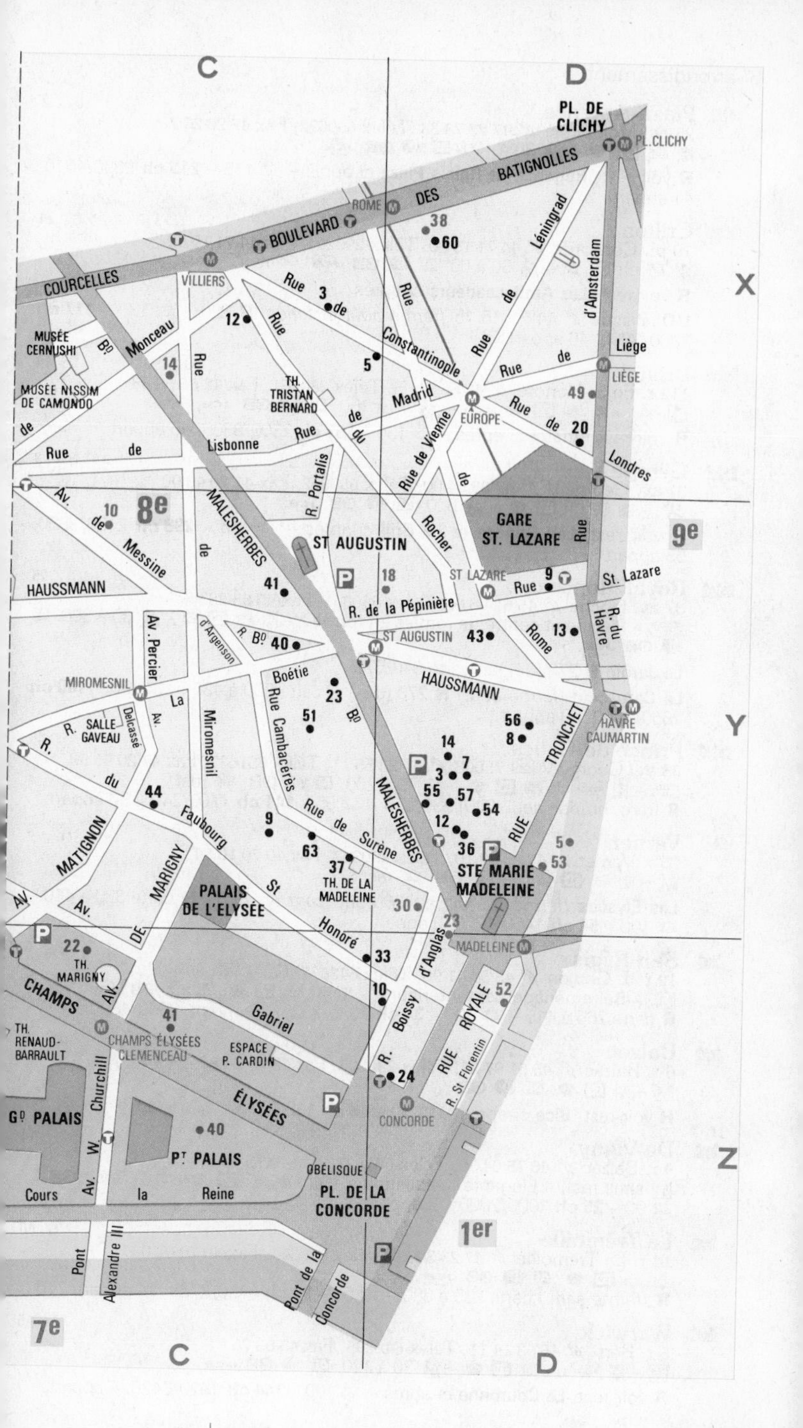
C
D
PL. DE CLICHY
PL. CLICHY
BOULEVARD DES BATIGNOLLES
ROME
COURCELLES
VILLIERS
MUSÉE CERNUSHI
MUSÉE NISSIM DE CAMONDO
Bd Monceau
Rue de Constantinople
Rue de Léningrad
Rue d'Amsterdam
Rue de Liège
LIÈGE
Rue de Madrid
EUROPE
Rue de Londres
TH. TRISTAN BERNARD
Rue du Rocher
Rue de Vienne
Rue de Lisbonne
R. Portalis
X
GARE ST. LAZARE
9e
8e
Av. de Messine
MALESHERBES
ST AUGUSTIN
ST LAZARE
Rue St. Lazare
HAUSSMANN
R. de la Pépinière
R. du Havre
Rue de Rome
Av. Percier
R. d'Argenson
R. Bd
ST AUGUSTIN
MIROMESNIL
La Boétie
HAUSSMANN
R. SALLE GAVEAU
Av. Delcassé
Rue Miromesnil
Rue Cambacérès
TRONCHET
HAVRE CAUMARTIN
Y
R. du Faubourg St Honoré
Rue de Surène
RUE TRONCHET
MATIGNON
MARIGNY
PALAIS DE L'ELYSÉE
TH. DE LA MADELEINE
STE MARIE MADELEINE
MADELEINE
Av. DE MARIGNY
TH. MARIGNY
CHAMPS ÉLYSÉES
d'Anglas
R. Boissy
RUE ROYALE
Av. Gabriel
TH. RENAUD-BARRAULT
CHAMPS ÉLYSÉES CLEMENCEAU
ESPACE P. CARDIN
R. St Florentin
Gd PALAIS
Av. W. Churchill
CONCORDE
Pt PALAIS
OBÉLISQUE
PL. DE LA CONCORDE
Z
Cours la Reine
1er
Pont Alexandre III
Pont de la Concorde
7e

BZ 2
Plaza-Athénée
25 av. Montaigne ✆ 47 23 78 33, Télex 650092, Fax 47 20 20 70
– 30 à 100. AE GB JCB
R voir rest. **Régence** et **Relais Plaza** ci-après – 115 – **215 ch** 2890/4610, 41 appart.

DZ 24
Crillon
10 pl. Concorde ✆ 44 71 15 00, Télex 290204, Fax 44 71 15 02
ch – 30 à 60. AE GB JCB. rest
R voir rest. **Les Ambassadeurs** ci-après
L'Obélisque ✆ 44 71 15 15 *(fermé août et fériés)* **R** 220 – 130 – **117 ch** 2300/3800, 46 appart.

CY 44
Bristol
112 r. Fg St-Honoré ✆ 42 66 91 45, Télex 280961, Fax 42 66 68 68
– – 40 à 150. AE GB JCB.
R voir rest. **Bristol** ci-après – 130 – **152 ch** 2300/3300, 45 appart.

BZ 3
George V
31 av. George-V ✆ 47 23 54 00, Télex 650082, Fax 47 20 40 00
– ch – 600. AE GB JCB
R voir rest. **Les Princes** et **Le Grill** ci-après – 115 – **298 ch** 2150/3850, 53 appart.

BY 25
Royal Monceau
37 av. Hoche ✆ 45 61 98 00, Télex 650361, Fax 45 63 28 93
, « Piscine et centre de remise en forme » – – 30 à 300. AE GB JCB.
Le Jardin R 270 (déj.) et carte 340/570
Le Carpaccio *(fermé août)* **R** 270 (déj.) et carte 300 à 430 – 130 – **180 ch** 1950/2650, 39 appart.

BZ 45
Prince de Galles
33 av. George-V ✉ 75008 ✆ 47 23 55 11, Télex 651627, Fax 47 20 96 92
– ch – 40 à 200. AE GB. rest
R (dim. brunch seul. 240) 235/575 – 95 – **141 ch** 1700/2400, 30 appart.

AY 9
Vernet
25 r. Vernet ✆ 47 23 43 10, Télex 290347, Fax 40 70 10 14
M – . AE GB. rest
Les Élysées *(fermé 23 juil. au 26 août, sam. et dim.)* **R** carte 320 à 410 – 100 – **54 ch** 1400/1950, 3 appart.

BZ 4
San Régis
12 r. J. Goujon ✆ 43 59 41 90, Télex 643637, Fax 45 61 05 48
M, « Bel aménagement intérieur » – ch . AE GB JCB.
R carte 265 à 415 – 100 – **34 ch** 1325/2525, 10 appart. 2800/4800.

AY 26
Balzac
6 r. Balzac ✆ 45 61 97 22, Télex 290298, Fax 42 25 24 82
M – . AE GB
R voir rest. **Bice** ci-après – 90 – **56 ch** 1320/1730, 14 appart.

AY 14
De Vigny
9 r. Balzac ✆ 40 75 04 39, Télex 651822, Fax 40 75 05 81
M sans rest, « Élégante installation » – . AE GB
90 – **25 ch** 1900/2600, 12 appart.

BZ 46
La Trémoille
14 r. La Trémoille ✆ 47 23 34 20, Télex 640344, Fax 40 70 01 08
. AE GB JCB
R *(fermé sam.)* carte 235 à 380 – 80 – **96 ch** 1770/2760, 14 appart. 2760.

BY 5
Warwick
5 r. Berri ✆ 45 63 14 11, Télex 642295, Fax 45 63 75 81
M – ch – 30 à 120. AE GB JCB
R voir rest. **La Couronne** ci-après – 100 – **144 ch** 1920/2420, 4 appart.

Golden Tulip St-Honoré BY 62
220 r. Fg St-Honoré 49 53 03 03, Télex 650657, Fax 40 75 02 00
M, – cuisinette – 200. AE GB JCB. rest
Relais Vermeer *(fermé dim.)* **R** 195 et carte 270 à 450 – 95 – **52 ch** 1550/1750, 20 appart.

Lancaster BY 27
7 r. Berri 43 59 90 43, Télex 640991, Fax 42 89 22 71
– ch . AE GB JCB
R 230 – 110 – **52 ch** 1890/2500, 7 appart.

Pullman Windsor BY 6
14 r. Beaujon 45 63 04 04, Télex 650902, Fax 42 25 36 81
M – – 130. AE GB JCB
R voir rest. **Le Clovis** ci-après – 90 – **135 ch** 1250/1600, 7 appart. 1900/3200.

Relais Carré d'Or BY 57
46 av. George V 40 70 05 05, Télex 640561, Fax 47 23 30 90
M, – cuisinette . AE GB JCB.
R carte 195 à 370 – 95, 23 appart.

Château Frontenac BZ 7
54 r. P.-Charron 47 23 55 85, Télex 644994, Fax 47 23 03 32
– 30. GB.
Pavillon Frontenac *(fermé août, sam. midi et dim.)* **R** 190 et carte 210 à 295 – 75 – **102 ch** 850/1300, 4 appart. 1480.

Bedford DY 7
17 r. Arcade 42 66 22 32, Télex 290506, Fax 42 66 51 56
– 80. GB. rest
R *(fermé 1er au 30 août, sam. et dim.)* carte 210 à 335 – **137 ch** 680/980, 10 appart. 1425/1750.

Résidence du Roy BZ 29
8 r. François 1er 42 89 59 59, Télex 648452, Fax 40 74 07 92
M sans rest – cuisinette – 25. AE GB JCB
65 – **5 ch** 1140, 31 appart.

Élysées Star AY 2
19 r. Vernet 47 20 41 73, Télex 651153, Fax 47 23 32 15
M sans rest – – 30. AE GB JCB
80 – **39 ch** 1300/1900, 4 appart. 3500.

Claridge Bellman BZ 48
37 r. François 1er 47 23 54 42, Télex 641150, Fax 47 23 08 84
. AE GB.
R *(fermé août, 25 déc. au 2 janv., sam. et dim.)* carte 230 à 380 – 70 – **42 ch** 950/1300.

Napoléon AY 28
40 av. Friedland 47 66 02 02, Télex 640609, Fax 47 66 82 33
– 130. AE GB JCB
Le Napoléon 42 27 99 50 *(fermé 8 au 16 août, sam. et dim.)* **R** carte 265 à 430 – 70 – **70 ch** 1100/1550, 32 appart.

California BY 49
16 r. Berri 75008 43 59 93 00, Télex 644634, Fax 45 61 03 62
ch – 40. AE GB JCB
R carte 220 à 290 – 100 – **154 ch** 1400/1900, 18 appart.

Concorde-St-Lazare DY 9
108 r. St-Lazare 40 08 44 44, Télex 650442, Fax 42 93 01 20
– 95. AE GB JCB. rest
Café Terminus R 140/195 – 90 – **298 ch** 950/1650, 13 appart. 1950/2450.

Queen Elizabeth BZ 30
41 av. Pierre-1er-de-Serbie 47 20 80 56, Télex 641179, Fax 47 20 89 19
– 25 à 30. AE GB JCB
R *(fermé août et dim.)* (déj. seul.) 150 bc/210 – 85 – **54 ch** 1000/1750, 12 appart. 1900/2600.

La Maison des Centraliens BZ 14
8 r. J. Goujon ✆ 43 59 52 41, Télex 651838, Fax 42 25 06 59
M – |‡| ⇆ ch ▤ TV ☎ ♿ 🚗 – 🏛 150. AE ⓓ GB JCB
R 150 bc/220 – ☕ 100 – **40 ch** 1200/1400.

Pullman St-Honoré DZ 10
15 r. Boissy d'Anglas ✆ 42 66 93 62, Télex 240366, Fax 42 66 14 98
sans rest – |‡| ▤ TV ☎. AE ⓓ GB
☕ 90 – **104 ch** 790/1050, 8 appart. 1650.

Chateaubriand BY 10
6 r. Chateaubriand ✆ 40 76 00 50, Télex 641012, Fax 40 76 09 22
M sans rest – |‡| ▤ TV ☎. AE ⓓ GB JCB – ☕ 65 – **28 ch** 1600.

L'Horset Astor CY 51
11 r. Astorg ✆ 42 66 56 56, Télex 642737, Fax 42 65 18 37
|‡| ▤ rest TV ☎ – 🏛 25. AE ⓓ GB JCB
R *(fermé juil.-août, sam. et dim.)* (déj. seul.) 190/210 – ☕ 70 – **128 ch** 920.

Royal Alma BZ 38
35 r. J.-Goujon ✆ 42 25 83 30, Télex 641428, Fax 45 63 68 64
M sans rest – |‡| TV ☎. AE ⓓ GB JCB. ✂
☕ 85 – **58 ch** 1100/1600, 7 appart. 1600/2500.

Montaigne BZ 18
6 av. Montaigne ✆ 47 20 30 50, Télex 648051, Fax 47 20 94 12
M sans rest – |‡| ▤ TV ☎ ♿. AE ⓓ GB. ✂
☕ 80 – **29 ch** 1300/1800.

François 1er AY 50
7 r. Magellan ✆ 47 23 44 04, Télex 648880, Fax 47 23 93 43
M – |‡| ⇆ ch ▤ TV ☎. AE ⓓ GB JCB
R 165/380, enf. 130 – ☕ 90 – **36 ch** 1250/1380, 4 appart. 2160.

de l'Élysée CY 9
12 r. Saussaies ✆ 42 65 29 25, Télex 281665, Fax 42 65 64 28
M sans rest – |‡| TV ☎. AE ⓓ GB. ✂
☕ 60 – **30 ch** 620/880.

Marignan BZ 31
12 r. Marignan ✆ 40 76 34 56, Télex 644018, Fax 40 76 34 34
|‡| ⇆ ch TV ☎ – 🏛 80. AE ⓓ GB JCB
R *(fermé août, sam., dim. et fériés)* carte 250 à 300 – ☕ 95 – **55 ch** 1900/2200, 18 appart. 2500.

Élysées Ponthieu et résidence Le Cid BY 52
24 r. Ponthieu ✆ 42 25 68 70, Télex 640053, Fax 42 25 80 82
M sans rest – |‡| cuisinette ▤ TV ☎. AE ⓓ GB JCB
☕ 65 – **92 ch** 610/1600, 6 appart. 1800/2500.

Royal H. AY 53
33 av. Friedland ✆ 43 59 08 14, Télex 651465, Fax 45 63 69 92
sans rest – |‡| TV ☎. AE ⓓ GB JCB – ☕ 60 – **58 ch** 810/1100.

Résidence Champs-Elysées BY 3
92 r. La Boëtie ✆ 43 59 96 15, Télex 650695, Fax 42 56 01 38
M sans rest – |‡| TV ☎. ⓓ GB. ✂ – ☕ 70 – **83 ch** 740/1200.

Résidence Monceau CX 12
85 r. Rocher ✆ 45 22 75 11, Télex 280671, Fax 45 22 30 88
M sans rest – |‡| TV ☎ ♿. AE ⓓ GB. ✂ – ☕ 42 – **50 ch** 585.

Concortel DY 14
19 r. Pasquier ✆ 42 65 45 44, Télex 660228, Fax 42 65 18 33
sans rest – |‡| TV ☎. AE ⓓ GB
☕ 35 – **46 ch** 550/700.

Résidence St-Honoré BY 34
214 r. Fg St-Honoré ✆ 42 25 26 27, Télex 640524, Fax 45 63 30 67
sans rest – |‡| ⇆ TV ☎. AE ⓓ GB JCB
☕ 40 – **89 ch** 650/1000.

Powers BZ 35
52 r. François-1er ✆ 47 23 91 05, Télex 642051, Fax 49 52 04 63
sans rest – |‡| TV ☎. AE ⓓ GB. ✻ – ☕ 50 – **53 ch** 720/980.

Beau Manoir DY 12
6 r. Arcade ✆ 42 66 03 07, Fax 42 68 03 00
sans rest – |‡| ▤ TV ☎ ♿. AE ⓓ GB JCB
☕ 30 – **29 ch** 820/890, 3 appart. 1240.

Castiglione CZ 33
40 r. Fg-St-Honoré ✆ 42 65 07 50, Télex 240362, Fax 42 65 12 27
|‡| ▤ rest TV ☎ – 🏛 50. AE ⓓ GB JCB
R 160 et carte 250 à 400 – **119 ch** ☕ 930/1800, 10 appart. 2100/2800 – ½ P 655/1060.

Printemps et rest. Chez Martin DY 13
1 r. Isly ✆ 42 94 12 12, Télex 290744, Fax 42 94 05 02
|‡| TV ☎ – 🏛 25 à 35. GB
R *(fermé 20 juil. au 9 août, sam. et dim.)* 108/160 🍷 – **67 ch** ☕ 444/928.

New Roblin et rest. le Mazagran DY 54
6 r. Chauveau-Lagarde ✆ 44 71 20 80, Télex 640154, Fax 42 65 19 49
|‡| ▤ TV ☎. AE ⓓ GB JCB. ✻ rest
R *(fermé sam., dim. et fériés)* 140/150 🍷, enf. 60 – ☕ 55 – **74 ch** 600/790, 3 appart. 1350.

West End BZ 15
7 r. Clément-Marot ✆ 47 20 30 78, Télex 611972, Fax 47 20 34 42
sans rest – |‡| TV ☎. AE ⓓ GB JCB
☕ 40 – **47 ch** 650/1450.

Lido DY 36
4 passage Madeleine ✆ 42 66 27 37, Télex 281039, Fax 42 66 61 23
M sans rest – |‡| TV ☎. AE ⓓ GB JCB
☕ 25 – **32 ch** 555/780.

Cordélia DY 56
11 r. Greffulhe ✆ 42 65 42 40, Télex 281760, Fax 42 65 11 81
M sans rest – |‡| TV ☎. AE ⓓ GB – ☕ 45 – **30 ch** 630/680.

Newton Opéra DY 57
11 bis r. de l'Arcade ✆ 42 65 32 13, Télex 280340, Fax 42 65 30 90
M sans rest – |‡| TV ☎. AE ⓓ GB
☕ 45 – **31 ch** 660/830.

Franklin Roosevelt BZ 58
18 r. Clément-Marot ✆ 47 23 61 66, Télex 614797, Fax 47 20 44 30
sans rest – |‡| TV ☎. AE GB. ✻
☕ 45 – **45 ch** 650/800.

Colisée BY 16
6 r. Colisée ✆ 43 59 95 25, Télex 643101, Fax 45 63 26 54
sans rest – |‡| TV ☎. AE ⓓ GB JCB – ☕ 30 – **44 ch** 490/780.

Rochambeau CY 40
4 r. La Boëtie ✆ 42 65 27 54, Télex 640030, Fax 42 66 03 81
sans rest – |‡| TV ☎. AE ⓓ GB JCB
50 ch ☕ 745/1200.

Atlantic DX 20
44 r. Londres ✆ 43 87 45 40, Télex 650477, Fax 42 93 06 26
sans rest – |‡| TV ☎. AE GB JCB. ✻ – ☕ 45 – **93 ch** 410/660.

L'Orangerie CX 5
9 r. de Constantinople ✆ 45 22 07 51, Télex 650294, Fax 45 22 16 49
M sans rest – |‡| TV ☎. AE ⓓ GB. ✻
☕ 30 – **29 ch** 450/635.

St Augustin CY 41
9 r. Roy ✆ 42 93 32 17, Télex 283919, Fax 42 93 19 34
sans rest – |‡| TV ☎. AE ⓓ GB JCB
☕ 37 – **62 ch** 550/760.

Queen Mary DY 8
9 r. Greffulhe ✆ 42 66 40 50, Télex 640419, Fax 42 66 94 92
sans rest – |‡| TV ☎. GB – ☕ 40 – **36 ch** 550/730.

Waldorf Florida DY 55
12 bd Malesherbes 42 65 72 06, Télex 650557, Fax 40 07 10 45
sans rest – TV. AE GB JCB
44 ch 725/1130.

Résidence Saint-Philippe BY 9
123 r. Fg-St-Honoré 43 59 86 99, Télex 650837, Fax 45 61 09 07
sans rest – TV. AE GB JCB – 40
38 ch 430/700.

Alison CY 37
21 r. Surène 42 65 54 00, Télex 640435, Fax 42 65 08 17
M sans rest – TV. AE GB.
40 – **35 ch** 420/690.

Astoria DX 60
42 r. Moscou 42 93 63 53, Télex 290061, Fax 42 93 30 30
sans rest – TV. AE GB JCB.
40 – **83 ch** 590/850.

Bradford BY 17
10 r. St-Philippe-du-Roule 43 59 24 20, Télex 648530, Fax 45 63 20 07
sans rest –. GB.
46 ch 600/750.

Lord Byron BY 21
5 r. Chateaubriand 43 59 89 98, Télex 649662, Fax 42 89 46 04
sans rest, – TV. GB.
50 – **31 ch** 560/1200.

Rond-Point des Champs-Elysées BY 19
10 r. Ponthieu 43 59 55 58, Télex 642386, Fax 45 63 99 75
sans rest – TV. AE GB. – 30
44 ch 450/775.

Élysées BY 22
100 r. La Boétie 43 59 23 46, Télex 648572, Fax 42 56 33 80
sans rest – TV. AE GB.
25 – **28 ch** 525/605.

Angleterre-Champs-Élysées BY 42
91 r. La Boétie 43 59 35 45, Télex 640317, Fax 45 63 22 22
sans rest – TV. AE GB
30 – **40 ch** 450/580.

Plaza Haussmann BY 59
177 bd Haussmann 45 63 93 83, Télex 643716, Fax 45 61 14 30
sans rest – TV. AE GB JCB. – 30 – **41 ch** 620/730.

Charing Cross DY 43
39 r. Pasquier 43 87 41 04, Télex 290681, Fax 42 93 70 45
M sans rest – TV. AE GB JCB
31 ch 385/485.

Ministère CY 63
31 r. Surène 42 66 21 43, Fax 42 66 96 04
sans rest – TV. AE GB JCB
35 – **28 ch** 360/550.

Madeleine Haussmann DY 3
10 r. Pasquier 42 65 90 11, Télex 281472, Fax 42 68 07 93
M sans rest – TV. AE GB – 30 – **36 ch** 440.

New Orient CX 3
16 r. Constantinople 45 22 21 64, Télex 282263, Fax 42 93 83 23
sans rest – TV. AE GB
fermé 24 au 30 déc. – 30 – **30 ch** 360/450.

Lavoisier-Malesherbes CY 23
21 r. Lavoisier 42 65 10 97, Télex 281801, Fax 42 65 02 43
sans rest – TV. GB. – 30 – **32 ch** 350/450.

XXXXX **Lucas-Carton** (Senderens) DZ 23
✿✿✿ 9 pl. Madeleine ✆ 42 65 22 90, Télex 281088, Fax 42 65 06 23
« Authentique décor 1900 » – ▤. GB JCB. ✻
fermé 1er au 25 août, 24 déc. au 3 janv., sam. et dim. – **R** 375 (déj.) et carte 560 à 980
Spéc. Risotto de riz sauvage aux girolles, Turbot à l'encre de seiche, Pigeon rôti au vermicelle à la coriandre.

XXXXX **Lasserre** BZ 21
✿✿ 17 av. F.-D.-Roosevelt ✆ 43 59 53 43, Fax 45 63 72 23
Toit ouvrant – ▤. GB. ✻
fermé 2 au 31 août, lundi midi et dim. – **R** carte 415 à 555
Spéc. Salade tiède de ris de veau et langoustines, Parmentier de morue fraîche, Soufflé glacé menthe-chocolat.

XXXXX **Taillevent** BY 39
✿✿✿ 15 r. Lamennais ✆ 45 61 12 90, Fax 42 25 95 18
▤. GB. ✻
fermé 26 juil. au 26 août, vacances de fév., sam., dim. et fériés – **R** (nombre de couverts limité - prévenir) carte 550 à 750
Spéc. Ravioli d'escargots au curry, Côtes d'agneau aux olives noires, Fantaisie au caramel et au pain d'épices.

XXXXX **Les Ambassadeurs** - Hôtel Crillon DZ 24
✿✿ 10 pl. Concorde ✆ 44 71 16 16, Télex 290204, Fax 44 71 15 02
« Cadre 18e siècle » – ▤. AE ⓞ GB JCB. ✻
R 310 (déj.) et carte 400 à 680
Spéc. Moelleux de pommes rattes et médaillon de homard à la civette, Bar croustillant aux graines de sésame, Carré d'agneau de Pauillac rôti sous la cendre.

XXXXX **Laurent** CZ 22
✿✿ 41 av. Gabriel ✆ 42 25 00 39, Fax 45 62 45 21
« Agréable terrasse d'été » – AE ⓞ GB. ✻
fermé sam. midi, dim. et fériés – **R** 400 (déj.) et carte 480 à 800
Spéc. "Minestrone" aux écrevisses, Gambas tièdes à la fine semoule épicée, Rognon de veau entier rôti.

XXXXX **Bristol** CY 44
✿ 112 r. Fg St-Honoré ✆ 42 66 91 45, Télex 280961, Fax 42 66 68 68
▤. AE ⓞ GB JCB. ✻ – **R** carte 480 à 630
Spéc. Blanc de barbue et langoustines aux épinards, Escalope de turbot au Sauternes, Feuillantine de rognon de veau.

XXXXX **Régence** - Hôtel Plaza Athénée BZ 2
✿ 25 av. Montaigne ✆ 47 23 78 33, Télex 650092, Fax 47 20 20 70
☂ – ▤. AE ⓞ GB JCB – **R** carte 400 à 620
Spéc. Soufflé de homard "Plaza", Duo de langoustines et Saint-Jacques, Piccata de veau au citron.

XXXXX **Ledoyen** CZ 40
✿ carré Champs-Élysées ✆ 47 42 23 23, Télex 282358, Fax 47 42 55 01
☂ – ▤ Ⓟ. AE ⓞ GB. ✻
fermé août et dim. – **R** 350 (déj.) et carte 480 à 650
Le Carré R 250 et carte 280 à 420
Spéc. Terrine de ris de veau et crustacés, Pot-au-feu de pigeon, Velours au chocolat.

XXXX **Élysée Lenôtre** CZ 41
✿ 10 av. Champs Élysées ✆ 42 65 85 10, Fax 42 65 76 23
☂ – |◊| ▤ Ⓟ. AE ⓞ GB
Rez-de-Chaussée (déj. seul.) *(fermé sam. et dim)* **R** 350
1er étage (dîner seul.) *(fermé dim.)* **R** carte 380 à 670
Spéc. Homard tiède verdurette, Saint Pierre à la nage de palourdes, Millefeuille au chocolat et glace à la chicorée.

XXXX **Les Princes** - Hôtel George V BZ 3
✿ 31 av. George V ✆ 47 23 54 00, Télex 650082, Fax 47 20 40 00
☂ – ▤. AE ⓞ GB JCB
fermé 25 juil. au 23 août – **R** 350 et carte 400 à 670
Spéc. Tartare d'huîtres (oct. à avril), Daurade aux épices et ses "pailles" de crevettes, Mille-feuille caramélisé aux noix.

XXXX **Chiberta** ✿✿ AY 24
3 r. Arsène-Houssaye ✆ 45 63 77 90, Fax 45 62 85 08
▤. AE ⓓ GB JCB
fermé 1er au 30 août, 24 déc. au 3 janv., sam., dim. et fériés – **R** carte 415 à 585
Spéc. Salade d'anguille de Loire au caviar (oct. à janv.), Bar croustillant au jus truffé (oct. à janv.), Ris de veau braisé au cidre.

XXXX **La Marée** ✿ AX 2
1 r. Daru ✆ 43 80 20 00, Fax 48 88 04 04
produits de la mer – ▤. AE ⓓ GB
fermé août, sam. et dim. – **R** carte 410 à 640
Spéc. Cassolette de homard et langouste, Tronçon de turbot rôti à la sauge, Fricassée de rognons de veau aux choux.

XXXX **Fouquet's** BY 43
99 av. Champs Élysées ✆ 47 23 70 60, Fax 47 20 08 69
AE ⓓ GB JCB
Rez-de-Chaussée (grill) **R** 250 et carte 260 à 410
1er Étage *(fermé sam. midi et dim.)* **R** carte 290 à 510.

XXX **15 Montaigne Maison Blanche** ✿ BZ 19
15 av. Montaigne (6e étage) ✆ 47 23 55 99, Fax 47 20 09 56
<, terrasse, **« Décor contemporain »** – ascenseur ▤. GB
fermé sam. midi et dim. – **R** 295 (déj.) et carte 335 à 550
Spéc. Gâteau landais, Risotto de langoustines, Sablé de pommes au romarin et à la cannelle.

XXX **La Couronne** - Hôtel Warwick ✿ BY 5
5 r. Berri ✆ 45 63 78 49, Télex 642295, Fax 45 63 75 81
▤. AE ⓓ GB JCB
fermé août, sam. midi, dim. et fériés – **R** 260 et carte 300 à 440
Spéc. Marbré de langoustines et ris de veau, Matelote d'anguilles au Saumur, Rosace de selle d'agneau à la graine de semoule.

XXX **Le Clovis** - Hôtel Pullman Windsor ✿ BY 6
4 r. B.-Albrecht ✆ 45 61 15 32, Télex 650902, Fax 42 25 36 81
▤. AE ⓓ GB
fermé 3 au 28 août, 28 déc. au 1er janv., sam., dim. et fériés – **R** 245 (déj.) et carte 320 à 460
Spéc. Tartare de dorade rose et saumon mariné, Médaillon de veau aux grains de café écrasés, Assiette des quatre douceurs.

XXX **Le 30 - Fauchon** DY 53
pl. Madeleine ✆ 47 42 56 58, Fax 47 42 83 75
terrasse – ▤. AE ⓓ GB JCB
fermé dim. – **R** carte 255 à 415.

XXX **Copenhague** ✿ AY 27
142 av. Champs-Élysées (1er étage) ✆ 43 59 20 41, Fax 42 25 83 10
terrasse, **cuisine danoise** – ▤. AE ⓓ GB JCB. ✂
fermé 3 au 30 août, 1er au 7 janv., sam. midi et fériés en été et dim. – **R** carte 265 à 450
Flora Danica R carte 200 à 360
Spéc. Saumon mariné à l'aneth, Mignon de renne aux mûres jaunes, Mandelrand avec sorbets et fruits.

XXX **Relais-Plaza** - Hôtel Plaza Athénée BZ 2
21 av. Montaigne ✆ 47 23 46 36, Télex 650092, Fax 47 20 20 70
▤. AE ⓓ GB JCB
R 285 bc et carte 300 à 580.

XXX **Le Grill** - Hôtel George V BZ 3
31 av. George V ✆ 47 23 54 00, Fax 47 30 04 49
▤. AE ⓓ GB JCB
R 198 et carte 210 à 360.

XXX **Yvan** BY 13
1bis r. J. Mermoz ✆ 43 59 18 40, Fax 45 63 78 69
▤. AE ⓓ GB
fermé sam. midi et dim. – **R** 168/285.

XXX **Les Géorgiques** BZ 34
36 av. George V ✆ 40 70 10 49
▤. AE ⓓ GB JCB. ✻
fermé sam. midi et dim. – **R** 180 (déj.) et carte 275 à 465.

XXX **Vancouver** AY 3
4 r. Arsène Houssaye ✆ 42 56 77 77, Fax 42 56 50 52
produits de la mer – ▤. GB
fermé août, vacances de Noël, sam., dim. et fériés – **R** carte 255 à 360.

XXX **Le Jardin Violet** BZ 9
19 r. Bayard ✆ 47 20 55 11
cuisine chinoise – ▤. AE ⓓ GB
R 150 bc/350 bc.

XXX **Indra** BY 29
10 r. Cdt-Rivière ✆ 43 59 46 40, Fax 42 89 90 18
cuisine indienne – ▤. AE ⓓ GB
fermé sam. midi et dim. – **R** 220/300.

XX **Baumann Marbeuf** BZ 47
15 r. Marbeuf ✆ 47 20 11 11, Fax 47 23 69 65
AE ⓓ GB
fermé 13 au 19 août, sam. midi et dim. du 18 juil. au 31 août – **R** carte 175 à 300 ♨.

XX **Fermette Marbeuf** BZ 12
5 r. Marbeuf ✆ 47 23 31 31, Fax 40 70 02 11
« Décor 1900, céramiques et vitraux d'époque » – ▤. AE ⓓ GB
R 160 et carte 185 à 315 ♨.

XX **Bice** - Hôtel Balzac AY 26
6 r. Balzac ✆ 42 89 86 34, Fax 42 25 24 82
cuisine italienne – ▤. AE ⓓ GB
fermé 14 au 31 août et 22 déc. au 3 janv. – **R** carte 220 à 370.

XX **Chez Tante Louise** DY 30
41 r. Boissy d'Anglas ✆ 42 65 06 85
▤. AE ⓓ GB JCB
fermé août, sam. et dim. – **R** 190 et carte 245 à 405.

XX **Le Boeuf sur le Toit** BY 31
34 r. Colisée ✆ 43 59 83 80, Fax 45 63 45 40
brasserie – AE ⓓ GB
R carte 170 à 295 ♨.

XX **Le Grenadin** CX 14
46 r. Naples ✆ 45 63 28 92
▤. AE GB
fermé 11 au 19 juil., 8 au 16 août, Noël au Jour de l'An, sam., dim. et fériés – **R** 200/370.

XX **Le Sarladais** DY 18
2 r. Vienne ✆ 45 22 23 62
▤. AE GB
fermé août, sam. (sauf le soir en hiver) et dim. – **R** 145 (dîner) et carte 205 à 355.

XX **Androuët** DX 49
41 r. Amsterdam ✆ 48 74 26 93, Télex 280466, Fax 49 95 02 54
fromages et cuisine fromagère – ▤. AE ⓓ GB JCB
fermé dim. – **R** 175 (déj.)/240.

XX **Marius et Janette** BZ 33
4 av. George V ✆ 47 23 41 88, Fax 47 23 07 19
☂, produits de la mer – ▤. AE GB
fermé 24 au 31 déc. – **R** carte 320 à 480.

XX **L'Avenue** BZ 16
41 av. Montaigne ✆ 40 70 14 91
▤. AE GB
R carte 180 à 290.

XX **Finzi** BZ 14
24 av. George V ✆ 47 20 14 78, Fax 47 20 10 08
cuisine italienne – ▤. AE ⓓ GB
fermé sam. midi en juil.-août et dim. midi – **R** carte 160 à 300 ♁.

XX **Le Pichet** BY 6
68 r. P. Charron ✆ 43 59 50 34
▤. AE ⓓ GB
fermé 23 déc. au 6 janv., sam. et dim. – **R** carte 260 à 370.

XX **Le Lloyd's** CY 10
23 r. Treilhard ✆ 45 63 21 23
AE GB
fermé 25 déc. au 2 janv., sam. et dim. – **R** 200 (déj.) et carte 260 à 385.

XX **Artois** BY 35
13 r. Artois ✆ 42 25 01 10
GB
fermé août, sam. et dim. – **R** (prévenir) carte 220 à 330.

XX **Stresa** BZ 55
7 r. Chambiges ✆ 47 23 51 62
cuisine italienne – AE ⓓ
fermé août, 20 déc. au 3 janv., sam. soir et dim. – **R** 250/400.

XX **L'Étoile Marocaine** AY 54
56 r. Galilée ✆ 47 20 54 45
cuisine marocaine – ▤. AE ⓓ GB. ✂
R 180/450.

XX **Tong Yen** BY 32
1 bis r. J. Mermoz ✆ 42 25 04 23, Fax 45 63 51 57
cuisine chinoise et spécialités thaïlandaises et vietnamiennes – ▤. AE ⓓ GB
fermé 1er au 25 août – **R** carte 190 à 340.

XX **Chez Bosc** DZ 52
7 r. Richepanse ✆ 42 60 10 27
ⓓ GB
fermé 1er au 16 août, sam. midi et dim. – **R** 190 ♁.

X **Le Bouchon Gourmand** BY 45
25 r. Colisée ✆ 43 59 25 29, Fax 42 56 33 97
AE ⓓ GB
fermé août, sam. midi et dim. – **R** 130.

X **Bistrot de Marius** BZ 7
6 av. George V ✆ 40 70 11 76
☂, produits de la mer – AE GB
R carte 200 à 300.

X **La Petite Auberge** DX 38
48 r. Moscou ✆ 43 87 91 84
GB
fermé 8 au 24 août, sam. et dim. – **R** 140 et carte 190 à 290.

X **Ferme des Mathurins** DY 5
17 r. Vignon ✆ 42 66 46 39
GB
fermé août, dim. et fériés – **R** 150/250.

X **Finzi** BY 56
182 bd Haussmann ✆ 45 62 88 68, Fax 47 20 10 08
cuisine italienne – ▤. AE GB
fermé dim. midi – **R** carte 175 à 300.

9e 10e arrondissements

OPÉRA – GRANDS BOULEVARDS

GARE DE L'EST – GARE DU NORD

RÉPUBLIQUE – PIGALLE

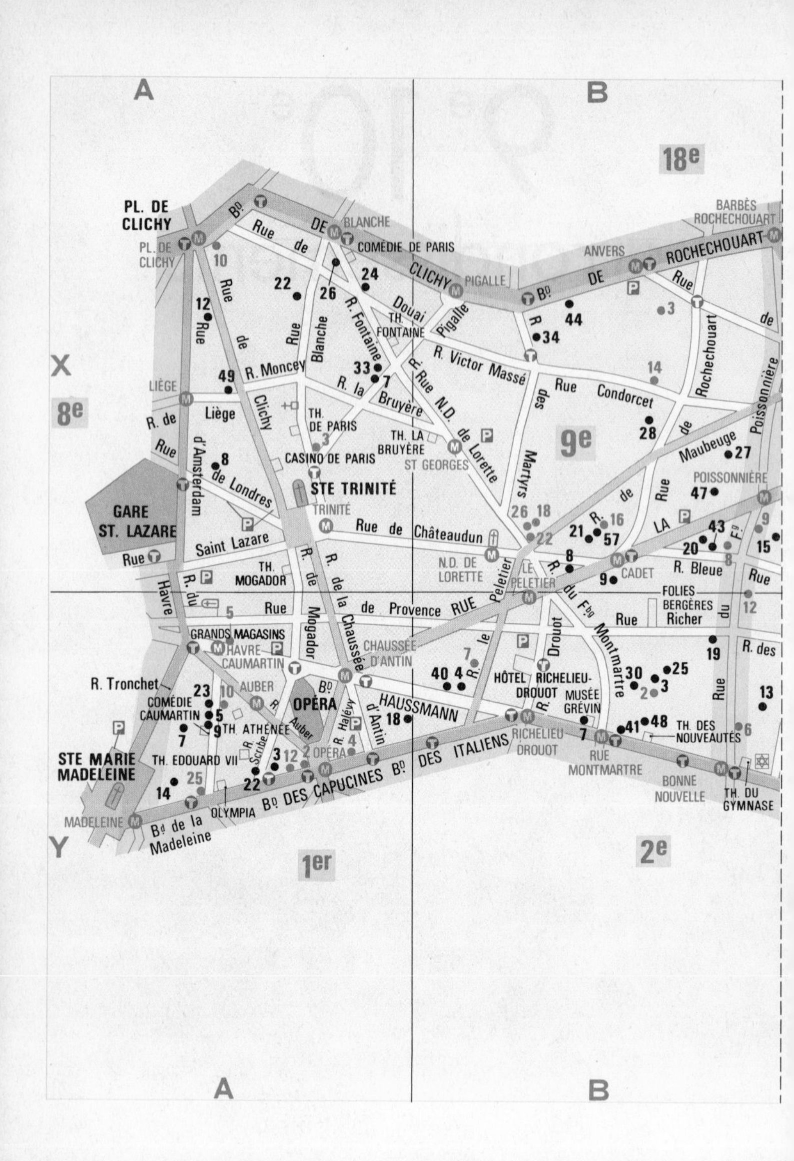

Les guides Michelin :

Guides Rouges (hôtels et restaurants) :

Benelux - Deutschland - España Portugal - France - Main Cities Europe - Great Britain and Ireland - Italia

Guides Verts (Paysages, monuments et routes touristiques) :

Allemagne - Autriche - Belgique Luxembourg - Canada - Espagne - Grèce - Hollande - Italie - Londres - Maroc - New York - Nouvelle Angleterre - Portugal - Rome - Suisse.

et la collection sur la France.

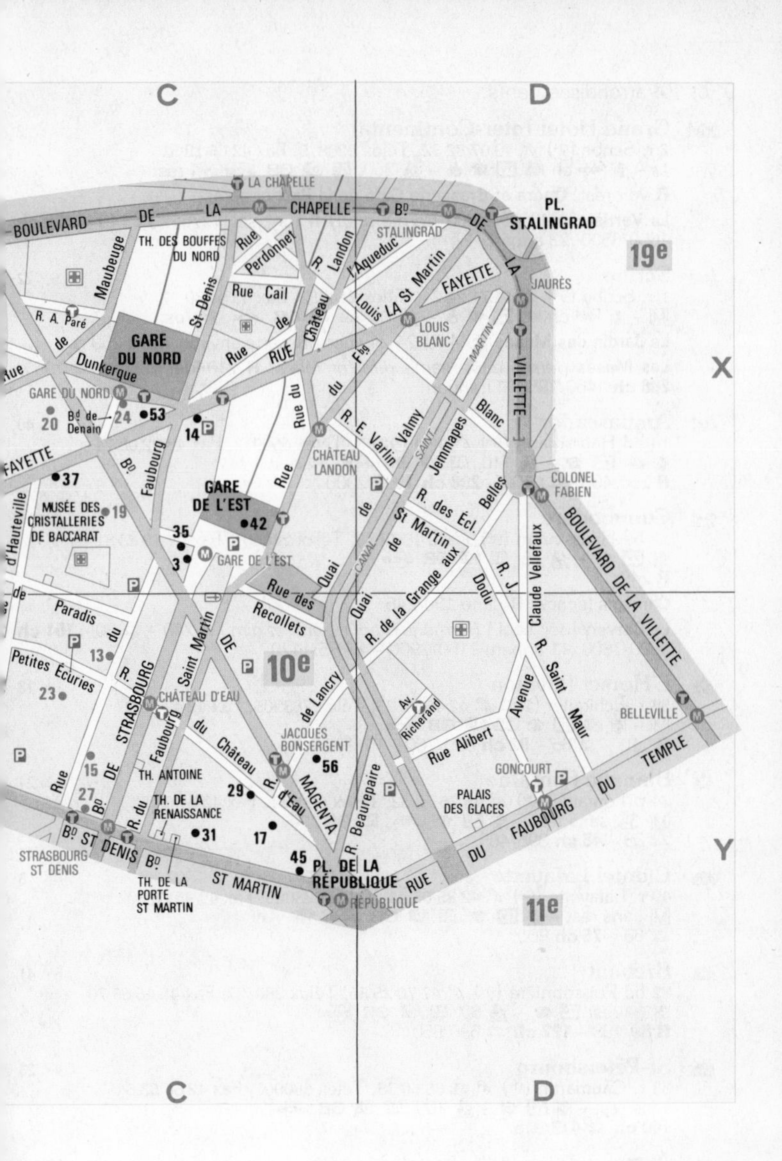

C
D
X
Y
LA CHAPELLE
BOULEVARD DE LA CHAPELLE
Bd DE LA VILLETTE
PL. STALINGRAD
STALINGRAD
19e
TH. DES BOUFFES DU NORD
Maubeuge
Rue Perdonnet
R. Landon
l'Aqueduc
JAURÈS
Rue Cail
Château
Louis LA St Martin
FAYETTE
R. A. Paré
GARE DU NORD
St-Denis
Rue de
RUE
LOUIS BLANC
MARTIN
de Dunkerque
Fbg
GARE DU NORD
20
Bd de Denain
24
53
14
Rue du
du
R. E. Varlin
Valmy
Blanc
VILLETTE
FAYETTE
37
Bd
Faubourg
CHÂTEAU LANDON
SAINT
Jemmapes
COLONEL FABIEN
Belles
MUSÉE DES CRISTALLERIES DE BACCARAT
19
GARE DE L'EST
42
Rue
R. des Écl.
BOULEVARD DE LA VILLETTE
d'Hauteville
35
3
GARE DE L'EST
de
St Martin
Quai
CANAL
de
Rue des
Recollets
R. de la Grange aux
R. J.
Dodu
Claude Vellefaux
de Paradis
du
Saint Martin
DE
Quai
R. de la
13
R.
Petites Écuries
23
10e
R. Saint Maur
STRASBOURG
CHÂTEAU D'EAU
Faubourg
de Lancry
Av. Richerand
Avenue
du Château
JACQUES BONSERGENT
56
Rue Alibert
BELLEVILLE
TEMPLE
Rue
15
DE
TH. ANTOINE
R.
MAGENTA
R. Beaurepaire
GONCOURT
DU
27
Bd
TH. DE LA RENAISSANCE
29
d'Eau
PALAIS DES GLACES
FAUBOURG
R. du
31
17
Bd ST DENIS
45
PL. DE LA RÉPUBLIQUE
DU
STRASBOURG ST DENIS
Bd
TH. DE LA PORTE ST MARTIN
ST MARTIN
RUE
RÉPUBLIQUE
11e

Grand Hôtel Inter-Continental AY 3
2 r. Scribe (9e) ✆ 40 07 32 32, Télex 220875, Fax 42 66 12 51
– ch – 350. AE GB JCB. rest
R voir rest. **Opéra et Brasserie Café de la Paix** ci-après
La Verrière ✆ 40 07 31 00 *(fermé août)* **R** (déj. seul) 275 – 140 – **470 ch** 1650/3500, 23 appart.

Scribe AY 22
1 r. Scribe (9e) ✆ 44 71 24 24, Télex 214653, Fax 42 65 39 97
M – ch – 80. AE GB JCB. rest
Le Jardin des Muses ✆ 44 71 24 24 snack **R** carte environ 155 à 250
Les Muses *(fermé août, sam., dim. et fériés)* **R** 210 (déj.)/350 – 105 – **206 ch** 1450/1950, 11 appart.

Ambassador BY 40
16 bd Haussmann (9e) ✆ 42 46 92 63, Télex 650912, Fax 40 22 08 74
– 110. AE GB JCB. rest
R 250/400 – 100 – **298 ch** 1300/2000.

Commodore BY 4
12 bd Haussmann (9e) ✆ 42 46 72 82, Télex 280601, Fax 47 70 23 81
– 25. AE GB JCB
R 240
Cancans (snack) **R** carte 150/245
Le Carvery (déj. seul.) *(fermé juil.-août, sam. et dim.)* **R** 240 – 80 – **151 ch** 1000/1800, 11 appart. 2150/2900 – P 885/1120.

L'Horset Pavillon BY 13
38 r. Échiquier (10e) ✆ 42 46 92 75, Télex 283905, Fax 42 47 03 97
M – . AE GB JCB
R 110 – 65 – **92 ch** 660/760 – P 1170.

Blanche Fontaine AX 24
34 r. Fontaine (9e) ✆ 45 26 72 32, Télex 660311, Fax 42 81 05 52
M sans rest – . AE GB.
38 – **45 ch** 395/465.

Cidotel Lafayette BX 8
49 r. Lafayette (9e) ✆ 42 85 05 44, Télex 283025, Fax 49 95 06 60
M sans rest – . AE GB JCB.
65 – **75 ch** 800.

Brébant BY 41
32 bd Poissonnière (9e) ✆ 47 70 25 55, Télex 280127, Fax 42 46 65 70
rest – 60. AE GB JCB
R 89/198 – **122 ch** 690/850.

St-Pétersbourg AY 23
33 r. Caumartin (9e) ✆ 42 66 60 38, Télex 680001, Fax 42 66 53 54
sans rest – – 100. AE GB JCB
100 ch 473/915.

Astra AY 5
29 r. Caumartin (9e) ✆ 42 66 15 15, Télex 210408, Fax 42 66 98 05
M sans rest – . AE GB JCB.
45 – **85 ch** 790/980.

Opéra Cadet BX 9
24 r. Cadet (9e) ✆ 48 24 05 26, Télex 282287, Fax 42 46 68 09
M sans rest – . AE GB
48 – **90 ch** 690/695.

Bergère BY 30
34 r. Bergère (9e) ✆ 47 70 34 34, Télex 290668, Fax 47 70 36 36
sans rest – . AE GB JCB
45 – **131 ch** 850/890.

Altéa Ronceray BY 7
10 bd Montmartre (9e) ✆ 42 47 13 45, Télex 283906, Fax 42 47 13 63
M sans rest – ⇕ TV ☎ – 65. AE ◑ GB
☕ 59 – **117 ch** 680/1250, 7 duplex.

Trinité Plaza AX 7
41 r. Pigalle (9e) ✆ 42 85 57 00, Télex 280110, Fax 45 26 41 20
M sans rest – ⇕ TV ☎. AE ◑ GB. ✱
42 ch ☕ 525/650.

Paix République CY 45
2 bis bd St Martin (10e) ✆ 42 08 96 95, Télex 680632, Fax 42 06 36 30
sans rest – ⇕ TV ☎. AE ◑ GB. ✱
☕ 35 – **45 ch** 540/950.

Anjou-Lafayette BX 43
4 r. Riboutté (9e) ✆ 42 46 83 44, Télex 281001, Fax 48 00 08 97
M sans rest – ⇕ TV ☎. AE ◑ GB JCB
☕ 30 – **39 ch** 450/660.

Carlton's H. BX 44
55 bd Rochechouart (9e) ✆ 42 81 91 00, Télex 640649, Fax 42 81 97 04
sans rest – ⇕ TV ☎. AE ◑ GB
☕ 45 – **103 ch** 575/785.

Frantour Paris Est CX 42
cour d'Honneur (10e) ✆ 42 05 00 33, Télex 217916, Fax 42 09 91 60
M – ⇕ TV ☎. GB JCB
R carte 100 à 170 ⅌ – ☕ 39 – **34 ch** 385/880.

Mercure Monty BY 3
5 r. Montyon (9e) ✆ 47 70 26 10, Télex 660677, Fax 42 46 55 10
M – ⇕ TV ☎ – 50. AE ◑ GB
R *(fermé sam. et dim.)* 82/160, enf. 45 – ☕ 55 – **71 ch** 470/710 – P 372/492.

Printania CY 29
19 r. Château d'Eau (10e) ✆ 42 01 84 20, Télex 215425, Fax 42 39 55 12
sans rest – ⇕ TV ☎. AE ◑ GB. ✱
☕ 39 – **51 ch** 460/545.

Caumartin AY 9
27 r. Caumartin (9e) ✆ 47 42 95 95, Télex 680702, Fax 47 42 88 19
M sans rest – ⇕ TV ☎. AE ◑ GB JCB
☕ 65 – **40 ch** 760/790.

Albert 1er CX 14
162 r. La Fayette (10e) ✆ 40 36 82 40, Télex 212887, Fax 40 35 72 52
M sans rest – ⇕ ▤ TV ☎. AE ◑ GB
☕ 35 – **59 ch** 400/550.

La Tour d'Auvergne BX 28
10 r. La Tour d'Auvergne (9e) ✆ 48 78 61 60, Télex 281604, Fax 49 95 99 00
sans rest – ⇕ ⟷ TV ☎. AE ◑ GB. ✱
☕ 35 – **24 ch** 500/650.

Celte La Fayette BX 57
25 r. Buffault (9e) ✆ 49 95 09 49, Fax 49 95 01 88
M sans rest – ⇕ TV ☎. AE ◑ GB. ✱
☕ 35 – **50 ch** 480/630.

Corona BY 48
8 cité Bergère (9e) ✆ 47 70 52 96, Télex 281081, Fax 42 46 83 49
sans rest – ⇕ TV ☎. AE ◑ GB
☕ 40 – **56 ch** 490/710, 4 appart. 990.

Résidence du Pré BX 27
15 r. P. Sémard (9e) ✆ 48 78 26 72, Télex 660549, Fax 42 80 64 83
sans rest – ⇕ TV ☎. AE GB
☕ 30 – **40 ch** 395/435.

du Pré BX 47
10 r. Pierre Sémard (9e) ✆ 42 81 37 11, Télex 660549, Fax 40 23 98 28
sans rest – ⇕ TV ☎. AE GB
☕ 35 – **41 ch** 395/495.

Gd H. Montmartre AX 22
2 r. Calais (9e) ✆ 48 74 87 76, Télex 649906, Fax 42 81 31 31
M sans rest – ▣ TV ☎. AE ① GB
☕ 60 – **40 ch** 550/750.

Libertel du Moulin AX 26
39 r. Fontaine (9e) ✆ 42 81 93 25, Télex 660055, Fax 40 16 09 90
M sans rest – ▣ TV ☎. AE ① GB JCB. ✻
☕ 50 – **50 ch** 620/840.

Gd H. Haussmann AY 18
6 r. Helder (9e) ✆ 48 24 76 10, Télex 650018, Fax 48 00 97 18
sans rest – ▣ TV ☎. AE ① GB. ✻
☕ 45 – **59 ch** 435/600.

Florida AX 12
7 r. Parme (9e) ✆ 48 74 47 09, Télex 640410, Fax 42 80 29 96
sans rest – ▣ TV ☎. AE ① GB JCB. ✻
☕ 30 – **31 ch** 490/790.

Gare du Nord CX 53
33 r. St-Quentin (10e) ✆ 48 78 02 92, Télex 642415, Fax 45 26 88 31
sans rest – ▣ TV ☎. AE GB. ✻
☕ 35 – **48 ch** 360/500.

Gotty BY 25
11 r. Trévise (9e) ✆ 47 70 12 90, Télex 660330, Fax 47 70 21 26
M sans rest – ▣ TV ☎. AE ① GB
☕ 25 – **44 ch** 630/735.

Peyris BY 19
10 r. Conservatoire (9e) ✆ 47 70 50 83, Fax 40 22 06 58
sans rest – ▣ TV ☎. GB JCB
☕ 25 – **50 ch** 365/480.

Moris CY 31
13 r. R.-Boulanger (10e) ✆ 42 06 27 53, Télex 212024, Fax 40 40 05 23
sans rest – ▣ TV ☎. AE ① GB
☕ 45 – **48 ch** 485/570.

Français CX 35
13 r. 8-Mai 1945 (10e) ✆ 40 35 94 14, Télex 220401, Fax 40 35 55 40
sans rest – ▣ TV ☎. GB
☕ 29 – **71 ch** 390/450.

Caravelle BX 34
68 r. Martyrs (9e) ✆ 48 78 43 31, Télex 649052, Fax 40 23 98 72
sans rest – ▣ TV ☎. AE ① GB
☕ 40 – **31 ch** 510/540.

Morny AX 49
4 r. Liège (9e) ✆ 42 85 47 92, Télex 660822, Fax 40 16 44 84
sans rest – ▣ TV ☎. AE ① GB JCB. ✻
☕ 40 – **41 ch** 450/560.

Athènes AX 8
21 r. d'Athènes (9e) ✆ 48 74 00 55, Télex 640715, Fax 42 81 04 75
sans rest – ▣ TV ☎. AE GB JCB. ✻
☕ 40 – **36 ch** 490/580.

Montréal AY 7
23 r. Godot-de-Mauroy (9e) ✆ 42 65 99 54, Fax 49 24 07 33
sans rest – ▣ TV ☎. AE ① GB
fermé août – ☕ 35 – **14 ch** 285/550, 5 appart. 600.

Modern' Est CY 3
91 bd Strasbourg (10e) ✆ 40 37 77 20, Fax 40 37 17 55
sans rest – ▣ TV ☎. GB. ✻
☕ 28 – **30 ch** 320/400.

Capucines AY 14
6 r. Godot de Mauroy (9e) ✆ 47 42 06 37, Fax 42 68 05 05
sans rest – ▣ ✕ ☎. AE ① GB
☕ 25 – **47 ch** 390/580.

D'Estrées — AX 33
2 bis cité Pigalle (9e) ✆ 48 74 39 22, Télex 290609, Fax 45 96 04 09
M sans rest – |♦| TV ☎. AE ⦿ GB
☕ 40 – **23 ch** 540/570.

Urbis Lafayette — CX 37
122 r. Lafayette (10e) ✆ 45 23 27 27, Télex 290272, Fax 42 46 73 79
sans rest – |♦| TV ☎ ♿. GB
☕ 35 – **70 ch** 372/415.

Fénelon — BX 21
23 r. Buffault (9e) ✆ 48 78 32 18, Télex 281781, Fax 48 78 38 15
sans rest – |♦| TV ☎. AE GB
39 ch ☕ 480/600.

Ribouttė-Lafayette — BX 20
5 r. Riboutté (9e) ✆ 47 70 62 36, Fax 48 00 91 50
sans rest – |♦| TV ☎. GB
☕ 30 – **24 ch** 400/440.

Trois Nations — CY 17
19 r. Lancry (10e) ✆ 42 01 41 00, Télex 240168
sans rest – |♦| TV ☎. GB. ✗
☕ 27 – **38 ch** 260/380.

Résidence Magenta — CY 56
35 r. Y.-Toudic (10e) ✆ 42 40 17 72, Télex 216543, Fax 42 02 59 66
sans rest – |♦| TV ☎. AE GB. ✗
☕ 30 – **32 ch** 300/340.

Baccarat — BX 15
19 r. Messageries (10e) ✆ 47 70 96 92, Télex 648895, Fax 47 70 96 92
sans rest – |♦| TV ☎. AE ⦿ GB
☕ 30 – **30 ch** 300/440.

XXXX ✿ **Rest. Opéra-Café de la Paix** - Le Grand Hôtel — AY 2
pl. Opéra (9e) ✆ 40 07 30 10, Télex 220875, Fax 42 66 12 51
« Cadre Second Empire » – ▤. AE ⦿ GB JCB
fermé août – **R** carte 370 à 600
Spéc. Salade de canette rouennaise à la coriandre, Boudin blanc truffé à l'ancienne (automne-hiver), Filet mignon de veau aux morilles (printemps).

XXX ✿ **La Table d'Anvers** (Conticini) — BX 3
2 pl. d'Anvers (9e) ✆ 48 78 35 21, Fax 45 26 66 67
▤. AE GB
fermé 10 au 20 août, sam. midi et dim. – **R** 240/490
Spéc. Chausson de langoustines aux girolles, Filet de bar au thym et citron, Croquettes au chocolat fondant.

XXX **Charlot "Roi des Coquillages"** — AX 10
81 bd Clichy (9e) ✆ 48 74 49 64, Fax 40 16 11 00
produits de la mer – ▤. AE ⦿ GB
R carte 230 à 390.

XXX **Le Louis XIV** — CY 27
8 bd St-Denis (10e) ✆ 42 08 56 56
AE ⦿ GB
fermé mai à août – **R** carte 230 à 450.

XX **Au Chateaubriant** — CX 19
23 r. Chabrol (10e) ✆ 48 24 58 94
cuisine italienne, collection de tableaux – ▤. AE GB. ✗
fermé août, 14 au 22 fév., dim. et lundi – **R** carte 205 à 370.

XX **Chez Michel** CX 20
10 r. Belzunce (10e) ✆ 48 78 44 14
▤. AE ⓓ GB
fermé août, 25 déc. au 1er janv., sam. et dim. – **R** (nombre de couverts limité - prévenir) 250 (déj.) et carte 300 à 455.

XX **Brasserie Flo Printemps** AY 5
(Printemps de la Mode - 6e étage) 64 bd Haussman (9e) ✆ 42 82 58 81, Fax 45 26 31 24
▤. AE GB
fermé dim. et fériés – **R** (déj. seul.) carte 160 à 265 ⅓.

XX **Brasserie Café de la Paix** - Le Grand Hôtel AY 12
12 bd Capucines (9e) ✆ 40 07 30 20, Télex 220875, Fax 42 66 12 51
⇹. AE ⓓ GB JCB
R 180 et carte 185 à 300 ⅓.

XX **Grand Café Capucines** AY 4
4 bd Capucines (9e) ✆ 47 42 19 00, Fax 47 42 74 22
(ouvert jour et nuit), « Décor "Belle Époque" » – AE ⓓ GB
R carte 175 à 320 ⅓.

XX **Le Quercy** BX 14
36 r. Condorcet (9e) ✆ 48 78 30 61
AE ⓓ GB
fermé août, dim. et fériés – **R** 158 et carte 175 à 310.

XX **Comme Chez Soi** BX 16
20 r. Lamartine (9e) ✆ 48 78 00 02
▤. ⓓ GB JCB
fermé août, sam. et dim. – **R** 170/220.

XX **Le Saintongeais** BX 22
62 r. Fg Montmartre (9e) ✆ 42 80 39 92
AE ⓓ GB
fermé 8 au 30 août, 25 déc. au 4 janv., sam. et dim. – **R** carte 180 à 260.

XX **Julien** CY 15
16 r. Fg St Denis (10e) ✆ 47 70 12 06, Fax 42 47 00 65
« Brasserie "Belle Époque" » – ▤. AE ⓓ GB
R carte 155 à 290 ⅓.

XX **Le Franche-Comté** AY 25
2 bd Madeleine (Maison de la Franche-Comté) (9e) ✆ 49 24 99 09, Fax 49 24 96 56
AE GB
fermé dim. – **R** 90/150.

XX **Petit Riche** BY 7
25 r. Le Peletier (9e) ✆ 47 70 68 68, Fax 48 24 10 79
« Cadre fin 19e siècle » – AE ⓓ GB JCB
fermé sam. du 15 juil. au 31 août et dim. – **R** 180 et carte 170 à 300 ⅓.

XX **Bistrot Papillon** BX 8
6 r. Papillon (9e) ✆ 47 70 90 03
AE ⓓ GB
fermé 1er au 10 mai, 8 au 30 août, sam., dim. et fériés – **R** 135 et carte 210 à 300.

XX **Aux Deux Canards** BY 6
8 r. fg Poissonnière (10e) ✆ 47 70 03 23
rest. non-fumeurs – ▤. AE ⓓ GB
fermé sam. midi et dim. – **R** carte 230 à 330 ⅓.

XX **Brasserie Flo** CY 23
7 cour Petites-Écuries (10e) ✆ 47 70 13 59, Fax 42 47 00 80
« Cadre 1900 » – ▤. AE ⓓ GB JCB
R carte 155 à 290 ⅓.

XX **Gokado** AY 10
18 r. Caumartin (9e) ✆ 47 42 08 82, Fax 47 42 76 19
cuisine japonaise – ▤. AE GB JCB
fermé Noël au Jour de l'An, sam. midi et dim. midi – **R** carte 270 à 335.

XX **Terminus Nord** CX 24
23 r. Dunkerque (10e) ✆ 42 85 05 15, Fax 40 16 13 98
brasserie – AE ⓓ GB
R carte 155 à 290 ♁.

XX **La P'tite Tonkinoise** BY 12
56 r. Fg Poissonnière (10e) ✆ 42 46 85 98
cuisine vietnamienne – GB
fermé 1er août au 15 sept., 22 déc. au 5 janv., dim. et lundi – **R** carte 150 à 235.

X **Relais Beaujolais** BX 18
3 r. Milton (9e) ✆ 48 78 77 91
GB
fermé sam. et dim. – **R** 130 (déj.) et carte 135 à 290.

X **Petit Batailley** BY 2
26 r. Bergère (9e) ✆ 47 70 85 81
AE ⓓ GB JCB
fermé 1er au 21 août, 1er au 8 janv., sam. midi, dim. et fériés – **R** 100/205 ♁.

X **La Grille** BX 9
80 r. Fg Poissonnière (10e) ✆ 47 70 89 73
AE ⓓ GB
fermé août, vacances de fév., sam. et dim. – **R** carte 190 à 280.

X **Chez Jean l'Auvergnat** BX 26
52 r. Lamartine (9e) ✆ 48 78 62 73, Fax 48 78 39 29
GB
fermé sam. midi et dim. – **R** carte 135 à 235.

X **Bistro des Deux Théâtres** AX 3
18 r. Blanche (9e) ✆ 45 26 41 43
▤. GB
R 162.

Notes

12e 13e arrondissements

BASTILLE – NATION

GARE DE LYON – BERCY

GARE D'AUSTERLITZ

PLACE D'ITALIE

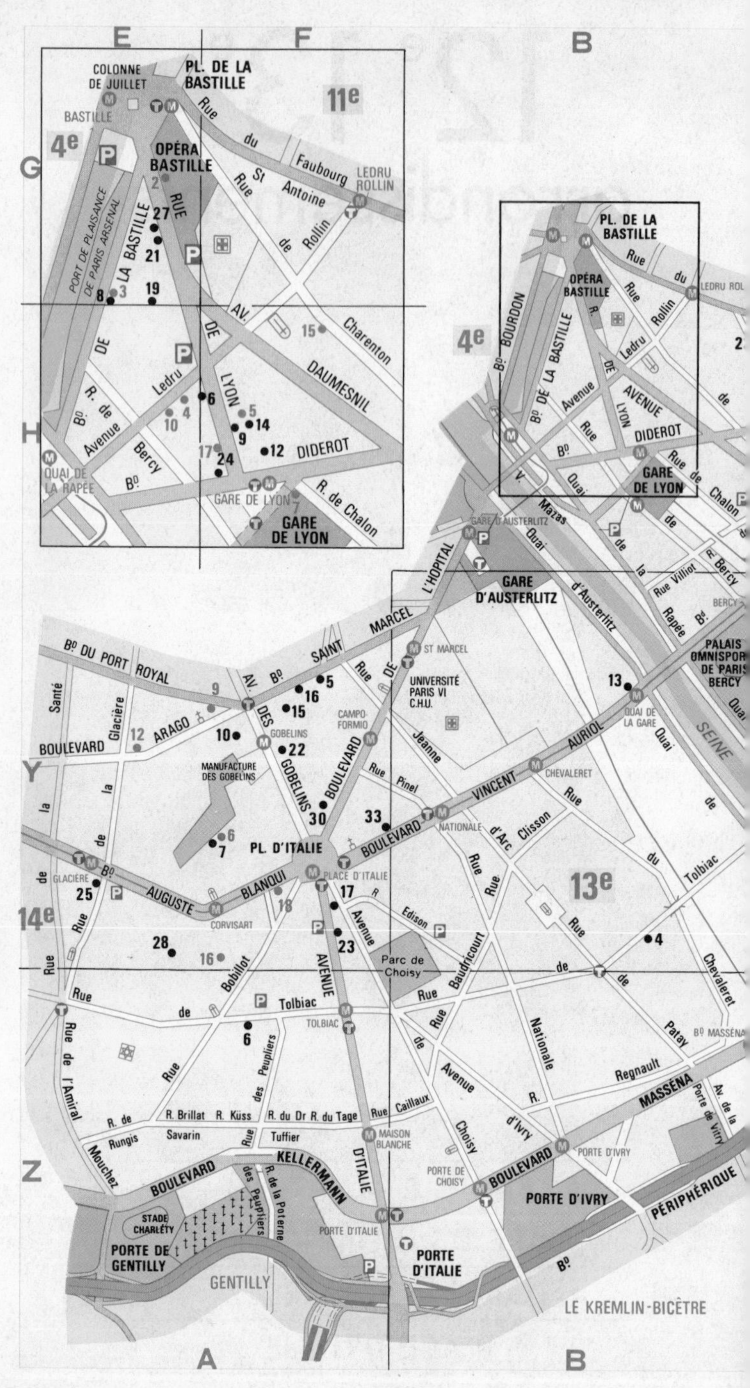
PL. DE LA BASTILLE
COLONNE DE JUILLET
BASTILLE
OPÉRA BASTILLE
11e
4e
Rue du Faubourg St Antoine
LEDRU ROLLIN
Rue de Charenton
Rue Ledru Rollin
PORT DE PLAISANCE DE PARIS ARSENAL
Bd DE LA BASTILLE
RUE DE LYON
AV. DAUMESNIL
Avenue Ledru
R. de Bercy
Bd Bercy
DIDEROT
R. de Chalon
GARE DE LYON
QUAI DE LA RAPÉE
Bd BOURDON
AVENUE DIDEROT
Quai de la Rapée
Mazas
GARE D'AUSTERLITZ
Quai d'Austerlitz
Rue Villiot
BERCY
PALAIS OMNISPORT DE PARIS BERCY
SEINE
Bd DU PORT ROYAL
BOULEVARD ARAGO
Bd SAINT MARCEL
L'HOPITAL
ST MARCEL
UNIVERSITÉ PARIS VI C.H.U.
AV. DES GOBELINS
GOBELINS
CAMPO-FORMIO
MANUFACTURE DES GOBELINS
Santé
Glacière
Rue Jeanne d'Arc
Rue Pinel
BOULEVARD VINCENT AURIOL
QUAI DE LA GARE
CHEVALERET
NATIONALE
Clisson
PL. D'ITALIE
PLACE D'ITALIE
GLACIÈRE
Bd AUGUSTE BLANQUI
CORVISART
14e
13e
Edison
Parc de Choisy
Rue Baudricourt
Rue de Tolbiac
Rue de Patay
Rue Chevaleret
Rue de Bobillot
AVENUE D'ITALIE
TOLBIAC
Rue Nationale
Avenue de Choisy
R. d'Ivry
Regnault
Bd MASSÉNA
Rue de l'Amiral Mouchez
Rue des Peupliers
R. de Rungis
R. Brillat Savarin
R. Küss
R. du Dr R. du Tage
Rue Tuffier
Rue Caillaux
MAISON BLANCHE
Av. de la Porte de Vitry
PORTE D'IVRY
PORTE DE CHOISY
BOULEVARD MASSÉNA
BOULEVARD KELLERMANN
PÉRIPHÉRIQUE
R. de la Poterne des Peupliers
STADE CHARLÉTY
PORTE DE GENTILLY
GENTILLY
PORTE D'ITALIE
LE KREMLIN-BICÊTRE
E F B G H Y Z A B

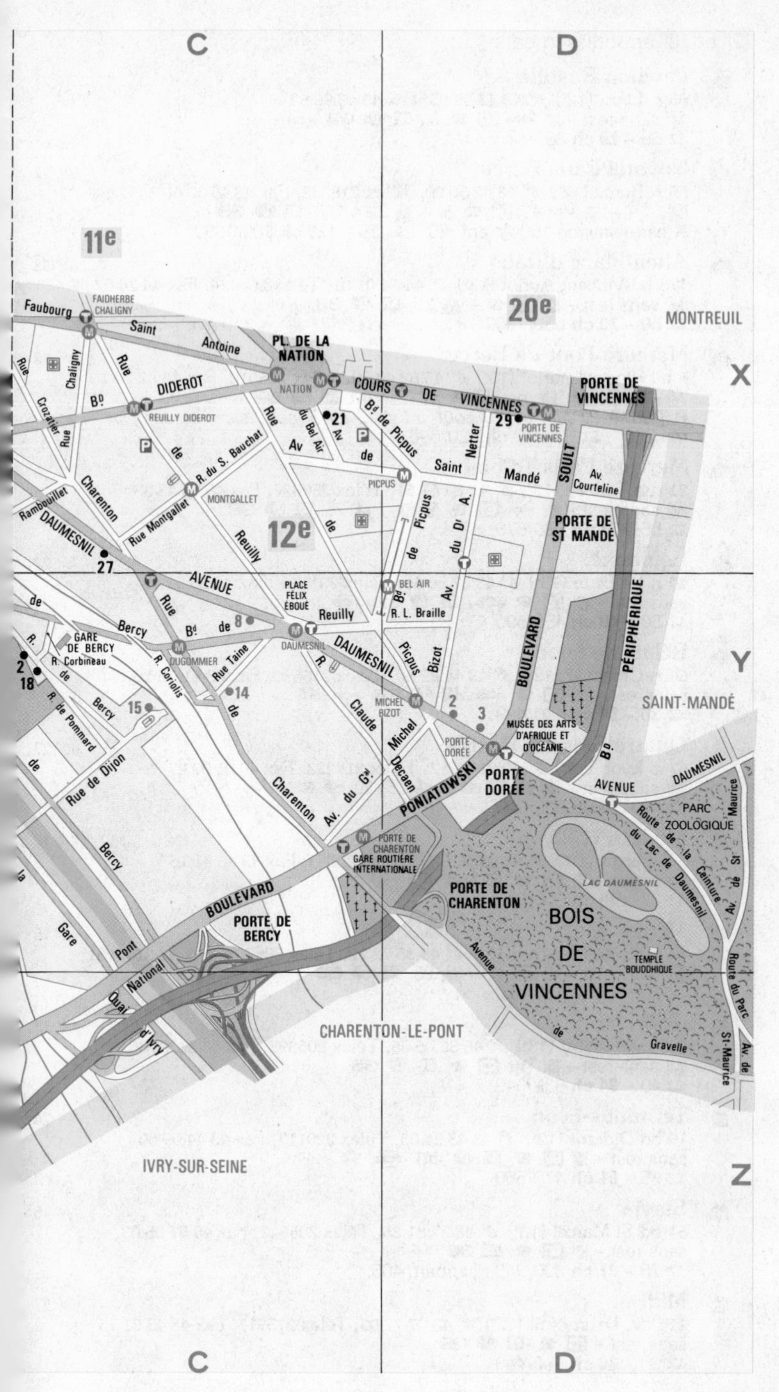
C
D
11e
20e
12e
MONTREUIL
X
Y
Z
Faubourg
Saint
Antoine
FAIDHERBE CHALIGNY
PL. DE LA NATION
NATION
COURS DE VINCENNES
PORTE DE VINCENNES
DIDEROT
REUILLY DIDEROT
Rue Chaligny
Rue Crozatier
R. du S. Bauchat
MONTGALLET
Rue Montgallet
Charenton
Rambouillet
DAUMESNIL
AVENUE
27
21
29
Av du Bel Air
Bd de Picpus
PICPUS
Saint Mandé
Netter
SOULT
Av. Courteline
PORTE DE ST MANDÉ
Reuilly
Av. du Dr A.
BEL AIR
PLACE FÉLIX ÉBOUÉ
R. L. Braille
DAUMESNIL
Bercy
Bd de 8
DUGOMMIER
Rue Taine
R. Coriolis
GARE DE BERCY
R. Corbineau
R. de Pommard
Rue de Dijon
14
15
2
18
Claude
Michel
Decaen
Bizot
MICHEL BIZOT
2
3
BOULEVARD
PÉRIPHÉRIQUE
MUSÉE DES ARTS D'AFRIQUE ET D'OCÉANIE
PORTE DORÉE
SAINT-MANDÉ
DAUMESNIL
PONIATOWSKI
Av. du Gal
PORTE DE CHARENTON
GARE ROUTIÈRE INTERNATIONALE
PARC ZOOLOGIQUE
Route de la Ceinture du Lac de Daumesnil
Av. de St Maurice
LAC DAUMESNIL
PORTE DE CHARENTON
BOIS DE VINCENNES
TEMPLE BOUDDHIQUE
BOULEVARD
PORTE DE BERCY
Gare
Pont National
Quai d'Ivry
Avenue de Gravelle
Route du Parc
St-Maurice
Av. de
CHARENTON-LE-PONT
IVRY-SUR-SEINE

Pavillon Bastille EG 21
65 r. Lyon (12e) ✆ 43 43 65 65, Fax 43 43 96 52
M sans rest – |‡| ⇆ TV ☎ ♿. AE ⓓ GB JCB
☕ 65 – **25 ch** 890.

Novotel Paris Bercy CY 2
85 r. Bercy (12e) ✆ 43 42 30 00, Télex 218332, Fax 43 45 30 60
M, 合 – |‡| ⇆ ▤ TV ☎ ♿ – 🏛 30 à 100. AE ⓓ GB
R carte environ 150 🍷, enf. 55 – ☕ 55 – **129 ch** 700/1090.

Altéa Place d'Italie AY 33
178 bd Vincent Auriol (13e) ✆ 44 24 01 01, Télex 203424, Fax 44 24 07 07
M sans rest – |‡| TV ☎ – 🏛 25. AE ⓓ GB
☕ 60 – **70 ch** 630/1000.

Mercure Pont de Bercy BY 13
6 bd Vincent Auriol (13e) ✆ 45 82 48 00, Télex 205010, Fax 45 82 19 16
M – |‡| ⇆ ch ▤ rest TV ☎ ♿ – 🏛 40. AE ⓓ GB
R *(fermé 27 juil. au 23 août, 24 déc. au 3 janv., sam. et dim.)* carte environ 250 – ☕ 53 – **89 ch** 620/690.

Mercure Paris Tolbiac BY 4
21 rue Tolbiac (13e) ✆ 45 84 61 61, Télex 250822, Fax 45 84 43 38
M sans rest – |‡| ⇆ TV ☎ ♿ P – 🏛 25. AE ⓓ GB
☕ 55 – **71 ch** 590/670.

Équinoxe AY 22
40 r. Le Brun (13e) ✆ 43 37 56 56, Télex 201476, Fax 45 35 52 42
sans rest – |‡| TV ☎ 🚗. AE ⓓ GB JCB
☕ 30 – **49 ch** 450/590.

Relais de Lyon BX 23
64 r. Crozatier (12e) ✆ 43 44 22 50, Télex 216690, Fax 43 41 55 12
sans rest – |‡| TV ☎ 🚗. AE ⓓ GB JCB. ✗
☕ 30 – **34 ch** 400/498.

Quatre Saisons Bastille EG 27
67 r. Lyon (12e) ✆ 40 01 07 17, Télex 214223, Fax 40 01 07 27
M sans rest – |‡| ▤ TV ☎ – 🏛 25. AE ⓓ GB
☕ 40 – **36 ch** 550/900.

Modern H. Lyon FH 14
3 r. Parrot (12e) ✆ 43 43 41 52, Télex 220083, Fax 43 43 81 16
sans rest – |‡| TV ☎. AE GB JCB. ✗
☕ 37 – **49 ch** 500/640.

Média AY 15
22 r. Reine Blanche (13e) ✆ 45 35 72 72, Télex 206702, Fax 43 31 43 31
M sans rest – |‡| TV ☎ – 🏛 25. AE ⓓ GB
☕ 30 – **19 ch** 450/520.

de Weha AY 17
205 av. Choisy (13e) ✆ 45 86 06 06, Télex 206898, Fax 43 31 42 06
M sans rest – |‡| ⇆ TV ☎. AE ⓓ GB
☕ 40 – **34 ch** 539/649.

Terminus-Lyon FH 24
19 bd Diderot (12e) ✆ 43 43 24 03, Télex 220117, Fax 43 44 09 00
sans rest – |‡| TV ☎. AE ⓓ GB JCB. ✗
☕ 35 – **61 ch** 470/550.

Slavia AY 5
51 bd St-Marcel (13e) ✆ 43 37 81 25, Télex 205542, Fax 45 87 05 03
sans rest – |‡| TV ☎. AE GB. ✗
☕ 28 – **37 ch** 300/340, 6 appart. 405.

Midi CX 27
114 av. Daumesnil (12e) ✆ 43 07 72 03, Télex 215917, Fax 43 43 21 75
sans rest – TV ☎. AE ⓓ GB
☕ 30 – **36 ch** 350/440.

Résidence Vert Galant — AY 7
43 r. Croulebarbe (13e) ✆ 43 36 22 41, Télex 202371
M – TV ☎ ♿. AE ⓓ GB JCB. ✈ ch
R voir rest. **Etchegorry** ci-après – ☕ 35 – **15 ch** 400/500.

Ibis Paris Bercy — CY 18
77 rue Bercy (12e) ✆ 43 42 91 91, Télex 216391, Fax 43 42 34 79
M, – |‡| ch rest TV ☎ ♿ – 25 à 180. AE GB
R 135 ₰, enf. 39 – ☕ 32 – **368 ch** 455.

Corail — FH 6
23 r. Lyon (12e) ✆ 43 43 23 54, Télex 212002, Fax 43 43 82 55
sans rest – |‡| TV ☎. AE ⓓ GB JCB
☕ 31 – **50 ch** 310/400.

Marceau — EG 19
13 r. J. César (12e) ✆ 43 43 11 65, Télex 214006, Fax 43 41 67 70
sans rest – |‡| TV ☎. GB. ✈
fermé 20 juil. au 20 août – ☕ 30 – **53 ch** 335/380.

Campanile — AY 23
15 bis av. Italie (13e) ✆ 45 84 95 95, Télex 205256, Fax 45 70 73 06
sans rest – |‡| TV ☎. AE ⓓ GB
☕ 29 – **122 ch** 350/395.

Nouvel H. — CX 21
24 av. Bel Air (12e) ✆ 43 43 01 81, Télex 240139, Fax 43 44 64 13
sans rest, – TV ☎. AE ⓓ GB
☕ 40 – **28 ch** 245/550.

Gd H. Gobelins — AY 16
57 bd St Marcel (13e) ✆ 43 31 79 89, Fax 45 35 43 56
sans rest – |‡| TV ☎
☕ 30 – **45 ch** 240/350.

des Trois Gares — EG 8
1 r. J. César (12e) ✆ 43 43 01 70, Télex 216392, Fax 43 41 36 58
sans rest – |‡| TV ☎. GB. ✈
☕ 30 – **36 ch** 220/400.

Viator — FH 9
1 r. Parrot (12e) ✆ 43 43 11 00, Télex 216236, Fax 43 43 10 89
sans rest – |‡| TV ☎. GB. ✈
☕ 32 – **45 ch** 310/360.

Palym H. — FH 12
4 r. E.-Gilbert (12e) ✆ 43 43 24 48, Fax 43 41 69 47
sans rest – |‡| TV ☎. GB
☕ 30 – **51 ch** 300/380.

Urbis Paris Tolbiac — AZ 6
177 r. Tolbiac (13e) ✆ 45 80 16 60, Télex 200821, Fax 45 80 95 80
sans rest – |‡| TV ☎ ♿. GB
☕ 32 – **60 ch** 360/390.

Résidence Les Gobelins — AY 10
9 r. Gobelins (13e) ✆ 47 07 26 90, Télex 206566, Fax 43 31 44 05
sans rest – |‡| TV ☎. AE ⓓ GB. ✈
☕ 32 – **32 ch** 320/400.

Timhôtel — AY 28
22 r. Barrault (13e) ✆ 45 80 67 67, Télex 205461, Fax 45 89 36 93
sans rest – |‡| TV ☎. AE ⓓ GB JCB
☕ 45 – **73 ch** 343/425.

Terrasses — AY 25
74 r. Glacière (13e) ✆ 47 07 73 70, Télex 203488, Fax 43 31 05 45
sans rest – |‡| TV ☎. GB. ✈
☕ 28 – **43 ch** 260/500.

Terminus et Sports DX 29
96 cours Vincennes (12e) ✆ 43 43 97 93, Télex 217581
sans rest – |$| TV ☎. GB. ✻
☕ 30 – **43 ch** 180/380.

Arts AY 30
8 r. Coypel (13e) ✆ 47 07 76 32, Fax 43 31 18 09
sans rest – |$| ☎. AE GB
☕ 26 – **37 ch** 160/300.

Fouquet's Bastille EG 2
130 r. Lyon (12e) ✆ 43 42 18 18, Fax 43 42 08 20
▤. AE ⓓ GB JCB
fermé août et dim.
Rez-de-Chaussée R 165 bc
1er étage R carte 300 à 430.

Au Pressoir (Séguin) DY 2
257 av. Daumesnil (12e) ✆ 43 44 38 21, Fax 43 43 81 77
▤. GB
fermé août, vacances de fév., sam. et dim. – **R** 360 et carte 330 à 490
Spéc. Fricassée de Saint-Jacques aux cèpes (oct. à déc.), Bar à l'écaille au beurre à la badiane, Ris de veau aux noix et au lard.

Train Bleu FH 7
Gare de Lyon (12e) ✆ 43 43 38 39, Télex 240788, Fax 43 43 97 96
« Cadre 1900 - fresques évoquant le voyage de Paris à la Méditerranée » – AE ⓓ GB
R (1er étage) 220 bc (déj.) et carte 260 à 360.

Au Trou Gascon CY 13
40 r. Taine (12e) ✆ 43 44 34 26, Fax 43 07 80 55
▤. AE ⓓ GB JCB
fermé août, 25 déc. au 3 janv., sam. et dim. – **R** (nombre de couverts limité - prévenir) 200 et carte 295 à 400
Spéc. Bouillon de châtaignes au blanc de poule faisanne (automne-hiver), Pâté chaud de cèpes, Volaille de Chalosse truffée.

La Gourmandise DY 3
271 av. Daumesnil (12e) ✆ 43 43 94 41
AE GB
fermé 1er au 8 mai, 2 au 24 août, dim. et lundi – **R** 188 et carte 260 à 400, enf. 90.

L'Oulette CY 15
15 pl. Lachambeaudie (12e) ✆ 40 02 02 12, Fax 40 02 02 13
☂ – ▤. GB
fermé août, vacances de fév., sam. midi, dim. et fériés – **R** 170 (déj.) et carte 250 à 345.

Au Petit Marguery AY 9
9 bd. Port-Royal (13e) ✆ 43 31 58 59
AE ⓓ GB
fermé août, 24 déc. au 2 janv., dim. et lundi – **R** carte 300 à 435.

Les Vieux Métiers de France AY 18
13 bd A. Blanqui (13e) ✆ 45 88 90 03
▤. AE ⓓ GB JCB
fermé dim. et lundi – **R** 165/290.

Le Luneau FH 17
5 r. Lyon (12e) ✆ 43 43 90 85
AE ⓓ GB
R 139 et carte 240 à 300 ♁.

XX **La Flambée** CY 14
4 r. Taine (12e) ✆ 43 43 21 80
AE ⓓ GB
fermé 2 au 23 août, 20 au 28 déc., dim. soir et lundi – **R** 119/169.

XX **La Frégate** EH 4
30 av. Ledru-Rollin (12e) ✆ 43 43 90 32
produits de la mer – ▤. GB
fermé 1er au 23 août, sam. et dim. – **R** 200/290.

XX **Le Traversière** FH 15
40 r. Traversière (12e) ✆ 43 44 02 10
AE ⓓ GB JCB
fermé 1er au 30 août, dim. soir et fériés – **R** 150 et carte 180 à 350.

XX **La Sologne** CY 8
164 av. Daumesnil (12e) ✆ 43 07 68 97
GB
fermé sam. midi et dim. – **R** 135/250.

XX **L'Escapade en Touraine** FH 5
24 r. Traversière (12e) ✆ 43 43 14 96
GB JCB
fermé août, sam., dim. et fériés – **R** 140 et carte 130 à 220.

X **Mange Tout** EG 3
24 bd Bastille (12e) ✆ 43 43 95 15
AE GB
fermé 10 au 16 août, 21 au 27 déc. et dim. – **R** 98 et carte 150 à 245 ♁, enf. 45.

X **Le Quincy** EH 10
28 av. Ledru-Rollin (12e) ✆ 46 28 46 76
▤
fermé 10 août au 10 sept., sam., dim. et lundi – **R** carte 200 à 345.

X **Etchegorry** AY 6
41 r. Croulebarbe (13e) ✆ 43 31 63 05, Télex 202371
AE ⓓ GB
fermé dim. – **R** 140 bc/200 bc.

X **Le Rhône** AY 12
40 bd Arago (13e) ✆ 47 07 33 57
⛱ – GB
fermé août, sam., dim. et fêtes – **R** 75/155 ♁.

X **Chez Françoise** AY 16
12 r. Butte aux Cailles (13e) ✆ 45 80 12 02
AE ⓓ GB. ✻
fermé 1er au 8 mars, 30 juil. au 26 août, sam. midi et dim. – **R** 88/128.

Notes

14e 15e arrondissements

MONTPARNASSE

DENFERT-ROCHEREAU – ALÉSIA

PORTE DE VERSAILLES

VAUGIRARD – BEAUGRENELLE

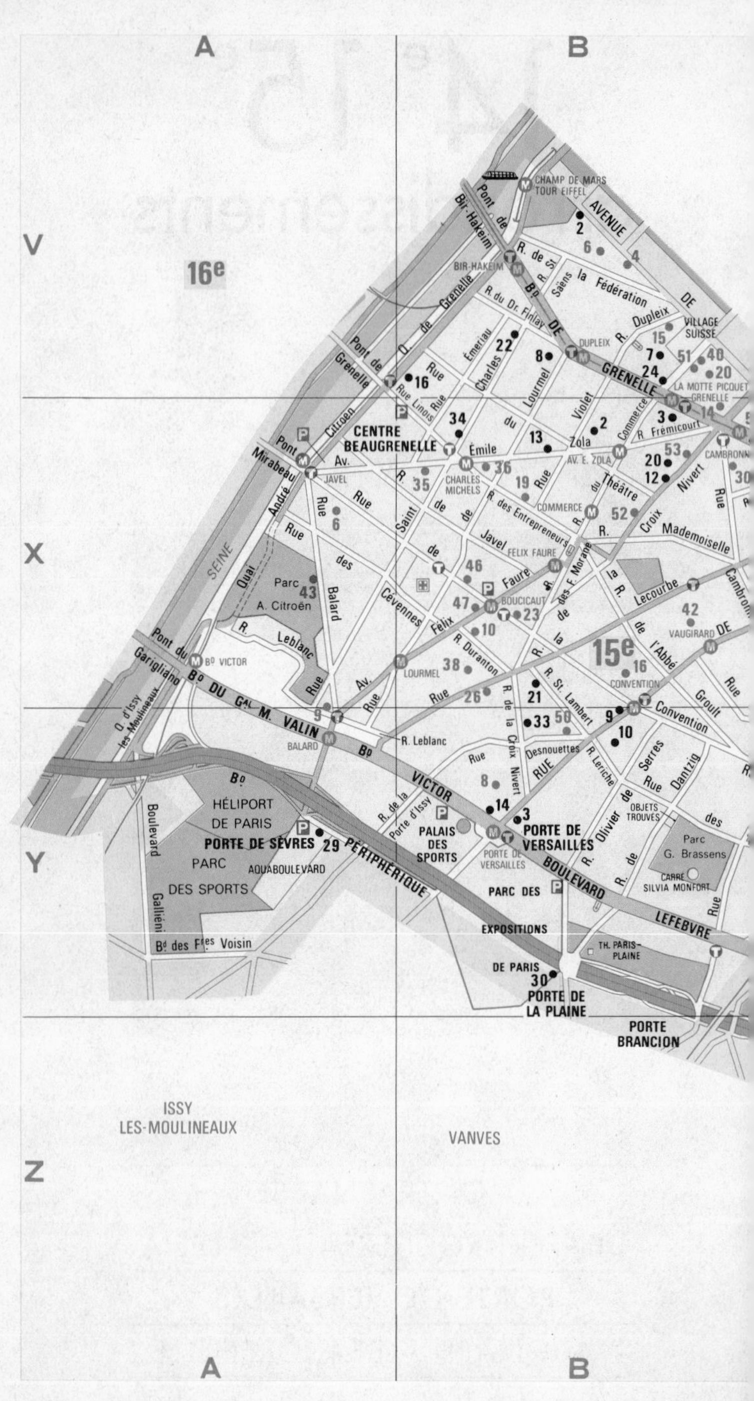
A
B
V
X
Y
Z
16e
15e
SEINE
CHAMP DE MARS TOUR EIFFEL
AVENUE
Pont de Bir-Hakeim
BIR-HAKEIM
R. de St. Saëns
la Fédération
Q. de Grenelle
Pont de Grenelle
R. du Dr. Finlay
Bd DE GRENELLE
Dupleix
DUPLEIX
VILLAGE SUISSE
LA MOTTE PICQUET GRENELLE
Émeriau
Charles
Lourmel
Violet
Commerce
R. Frémicourt
CAMBRONNE
CENTRE BEAUGRENELLE
Rue Linois
Citroën
Pont Mirabeau
Quai André Citroën
Av. Émile Zola
AV. E. ZOLA
JAVEL
CHARLES MICHELS
COMMERCE
R. du Théâtre
Nivert
Croix
Mademoiselle
Rue des Cévennes
R. des Entrepreneurs
Rue Saint Charles
Rue de Javel
FELIX FAURE
Av. Félix Faure
R. des F. Morane
R. Lecourbe
Cambronne
VAUGIRARD
Rue de l'Abbé Groult
Rue Balard
Parc A. Citroën
R. Leblanc
BOUCICAUT
R. Duranton
R. de la Croix Nivert
R. St. Lambert
CONVENTION
Rue Convention
Pont du Garigliano
Bd VICTOR
LOURMEL
Bd DU Gal M. VALIN
BALARD
Q. d'Issy les Moulineaux
R. Leblanc
Rue Desnouettes
R. Leriche
Rue de Serres
Rue Dantzig
Bd VICTOR
R. de la Porte d'Issy
HÉLIPORT DE PARIS
PORTE DE SÈVRES
PARC DES SPORTS
AQUABOULEVARD
Boulevard Galliéni
Bd des Fres Voisin
PÉRIPHÉRIQUE
PALAIS DES SPORTS
PORTE DE VERSAILLES
R. Olivier de Serres
OBJETS TROUVÉS
Parc G. Brassens
CARRÉ SILVIA MONFORT
BOULEVARD LEFEBVRE
PARC DES EXPOSITIONS DE PARIS
TH. PARIS-PLAINE
PORTE DE LA PLAINE
PORTE BRANCION
ISSY LES-MOULINEAUX
VANVES

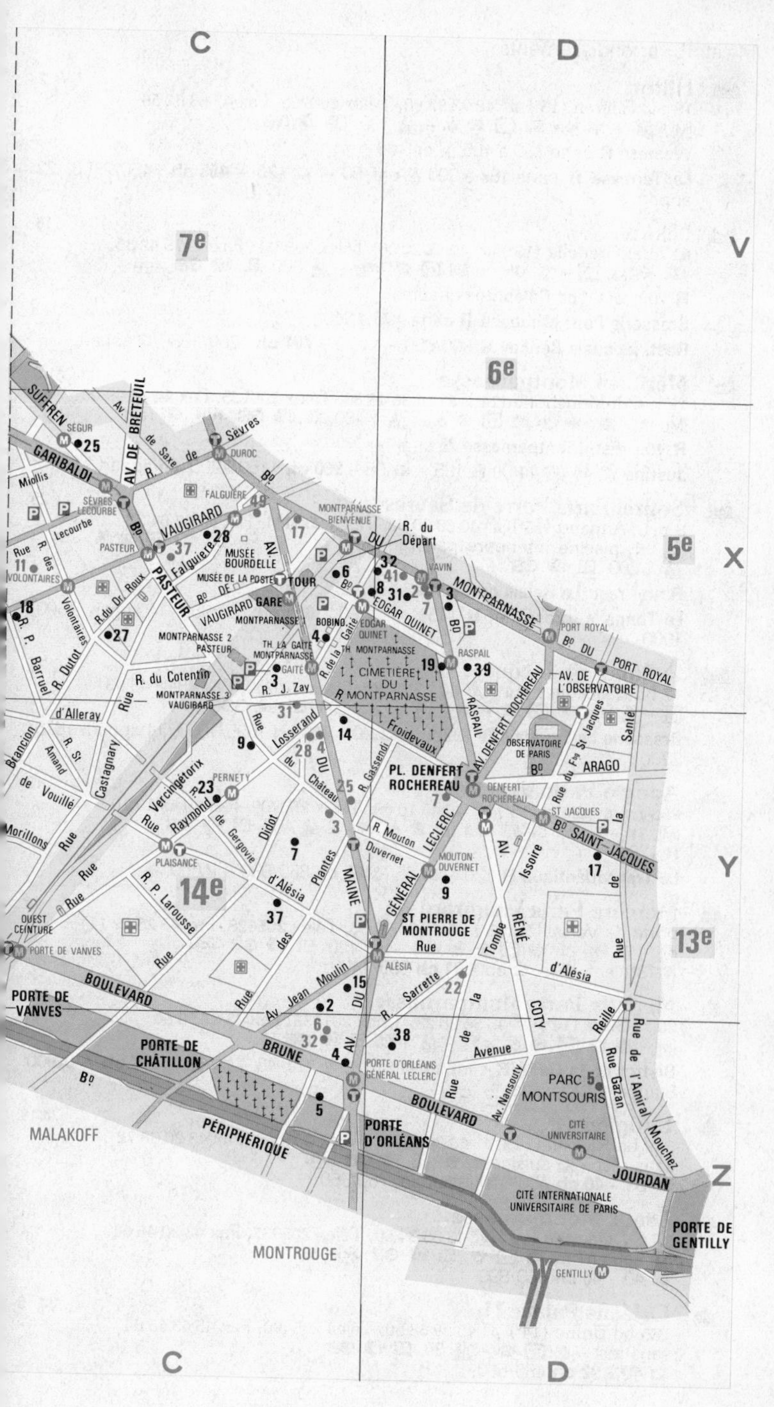
C
D
V
X
Y
Z
7e
6e
5e
14e
13e
SUFFREN
SÉGUR
AV. DE BRETEUIL
GARIBALDI
DUROC
Sèvres
FALGUIÈRE
VAUGIRARD
PASTEUR
MUSÉE BOURDELLE
MUSÉE DE LA POSTE
TOUR
GARE MONTPARNASSE
MONTPARNASSE BIENVENÜE
R. du Départ
VAVIN
MONTPARNASSE
EDGAR QUINET
RASPAIL
PORT ROYAL
AV. DE L'OBSERVATOIRE
CIMETIÈRE DU MONTPARNASSE
OBSERVATOIRE DE PARIS
ARAGO
PL. DENFERT ROCHEREAU
DENFERT ROCHEREAU
ST JACQUES
Bd SAINT-JACQUES
PERNETY
PLAISANCE
MOUTON DUVERNET
ST PIERRE DE MONTROUGE
ALÉSIA
PORTE DE VANVES
BOULEVARD
BRUNE
PORTE DE CHÂTILLON
PÉRIPHÉRIQUE
PORTE D'ORLÉANS
PARC MONTSOURIS
CITÉ UNIVERSITAIRE
JOURDAN
CITÉ INTERNATIONALE UNIVERSITAIRE DE PARIS
PORTE DE GENTILLY
GENTILLY
MALAKOFF
MONTROUGE

Hilton BV 2
18 av. Suffren (15e) ✆ 42 73 92 00, Télex 200955, Fax 47 83 62 66
M, – ♿ – 100. AE GB
Western R carte 230 à 405, enf. 80
La Terrasse R carte 185 à 300, enf. 80 – 120 – **455 ch** 1450/2150, 22 appart.

Nikko BV 16
61 quai Grenelle (15e) ✆ 40 58 20 00, Télex 205811, Fax 45 75 42 35
M, – ch – 800. AE GB JCB
R voir rest. **Les Célébrités** ci-après
Brasserie Pont Mirabeau R carte 195 à 340
Rest. japonais Benkay R 300/650 – 75 – **761 ch** 1260/1880, 7 appart.

Méridien Montparnasse CX 3
19 r. Cdt-Mouchotte (14e) ✆ 44 36 44 36, Télex 200135, Fax 44 36 49 00
M, – ch – 1 400. AE GB JCB. rest
R voir rest. **Montparnasse 25** ci-après
Justine ✆ 44 36 44 00 **R** 185 – 98 – **950 ch** 1150/2200, 34 appart.

Sofitel Paris Porte de Sèvres AY 29
8 r. L.-Armand (15e) ✆ 40 60 30 30, Télex 200484, Fax 45 57 04 22
M, piscine intérieure panoramique, – ch –
1 200. AE GB
R voir rest. **Le Relais de Sèvres** ci-après
La Tonnelle (brasserie) **R** 145 – 80 – **601 ch** 750/950, 14 appart. 1500/1900.

Pullman St-Jacques DY 17
17 bd St-Jacques (14e) ✆ 40 78 79 80, Télex 270740, Fax 45 88 43 93
M – – 40 à 1 200. AE GB JCB
Brasserie Le Français R 182bc – 90 – **783 ch** 1095/1360, 14 appart. 1825/2200.

Adagio Paris Vaugirard CX 18
253 r. Vaugirard (15e) ✆ 40 45 10 00, Télex 250709, Fax 40 45 10 10
M, – ch rest – 400. AE GB
R 120
Le Transatlantique R 120 – 65 – **185 ch** 850/930 – P 650.

Mercure Paris Vaugirard BY 14
porte de Versailles (15e) ✆ 45 33 74 63, Télex 205628, Fax 48 28 22 11
M – ch – 120. AE GB JCB
R 130, enf. 45 – 55 – **91 ch** 980/1400.

Mercure Paris Montparnasse CX 4
20 r. Gaîté (14e) ✆ 43 35 28 28, Télex 201532, Fax 43 27 98 64
M – – 100. AE GB
Bistrot de la Gaîté R carte environ 180, enf. 45 – 65 – **177 ch** 770/900, 8 appart. 1200.

L'Aiglon DX 19
232 bd Raspail (14e) ✆ 43 20 82 42, Télex 206038, Fax 43 20 98 72
sans rest – cuisinette. AE GB JCB
33 – **40 ch** 450/670, 9 appart. 750/950.

Lenox Montparnasse DX 31
15 r. Delambre (14e) ✆ 43 35 34 50, Télex 205937, Fax 43 20 46 64
M sans rest – . AE GB JCB.
40 – **46 ch** 460/890.

Orléans Palace H. CZ 5
185 bd Brune (14e) ✆ 45 39 68 50, Télex 205490, Fax 45 43 65 64
sans rest – – 35. AE GB
40 – **92 ch** 450/500.

Mercure Paris XV BX 21
6 r. St-Lambert (15e) ☎ 45 58 61 00, Télex 206936, Fax 45 54 10 43
M sans rest – TV ☎ . AE GB
50 – **56 ch** 550/650.

Capitol BV 8
9 r. Viala (15e) ☎ 45 78 61 00, Télex 202881, Fax 45 79 32 51
M sans rest – TV ☎. AE GB JCB.
65 – **42 ch** 590/690, 4 appart. 1080.

Messidor BY 9
330 r. Vaugirard (15e) ☎ 48 28 03 74, Télex 204606, Fax 48 28 75 17
sans rest, – TV ☎. AE GB
48 – **72 ch** 475/950.

Waldorf CX 6
17 r. Départ (14e) ☎ 43 20 64 79, Télex 201677, Fax 43 35 17 52
M sans rest – TV ☎. AE GB JCB.
40 – **30 ch** 520/720.

Raspail DX 3
203 bd Raspail (14e) ☎ 43 20 62 86, Fax 43 20 50 79
M sans rest – TV ☎. AE GB.
40 – **36 ch** 495/790.

Alizé Grenelle BX 13
87 av. É. Zola (15e) ☎ 45 78 08 22, Télex 250095, Fax 40 59 03 06
M sans rest – TV ☎. AE GB JCB
30 – **50 ch** 360/400.

Beaugrenelle St-Charles BX 34
82 r. St-Charles (15e) ☎ 45 78 61 63, Télex 270263, Fax 45 79 04 38
M sans rest – TV ☎. AE GB JCB
30 – **51 ch** 330/400.

Renoir DX 32
39 r. Montparnasse (14e) ☎ 43 21 72 50, Télex 205436, Fax 43 21 68 72
M sans rest – TV ☎. AE GB.
32 – **29 ch** 470/580.

Versailles BY 33
213 r. Croix Nivert (15e) ☎ 48 28 48 66, Télex 200473, Fax 45 30 16 22
M sans rest – TV ☎. AE GB
40 – **41 ch** 455/680.

Châtillon H. CY 2
11 square Châtillon (14e) ☎ 45 42 31 17, Fax 45 42 72 09
sans rest – TV ☎. GB.
25 – **31 ch** 270/310.

Terminus Vaugirard BY 3
403 r. Vaugirard (15e) ☎ 48 28 18 72, Télex 206562, Fax 48 28 56 34
sans rest – TV ☎. GB.
35 – **89 ch** 400/600.

Wallace BX 20
89 r. Fondary (15e) ☎ 45 78 83 30, Télex 205277, Fax 40 58 19 43
sans rest – TV ☎. AE GB JCB
35 – **35 ch** 500.

Acropole CZ 4
199 bd Brune (14e) ☎ 45 39 64 17, Télex 203131, Fax 45 42 18 21
sans rest – TV ☎. AE GB.
30 – **41 ch** 340/450.

L'Alligator CX 8
39 r. Delambre (14e) ☎ 43 35 18 40, Télex 270545, Fax 43 35 30 71
sans rest – TV ☎. AE GB.
40 – **35 ch** 395/620.

Résidence St-Lambert BY 10
5 r. E. Gibez (15e) ☎ 48 28 63 14, Télex 205459, Fax 45 33 45 50
sans rest – TV ☎. AE GB JCB
32 – **48 ch** 390/550.

Alésia Montparnasse CY 23
84 r. R. Losserand (14e) ✆ 45 42 16 03, Fax 45 42 11 60
sans rest – |♦| ⊁ TV ☎. AE ⓓ GB JCB
☕ 35 – **45 ch** 450/490.

Primavera CY 37
147 ter r. Alésia (14e) ✆ 45 42 06 37, Télex 206831, Fax 45 42 44 56
sans rest – |♦| TV ☎. AE ⓓ GB
☕ 33 – **70 ch** 395/440.

Bailli de Suffren CX 25
149 av. Suffren (15e) ✆ 47 34 58 61, Télex 204854, Fax 45 67 75 82
sans rest – |♦| TV ☎. AE GB
☕ 40 – **25 ch** 580/720.

France Eiffel BV 22
8 r. St-Charles (15e) ✆ 45 79 33 35, Télex 204057, Fax 45 79 40 84
sans rest – |♦| TV ☎. AE ⓓ GB JCB
☕ 40 – **37 ch** 460/560.

Arès BV 7
7 r. Gén. de Larminat (15e) ✆ 47 34 74 04, Télex 206083, Fax 47 34 48 56
sans rest – |♦| TV ☎. AE ⓓ GB. ⚘
☕ 35 – **43 ch** 450/490.

Tourisme BV 24
66 av. La-Motte-Picquet (15e) ✆ 47 34 28 01, Fax 47 83 66 54
sans rest – |♦| TV ☎. GB. ⚘
☕ 30 – **60 ch** 250/380.

Sophie Germain DY 9
12 r. Sophie Germain (14e) ✆ 43 21 43 75, Télex 206720, Fax 43 20 82 89
sans rest – |♦| TV ☎. AE ⓓ GB. ⚘
☕ 35 – **33 ch** 470/540.

L'Orchidée CY 9
65 r. de l'Ouest (14e) ✆ 43 22 70 50, Télex 203026, Fax 42 79 97 46
sans rest – |♦| TV ☎ ♿. AE ⓓ GB. ⚘
☕ 35 – **40 ch** 450/690.

France BX 12
46 r. Croix-Nivert (15e) ✆ 47 83 67 02, Fax 47 83 67 02
sans rest – |♦| TV ☎. GB. ⚘
☕ 30 – **30 ch** 370/480.

Lilas Blanc BX 3
5 r. Avre (15e) ✆ 45 75 30 07, Fax 45 78 66 65
M sans rest – |♦| TV ☎. AE ⓓ GB. ⚘
☕ 30 – **32 ch** 375/420.

Ariane Montparnasse CY 7
35 r. Sablière (14e) ✆ 45 45 67 13, Télex 203554, Fax 45 45 39 49
sans rest – |♦| TV ☎. AE GB. ⚘
☕ 35 – **30 ch** 370/500.

Fondary BX 2
30 r. Fondary (15e) ✆ 45 75 14 75, Télex 206761, Fax 45 75 84 42
sans rest – |♦| TV ☎. AE GB
☕ 38 – **20 ch** 365/405.

Istria DX 39
29 r. Campagne Première (14e) ✆ 43 20 91 82, Télex 203618, Fax 43 22 48 45
sans rest – |♦| TV ☎. AE GB JCB
☕ 40 – **26 ch** 440/540.

Cécil'H. DZ 38
47 r. Beaunier (14e) ✆ 45 40 93 53, Télex 206873, Fax 45 40 43 26
sans rest – |♦| TV ☎. GB JCB. ⚘
☕ 29 – **25 ch** 345/385.

Agenor CY 14
22 r. Cels (14e) ✆ 43 22 47 25, Télex 203994, Fax 42 79 94 01
sans rest – |♦| TV ☎. AE GB. ⚘
☕ 31 – **19 ch** 340/430.

Pasteur CX 27
33 r. Dr.-Roux (15e) ✆ 47 83 53 17, Fax 45 66 62 39
sans rest – |‡| TV ☎. GB
fermé août – ☕ 35 – **19 ch** 310/430.

Friant CY 15
8 r. Friant (14e) ✆ 45 42 71 91, Fax 45 42 04 67
sans rest – |‡| TV ☎. GB. ✻
☕ 28 – **27 ch** 325/380.

Sèvres-Montparnasse CX 28
153 r. Vaugirard (15e) ✆ 47 34 56 75, Télex 206300, Fax 40 65 01 86
sans rest – |‡| TV ☎. AE ⓓ GB. ✻
☕ 30 – **35 ch** 360/450.

Les Célébrités - Hôtel Nikko BV 16
61 quai Grenelle (15e) ✆ 40 58 20 00, Télex 205811, Fax 45 75 42 35
< – ▤. AE ⓓ GB JCB
R 250 (déj.) et carte 420 à 690
Spéc. Langoustines rôties au basilic, Bar grillé sur peau au beurre rouge, Canette de Bresse rôtie.

Montparnasse 25 - Hôtel Méridien Montparnasse
19 r. Cdt-Mouchotte (14e) ✆ 44 36 44 36, Télex 200135, Fax 44 36 49 00
▤ Ⓟ. AE ⓓ GB JCB. ✻
R *(fermé août, 19 au 27 déc., sam. et dim.)* 230 (déj.) et carte 270 à 360
Spéc. Galette de petits gris et grenouilles au persil, Effiloché de raie aux pommes de terre tièdes, Royal de lapereau et gratin de pâtes fraîches au foie gras.

Relais de Sèvres - Hôtel Sofitel Paris AY 29
8 r. L.-Armand (15e) ✆ 40 60 33 66, Télex 200432, Fax 45 57 04 22
⇆ ▤. AE ⓓ GB
fermé août, 24 déc. au 2 janv., sam. et dim. – **R** 320 et carte 280 à 430
Spéc. Tartare de poisson à l'huile douce, Fricassée de sole à l'aigre doux, Hochepot d'aiguillette de boeuf aux pieds de mouton.

Morot Gaudry BV 20
6 r. Cavalerie (15e) (8e étage) ✆ 45 67 06 85, Fax 45 67 55 72
⛱ – ▤. AE GB JCB
fermé sam. et dim. – **R** 200 (déj.) et carte 280 à 460
Spéc. Salade de rougets et langoustines au safran, Sandre en écailles de pommes de terre, Grouse rôtie (15 sept. au 28 fév.).

Armes de Bretagne CY 4
108 av. Maine (14e) ✆ 43 20 29 50
▤. AE ⓓ GB JCB
fermé août, dim. soir et lundi – **R** 200 et carte 245 à 505.

Pavillon Montsouris DZ 5
20 r. Gazan (14e) ✆ 45 88 38 52, Fax 45 88 63 40
<, ⛱, « Pavillon 1900 en bordure du parc » – Ⓟ. AE ⓓ GB
R 255.

Moniage Guillaume DY 22
88 r. Tombe-Issoire (14e) ✆ 43 22 96 15, Fax 43 27 11 79
avec ch – TV ☎. AE ⓓ GB JCB
fermé août et dim. – **R** 195 bc (déj.) et carte 260 à 460 – ☕ 30 – **5 ch** 240/320.

Lous Landès CY 25
157 av. Maine (14e) ✆ 45 43 08 04
▤. AE ⓓ GB
fermé août, sam. midi et dim. – **R** carte 255 à 430.

Olympe CX 37
8 r. Nicolas Charlet (15e) ✆ 47 34 86 08
▤. AE ⓓ GB JCB
fermé sam. midi, dim. midi et lundi – **R** 200 et carte 230 à 345.

XX **Lal Qila** BX 36
86 av. É. Zola (15e) ☎ 45 75 68 40
cuisine indienne, « Décor original » – ▤. AE ⓓ GB. ⚮
R 185/400.

XX ✿ **Jacques Hébert** AX 6
38 r. Sébastien Mercier (15e) ☎ 45 57 77 88
GB
fermé dim. et lundi – **R** 185/260
Spéc. Marinière de poissons à la tomate et basilic, Crépinette de pied de porc farci, Symphonie gourmande.

XX **L'Aubergade** BV 40
53 av. La Motte-Picquet (15e) ☎ 47 83 23 85
☂ – AE GB
fermé 13 au 23 avril, 27 juil. au 27 août, 21 déc. au 5 janv., dim. soir et lundi – **R** 150 (déj.) et carte 235 à 355.

XX **La Chaumière des Gourmets** DY 7
22 pl. Denfert-Rochereau (14e) ☎ 43 21 22 59
AE GB
fermé août, sam. midi et dim. – **R** 240 et carte 245 à 385.

XX ✿ **Bistro 121** BX 23
121 r. Convention (15e) ☎ 45 57 52 90
AE ⓓ GB
R 200 bc/450 bc ♁
Spéc. Foie gras de canard chaud au verjus, Marmite de poissons au fumet de homard, Poule au pot farcie.

XX ✿ **Le Dôme** DX 2
108 bd du Montparnasse (14e) ☎ 43 35 25 81, Fax 42 79 01 19
produits de la mer – ▤. AE ⓓ GB
fermé lundi – **R** carte 270 à 400
Spéc. Saint-Jacques crues aux truffes, Queues de langoustines aux girolles, Curry de filets de sole.

XX **La Coupole** DX 41
102 bd Montparnasse (14e) ☎ 43 20 14 20, Fax 43 35 46 14
« Brasserie parisienne des années 20 » – AE ⓓ GB
R carte 170 à 310 ♁.

XX ✿ **Petite Bretonnière** (Lamaison) BY 8
2 r. Cadix (15e) ☎ 48 28 34 39
AE GB
fermé août, sam. midi et dim. – **R** 220 et carte 280 à 440
Spéc. Terrine de tête de veau à la tomate confite, Croustillant de pieds de veau farcis (oct. à janv.), Magret de canard farci (oct. à mars).

XX **Yves Quintard** BX 42
99 r. Blomet (15e) ☎ 42 50 22 27
GB
fermé août, lundi midi et dim. – **R** 145 et carte 225 à 325.

XX **Didier Délu** AY 9
85 r. Leblanc (15e) ☎ 45 54 20 49
AE ⓓ GB
fermé 1er au 16 août, Noël au Jour de l'An, sam. et dim. – **R** 170 (déj.) et carte 250 à 360.

XX **La Roseraie** BX 16
15 r. Ferdinand Fabre (15e) ☎ 48 28 60 24
AE GB
fermé août, sam. midi et dim. – **R** 160 et carte 170 à 250.

XX **L'Entre Siècle** BX 5
29 av. Lowendal (15e) ☎ 47 83 51 22
AE GB
fermé août, sam. midi, dim. et fériés – **R** 160 (déj.) et carte 240 à 330.

XX **Senteurs de Provence** BX 26
295 r. Lecourbe (15e) ✆ 45 57 11 98
produits de la mer – AE ⓓ GB
fermé 1er au 11 mai, 3 au 24 août, dim. et lundi – **R** 225 et carte 200 à 340.

XX **Napoléon et Chaix** AX 43
46 r. Balard (15e) ✆ 45 54 09 00
▤. GB
fermé 1er au 30 août, sam. midi et dim. – **R** carte 210 à 325.

XX **Monsieur Lapin** CY 28
11 r. R. Losserand (14e) ✆ 43 20 21 39
AE GB
fermé août, sam. midi et lundi – **R** 200 (déj) et carte 265 à 410.

XX **Le Croquant** BX 38
28 r. J. Maridor (15e) ✆ 45 58 50 83
GB.
fermé 1er au 11 mai, 1er au 30 août, dim. et lundi – **R** carte 290 à 440.

XX **Le Copreaux** CX 11
15 r. Copreaux (15e) ✆ 43 06 83 35
GB
fermé sam. sauf le soir de sept. à juil. et dim. – **R** 145/255.

XX **L'Étape** BX 46
89 r. Convention (15e) ✆ 45 54 73 49
GB
fermé vacances de Noël, sam. (sauf le soir de sept. à juin) et dim. – **R** 150 et carte 180 à 325.

XX **La Chaumière** BX 47
54 av. F.-Faure (15e) ✆ 45 54 13 91
AE ⓓ GB
fermé août, lundi soir et mardi – **R** carte 200 à 305.

XX **La Giberne** BV 4
42 bis av. de Suffren (15e) ✆ 47 34 82 18
AE ⓓ GB
fermé 25 juil. au 23 août, sam. midi et dim. – **R** 115 bc/350 ₰.

XX **Le Clos Morillons** BY 13
50 r. Morillons (15e) ✆ 48 28 04 37
GB
fermé 1er au 21 août, sam. midi et dim. – **R** 195 (déj.)/220.

XX **Filoche** BX 14
34 r. Laos (15e) ✆ 45 66 44 60
GB.
fermé 15 juil. au 20 août, 23 déc. au 4 janv., sam. et dim. – **R** carte 190 à 285.

XX **Les Vendanges** CZ 6
40 r. Friant (14e) ✆ 45 39 59 98
GB
fermé août, sam. midi, dim. et fériés – **R** 155 et carte 205 à 310.

XX **Pierre Vedel** BX 10
19 r. Duranton (15e) ✆ 45 58 43 17, Fax 45 58 42 65
GB.
fermé sam. et dim. – **R** carte 210 à 315.

XX **Mina Mahal** BX 30
25 r. Cambronne (15e) ✆ 47 34 19 88
cuisine indienne – ▤. AE ⓓ GB.
R 160/350.

XX **La Cagouille** (Allemandou) CY 31
10 pl. Constantin Brancusi (14e) ✆ 43 22 09 01, Fax 45 38 57 29
, produits de la mer – GB
fermé 5 au 11 mai, 9 au 31 août, 27 déc. au 4 janv., dim. et lundi – **R** carte 295 à 440
Spéc. Chaudrée charentaise (nov. à mars), Céteaux à la poêle (avril à oct.), Moules de bouchot "brûle-doigts" (juin à oct.).

XX **de la Tour** BV 6
6 r. Desaix (15e) ✆ 43 06 04 24
GB
fermé août, sam. midi et dim. – **R** 168 et carte 185 à 300.

X **Bistrot du Dôme** DX 7
1 r. Delambre (14e) ✆ 43 35 32 00
produits de la mer – AE GB
R carte 150 à 200.

X **Oh! Duo** BX 35
54 av. É. Zola (15e) ✆ 45 77 28 82
GB
fermé août, sam. et dim. – **R** 127/135 ₰.

X **La Bonne Table** CZ 32
42 r. Friant (14e) ✆ 45 39 74 91
GB
fermé 4 juil. au 4 août, 24 déc. au 5 janv., sam. et dim. – **R** carte 180 à 295.

X **La Datcha Lydie** BV 15
7 r. Dupleix (15e) ✆ 45 66 67 77
cuisine russe – GB
fermé 12 juil. au 31 août et merc. – **R** 125 bc et carte 120 à 200.

X **Le Gastroquet** BY 50
10 r. Desnouettes (15e) ✆ 48 28 60 91
GB
fermé 11 juil. au 3 août, sam. et dim. – **R** 140 et carte 160 à 245.

X **Chez Pierre** CX 49
117 r. Vaugirard (15e) ✆ 47 34 96 12
. AE GB JCB
fermé 25 juil. au 25 août, sam. midi, lundi midi et dim. – **R** 120 (déj.)/195.

X **L'Armoise** BX 19
67 r. Entrepreneurs (15e) ✆ 45 79 03 31
GB
fermé 5 au 26 août, vacances de fév., sam. midi et dim. soir – **R** 125/163 bc.

X **La Gitane** BV 51
53 bis av. La Motte-Picquet (15e) ✆ 47 34 62 92
– GB
fermé sam. et dim. – **R** carte 130 à 190.

X **Chez Yvette** CX 17
46 bis bd Montparnasse (15e) ✆ 42 22 45 54
GB
fermé 18 au 26 avril, août, sam. et dim. – **R** carte 155 à 250.

X **L'Amuse Bouche** CY 3
186 r. Château (14e) ✆ 43 35 31 60
GB
fermé 14 au 21 août, sam. midi et dim. – **R** (nombre de couverts limité, prévenir) 145 (déj.) et carte 210 à 335.

X **Le Saint-Vincent** BX 53
26 r. Croix-Nivert (15e) ✆ 47 34 14 94
. GB.
fermé dim. – **R** carte 160 à 230 ₰.

X **Fellini** BX 52
58 r. Croix-Nivert (15e) ✆ 45 77 40 77
cuisine italienne – . GB.
fermé août, sam. midi et dim. – **R** carte 180 à 300.

16e arrondissement

TROCADÉRO – PASSY

BOIS DE BOULOGNE

AUTEUIL – ÉTOILE

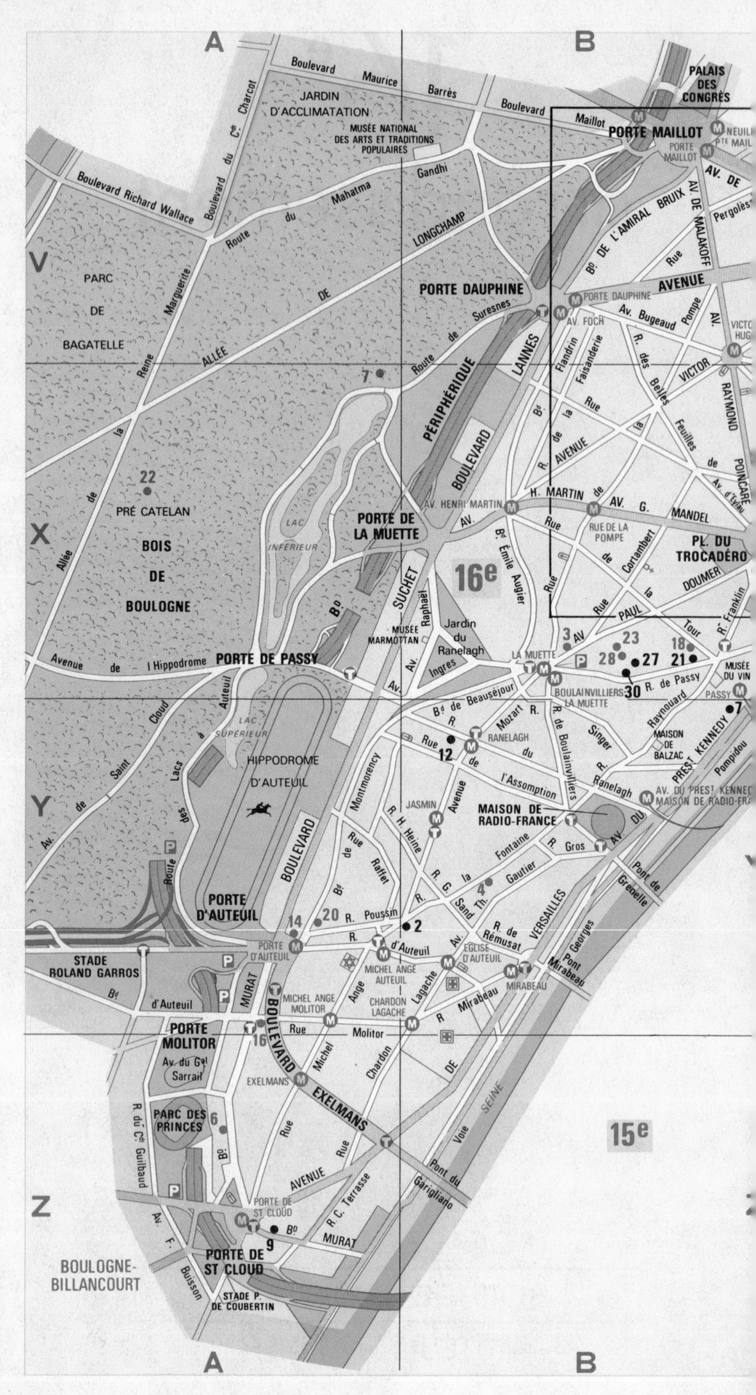
A
B
JARDIN D'ACCLIMATATION
MUSÉE NATIONAL DES ARTS ET TRADITIONS POPULAIRES
Boulevard Maurice Barrès
PALAIS DES CONGRÈS
PORTE MAILLOT
Boulevard Richard Wallace
Route du Mahatma Gandhi
LONGCHAMP
PARC DE BAGATELLE
ALLÉE DE LONGCHAMP
PORTE DAUPHINE
Route de Suresnes
PÉRIPHÉRIQUE
BOULEVARD LANNES
Bd DE L'AMIRAL BRUIX
AV. DE MALAKOFF
AVENUE VICTOR HUGO
PRÉ CATELAN
BOIS DE BOULOGNE
LAC INFÉRIEUR
PORTE DE LA MUETTE
AV. HENRI MARTIN
AV. G. MANDEL
PL. DU TROCADÉRO
16e
MUSÉE MARMOTTAN
Jardin du Ranelagh
PORTE DE PASSY
Avenue de l'Hippodrome
LAC SUPÉRIEUR
HIPPODROME D'AUTEUIL
LA MUETTE
MAISON DE BALZAC
MAISON DE RADIO-FRANCE
AV. DU PREST KENNEDY
PORTE D'AUTEUIL
STADE ROLAND GARROS
PORTE MOLITOR
PARC DES PRINCES
BOULEVARD EXELMANS
EGLISE D'AUTEUIL
MIRABEAU
Pont Mirabeau
Pont de Grenelle
Pont du Garigliano
SEINE
15e
PORTE DE ST CLOUD
BOULOGNE-BILLANCOURT
STADE P. DE COUBERTIN
V
X
Y
Z

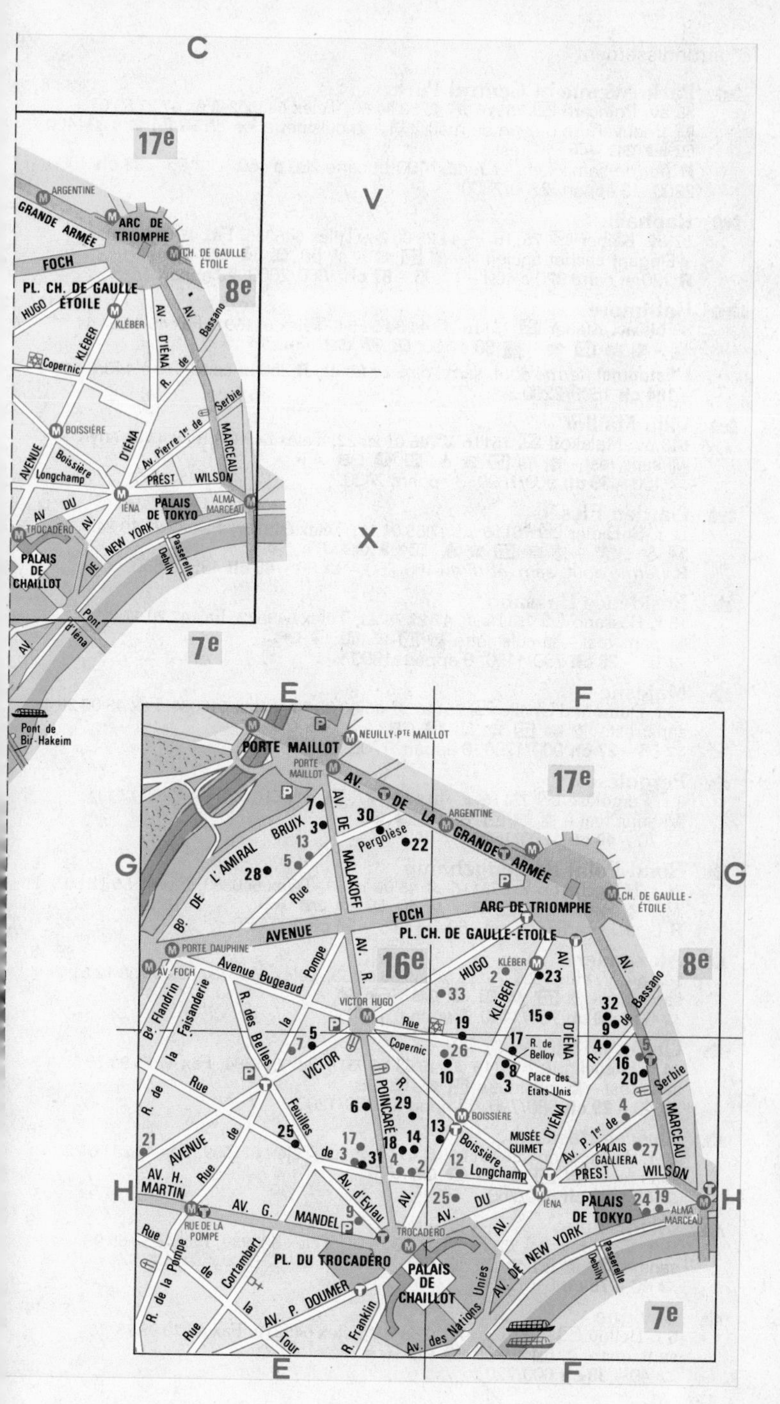

C
V
X
17e
8e
7e
16e
ARC DE TRIOMPHE
PL. CH. DE GAULLE ÉTOILE
GRANDE ARMÉE
FOCH
HUGO
KLÉBER
AV. D'IÉNA
Bassano
R. de Serbie
MARCEAU
Av. Pierre 1er de Serbie
PRÉST WILSON
PALAIS DE TOKYO
ALMA MARCEAU
AV. DE NEW YORK
Passerelle Debilly
Pont d'Iéna
PALAIS DE CHAILLOT
TROCADÉRO
BOISSIÈRE
Boissière
Longchamp
AVENUE DU
IÉNA
ARGENTINE
CH. DE GAULLE ÉTOILE
Copernic
Pont de Bir-Hakeim
E
F
G
H
PORTE MAILLOT
NEUILLY-PTE MAILLOT
AV. DE LA GRANDE ARMÉE
BD. DE L'AMIRAL BRUIX
AV. DE MALAKOFF
Pergolèse
Rue
AVENUE FOCH
PORTE DAUPHINE
AV. FOCH
Avenue Bugeaud
Rue de la Pompe
AV. R.
VICTOR HUGO
Rue Copernic
R. de Belloy
Place des Etats-Unis
Bd. Flandrin
R. de la Faisanderie
R. des Belles Feuilles
Rue VICTOR
R. POINCARÉ
AVENUE de
Rue de
AV. H. MARTIN
AV. G. MANDEL
Av. d'Eylau
MUSÉE GUIMET
Av. P. 1er de
PALAIS GALLIERA
RUE DE LA POMPE
PL. DU TROCADÉRO
R. de la Pompe
Rue de Cortambert
Rue de la Tour
AV. P. DOUMER
R. Franklin
Av. des Nations Unies

Park Avenue et Central Park EH 6
55 av. Poincaré ✉ 75116 ☎ 45 53 44 60, Télex 643862, Fax 47 27 53 04
M (réouverture prévue en mai), – cuisinette ch – 400. AE GB JCB. rest
R *(fermé sam., dim. et fériés)* 190 et carte 280 à 460 – 95 – **99 ch** 1600/2200, 13 appart. 2200/2800.

Raphaël FG 23
17 av. Kléber ✉ 75116 ☎ 44 28 00 28, Télex 645356, Fax 45 01 21 50
« Élégant cachet ancien » – – 50. AE GB JCB
R 220 et carte 320 à 400 – 95 – **87 ch** 1600/2600, 23 appart.

Baltimore FH 13
88 bis av. Kléber ✉ 75116 ☎ 44 34 54 54, Télex 611591, Fax 45 34 54 44
M – – 30 à 100. AE GB JCB.
L'Estournel *(fermé août, sam., dim. et fériés)* **R** 250 et carte 310 à 440 – 90 – **104 ch** 1600/2200.

Villa Maillot EG 3
143 av. Malakoff ✉ 75116 ☎ 45 01 25 22, Télex 649808, Fax 45 00 60 61
M sans rest – . AE GB JCB
100 – **39 ch** 900/1600, 3 appart. 2400.

Garden Elysée EH 14
12 r. St-Didier ✉ 75116 ☎ 47 55 01 11, Télex 648157, Fax 47 27 79 24
M , – . AE GB JCB.
R *(fermé août, sam. et dim.)* 160/250 – 80 – **48 ch** 1350/1550.

Résidence Bassano FH 4
15 r. Bassano ✉ 75116 ☎ 47 23 78 23, Télex 649872, Fax 47 20 41 22
M sans rest – cuisinette . AE GB
65 – **28 ch** 750/1150, 3 appart. 1950.

Majestic FG 15
29 r. Dumont d'Urville ✉ 75116 ☎ 45 00 83 70, Télex 640034, Fax 45 00 29 48
sans rest – . AE GB JCB
55 – **27 ch** 900/1250, 3 appart. 1700.

Pergolèse EG 30
3 r. Pergolèse ✉ 75116 ☎ 40 67 96 77, Télex 651618, Fax 45 00 12 11
M sans rest – . AE GB
70 – **40 ch** 1200/1500.

Rond-Point de Longchamp EH 25
86 r. Longchamp ✉ 75116 ☎ 45 05 13 63, Télex 640883, Fax 47 55 12 80
M – rest – 40. AE GB JCB
R (snack) carte environ 160 – 45 – **56 ch** 760/850.

Alexander EH 5
102 av. V. Hugo ✉ 75116 ☎ 45 53 64 65, Télex 610373, Fax 45 53 12 51
sans rest – . AE GB JCB.
60 – **59 ch** 790/1140, 3 appart. 1870.

Union H. Étoile FH 3
44 r. Hamelin, ✉ 75116 ☎ 45 53 14 95, Télex 611394, Fax 47 55 94 79
sans rest – cuisinette . AE GB
40 – **29 ch** 680/790, 13 appart. 1050/1200.

Elysées Bassano FH 16
24 r. de Bassano ✉ 75116 ☎ 47 20 49 03, Télex 611559, Fax 47 23 06 72
sans rest – . AE GB JCB
65 – **40 ch** 600/760.

Victor Hugo FH 19
19 r. Copernic ✉ 75116 ☎ 45 53 76 01, Télex 630939, Fax 45 53 69 93
sans rest – . AE GB.
40 – **75 ch** 610/730.

Sévigné FH 17
6 r. Belloy ✉ 75116 ☎ 47 20 88 90, Télex 645219, Fax 40 70 98 73
sans rest – . AE GB JCB
40 – **30 ch** 600/720.

Frémiet BY 7
6 av. Frémiet ✉ 75016 ☎ 45 24 52 06, Télex 630329, Fax 42 88 77 46
sans rest – ⟨ascenseur⟩ ⟨air cond.⟩ TV ☎. AE ⓓ GB JCB
☕ 40 – **34 ch** 625/850.

Floride Etoile EH 18
14 r. St-Didier ✉ 75116 ☎ 47 27 23 36, Télex 643715, Fax 47 27 82 87
M sans rest – ⟨ascenseur⟩ ⟨non-fumeurs⟩ TV ☎ – ⟨salle⟩ 40. AE ⓓ GB JCB. ⟨chiens⟩
☕ 45 – **60 ch** 780/800.

Massenet BX 27
5 bis r. Massenet ✉ 75116 ☎ 45 24 43 03, Télex 640196, Fax 45 24 41 39
sans rest – ⟨ascenseur⟩ TV ☎. AE ⓓ GB JCB. ⟨chiens⟩
☕ 40 – **41 ch** 460/700.

Résidence Foch EG 28
10 r. Marbeau ✉ 75116 ☎ 45 00 46 50, Télex 645886, Fax 45 01 98 68
sans rest – ⟨ascenseur⟩ TV ☎. AE ⓓ GB
☕ 40 – **21 ch** 610/690, 4 appart. 850.

Kléber FH 8
7 r. Belloy ✉ 75116 ☎ 47 23 80 22, Télex 612830, Fax 49 52 07 20
sans rest – ⟨ascenseur⟩ ⟨non-fumeurs⟩ TV ☎. AE ⓓ GB JCB
☕ 45 – **23 ch** 670/950.

Murat AZ 9
119 bis bd Murat ✉ 75016 ☎ 46 51 12 32, Télex 648963, Fax 46 51 70 01
M sans rest – ⟨ascenseur⟩ TV ☎. AE ⓓ GB. ⟨chiens⟩
☕ 45 – **28 ch** 500/650.

Résidence Chambellan Morgane FH 19
6 r. Keppler ✉ 75116 ☎ 47 20 35 72, Télex 613682, Fax 47 20 95 69
M sans rest – ⟨ascenseur⟩ TV ☎. AE ⓓ GB. ⟨chiens⟩
fermé 20 au 27 déc. – ☕ 40 – **20 ch** 600/800.

Résidence Impériale EG 7
155 av. Malakoff ✉ 75116 ☎ 45 00 23 45, Télex 651158, Fax 45 01 88 82
M sans rest – ⟨ascenseur⟩ ⟨air cond.⟩ TV ☎. AE ⓓ GB JCB
☕ 35 – **37 ch** 790/870.

Résidence Kléber EH 29
97 r. Lauriston ✉ 75016 ☎ 45 53 83 30, Télex 642707, Fax 47 55 92 52
M sans rest – ⟨ascenseur⟩ TV ☎. AE ⓓ GB JCB
☕ 40 – **51 ch** 750.

Étoile Maillot EG 22
10 r. Bois de Boulogne (angle r. Duret) ✉ 75116 ☎ 45 00 42 60, Télex 613936, Fax 45 00 55 89
sans rest – ⟨ascenseur⟩ TV ☎. AE GB
27 ch ☕ 530/690.

Passy Eiffel BX 21
10 r. Passy ✉ 75016 ☎ 45 25 55 66, Fax 42 88 89 88
sans rest – ⟨ascenseur⟩ TV ☎. AE ⓓ GB JCB
☕ 35 – **50 ch** 550/600.

Résidence Marceau FH 20
37 av. Marceau ✉ 75116 ☎ 47 20 43 37, Télex 648509, Fax 47 20 14 76
sans rest – ⟨ascenseur⟩ TV ☎. AE ⓓ GB JCB. ⟨chiens⟩
fermé 5 au 25 août – ☕ 32 – **30 ch** 500/580.

Ambassade FH 10
79 r. Lauriston ✉ 75116 ☎ 45 53 41 15, Télex 613643, Fax 45 53 30 80
sans rest – ⟨ascenseur⟩ TV ☎. AE ⓓ GB. ⟨chiens⟩
☕ 40 – **38 ch** 440/560.

Beauséjour Ranelagh BY 12
99 r. Ranelagh ✉ 75016 ✆ 42 88 14 39, Télex 614072, Fax 40 50 81 21
sans rest – |♦| TV ☎. AE
☐ 30 – **30 ch** 370/600.

Longchamp EH 31
68 r. Longchamp ✉ 75116 ✆ 47 27 13 48, Télex 610342, Fax 47 55 68 26
sans rest – |♦| TV ☎. AE ① GB
☐ 40 – **23 ch** 580/750.

Hameau de Passy BX 30
48 r. Passy ✉ 75016 ✆ 42 88 47 55, Télex 651469, Fax 42 30 83 72
M sans rest – |♦| TV ☎. AE GB
32 ch ☐ 480/550.

Queen's H. BY 2
4 r. Bastien Lepage ✉ 75016 ✆ 42 88 89 85, Fax 40 50 67 52
sans rest – |♦| TV ☎. AE ① GB.
☐ 35 – **23 ch** 275/490.

Keppler FG 32
12 r. Keppler ✉ 75116 ✆ 47 20 65 05, Télex 640544, Fax 47 23 02 29
sans rest – |♦| TV ☎. AE GB.
☐ 28 – **49 ch** 380/400.

Faugeron EH 2
52 r. Longchamp ✉ 75116 ✆ 47 04 24 53, Fax 47 55 62 90
GB.
fermé août, 23 déc. au 2 janv., sam. et dim. – **R** 310 (déj.) et carte 415 à 585
Spéc. Parmentier de truffes aux fines épices (janv. à mars), Croustillant de ris de veau (mai à juil.), Millefeuille "Amadeus".

Jamin (Robuchon) FH 12
32 r. Longchamp ✉ 75116 ✆ 47 27 12 27
GB
fermé juil., sam. et dim. – **R** (nombre de couverts limité, prévenir) carte 600 à 900
Spéc. Tarte friande de truffes aux oignons et lard fumé (déc. à mars), Pièce de saumon rôti à l'huile vierge (mars à sept.), Lièvre à la royale (oct. à déc.).

Vivarois (Peyrot) EH 21
192 av. V.-Hugo, ✉ 75116 ✆ 45 04 04 31, Fax 45 03 09 84
AE ① GB.
fermé août, sam. et dim. – **R** 345 (déj.) et carte 480 à 650
Spéc. Fondant de légumes à la purée d'olives, Dartois de sole, Salade de pigeon au soja.

Toit de Passy (Jacquot) BX 3
94 av. P. Doumer (6e étage) ✉ 75016 ✆ 45 24 55 37, Fax 45 20 94 57
– P. AE GB
fermé 24 déc. au 4 janv., sam. midi, dim. et fériés – **R** 265 (déj.) et carte 375 à 540
Spéc. Foie gras froid poché au vin de Graves, Pigeonneau cuit dans sa croûte de sel, Tarte au chocolat sans sucre (15 sept. au 15 avril).

Tsé-Yang FH 4
25 av. Pierre 1er de Serbie ✉ 75016 ✆ 47 20 68 02
cuisine chinoise, « Cadre élégant » – AE ① GB
R 225/275.

Sully d'Auteuil AY 14
78 r. Auteuil ✉ 75016 ✆ 46 51 71 18, Fax 46 51 70 60
AE GB
fermé 10 au 31 août, sam. midi et dim. – **R** carte 310 à 460.

XXX **Jean-Claude Ferrero** BX 23
38 r. Vital ✉ 75016 ✆ 45 04 42 42, Fax 45 04 67 71
AE GB
fermé 1er au 15 mai, 10 août au 5 sept., sam. (sauf le soir du 10 nov. au 1er mars) et dim. – **R** 220 (déj.) et carte 315 à 500.

XXX **Le Petit Bedon** EG 13
38 r. Pergolèse ✉ 75116 ✆ 45 00 23 66, Fax 45 01 96 29
▤. AE ⓓ GB
fermé août, sam. (sauf le soir d'oct. à avril) et dim. – **R** carte 305 à 505.

XXX ✿ **Port Alma** (Canal) FH 24
10 av. New York ✉ 75116 ✆ 47 23 75 11
▤. AE ⓓ GB
fermé août et dim. – **R** 200 (déj.) et carte 260 à 425
Spéc. Gaspacho de tourteau (juin à sept.), Fricassée de sole poêlée au foie gras, Soufflé au chocolat.

XXX **Chez Ngo** EH 3
70 r. Longchamp ✉ 75116 ✆ 47 04 53 20
cuisine sino-thaïlandaise – ▤. AE GB. ✂
R carte 160 à 225.

XXX **Le Pergolèse** EG 5
40 r. Pergolèse ✉ 75016 ✆ 45 00 21 40, Fax 45 00 81 31
AE GB
fermé 8 au 24 août, sam. et dim. – **R** carte 275 à 390.

XXX **Pavillon Noura** FH 5
21 av. Marceau ✉ 75116 ✆ 47 20 33 33, Fax 47 20 60 31
cuisine libanaise – AE ⓓ GB
R carte 165 à 225.

XX ✿ **Relais d'Auteuil** (Pignol) AY 16
31 bd. Murat ✉ 75016 ✆ 46 51 09 54, Fax 40 71 05 03
▤. AE GB
fermé août, sam. midi et dim. – **R** 180 (déj.)/390
Spéc. Amandine de foie gras de canard, Gibier (saison), Madeleines au miel de bruyère avec glace miel et noix.

XX **Al Mounia** FH 25
16 r. Magdebourg ✉ 75116 ✆ 47 27 57 28
cuisine marocaine – ▤. AE GB. ✂
fermé 12 juil. au 31 août et dim. – **R** carte 200 à 280.

XX **Giulio Rebellato** EH 7
136 r. Pompe ✉ 75116 ✆ 47 27 50 26
cuisine italienne – AE GB. ✂
fermé août, sam. midi et dim. – **R** carte 245 à 380.

XX ✿ **Fontaine d'Auteuil** (Grégoire) BY 4
35bis r. La Fontaine ✆ 42 88 04 47
AE ⓓ GB
fermé 2 au 30 août, 9 au 16 fév., sam. midi et dim. – **R** 180 (déj.) et carte 255 à 385
Spéc. Pommes de terre lardées aux huîtres "Spéciales" (15 oct.-1er mars), Pavé de cabillaud, Mitonnée de joue de boeuf au vin de Graves.

XX ✿ **Conti** FH 26
72 r. Lauriston ✉ 75116 ✆ 47 27 74 67
▤. AE ⓓ GB
fermé 10 au 31 août, sam. et dim. – **R** 265 bc (déj.) et carte 265 à 400
Spéc. Carpaccio de Saint-Jacques (nov. à mars), Tagliatelles aux truffes blanches (oct. à déc.), Rognon de veau rôti au romarin (juin à sept.).

XX **Villa Vinci** FG 33
23 r. P. Valéry ✉ 75116 ✆ 45 01 68 18
cuisine italienne – ▤. GB. ✂
fermé août, 25 déc. au 1er janv., sam. et dim. – **R** 170 (déj.) et carte 225 à 405.

XX **Paul Chêne** EH 17
123 r. Lauriston ✉ 75116 ☎ 47 27 63 17
▤. AE ⓓ GB
fermé août, 24 déc. au 4 janv., sam. et dim. – **R** 250 et carte 245 à 420.

XX ✿ **La Petite Tour** (Israël) BX 18
11 r. Tour ✉ 75116 ☎ 45 20 09 31
AE ⓓ GB
fermé août et dim. – **R** carte 225 à 410
Spéc. Mousse de Saint-Jacques aux huîtres (oct. à mars), Noisettes de chevreuil Grand Veneur (oct. à déc.), Tête de veau sauce ravigote.

XX **Sous l'Olivier** FH 27
15 r. Goethe ✉ 75116 ☎ 47 20 84 81
☂ – GB
fermé sam., dim. et fériés – **R** carte 210 à 315.

XX **Palais du Trocadéro** EH 9
7 av. Eylau ✉ 75016 ☎ 47 27 05 02
cuisine chinoise – ▤. AE GB – **R** carte 175 à 290.

XX **Le Grand Chinois** FH 19
6 av. New York ✉ 75116 ☎ 47 23 98 21
cuisine chinoise – AE ⓓ
fermé 3 août au 2 sept. et lundi – **R** carte 185 à 290.

XX **Marius** AZ 6
82 bd Murat ✉ 75016 ☎ 46 51 67 80
GB
fermé août, 21 déc. au 2 janv., sam. midi et dim. – **R** carte 195 à 280.

X **Chez Géraud** BX 28
31 r. Vital ✉ 75016 ☎ 45 20 46 60
« Belle fresque en faïence de Longwy » – GB
fermé août, sam. midi du 16 nov. au 25 avril et dim. – **R** carte 200 à 325.

X **Bistrot de l'Étoile** FG 2
19 r. Lauriston ✉ 75016 ☎ 40 67 11 16
▤. GB
fermé sam. midi et dim. – **R** carte 180 à 245.

X **Brasserie de la Poste** EH 4
54 r. Longchamp ✉ 75116 ☎ 47 55 01 31, Fax 39 50 74 32
GB – **R** carte 130 à 270 🌡.

X **Beaujolais d'Auteuil** AY 20
99 bd Montmorency ✉ 75016 ☎ 47 43 03 56
AE GB
fermé sam. midi, dim. et fériés – **R** 109 et carte 160 à 265.

Au Bois de Boulogne :

XXXX ✿ **Pré Catelan** AX 22
rte Suresnes ✉ 75016 ☎ 45 24 55 58, Télex 614983, Fax 45 24 43 25
☂, 🌳 – Ⓟ. AE ⓓ GB JCB
fermé 1er au 16 mars, vacances de fév., dim. soir et lundi – **R** 650/800
Spéc. Soufflé d'oursins (oct. à mars), Saint-Pierre aux truffes et céleri rave (oct. à mars), Canard de Duclair aux épices.

XXXX ✿ **Grande Cascade**
allée de Longchamp (face hippodrome) ✉ 75016 ☎ 45 27 33 51, Fax 42 88 99 06
☂ – Ⓟ. AE ⓓ GB
fermé 20 déc. au 20 janv. et le soir du 1er nov. au 15 avril – **R** 270 (déj.) et carte 400 à 690
Spéc. Délice des Landes, Homard étuvé aux algues bretonnes, Filet de boeuf à la fricassée de champignons.

XXX **Pavillon Royal** AX 7
rte Suresnes ✉ 75116 ☎ 40 67 11 56
<, ☂ – Ⓟ. GB
fermé sam. (de nov. à avril) et dim. sauf le midi de mai à oct – **R** 350/195 (déj.) et carte 255 à 400.

17e arrondissement

PALAIS DES CONGRÈS

WAGRAM – TERNES

BATIGNOLLES

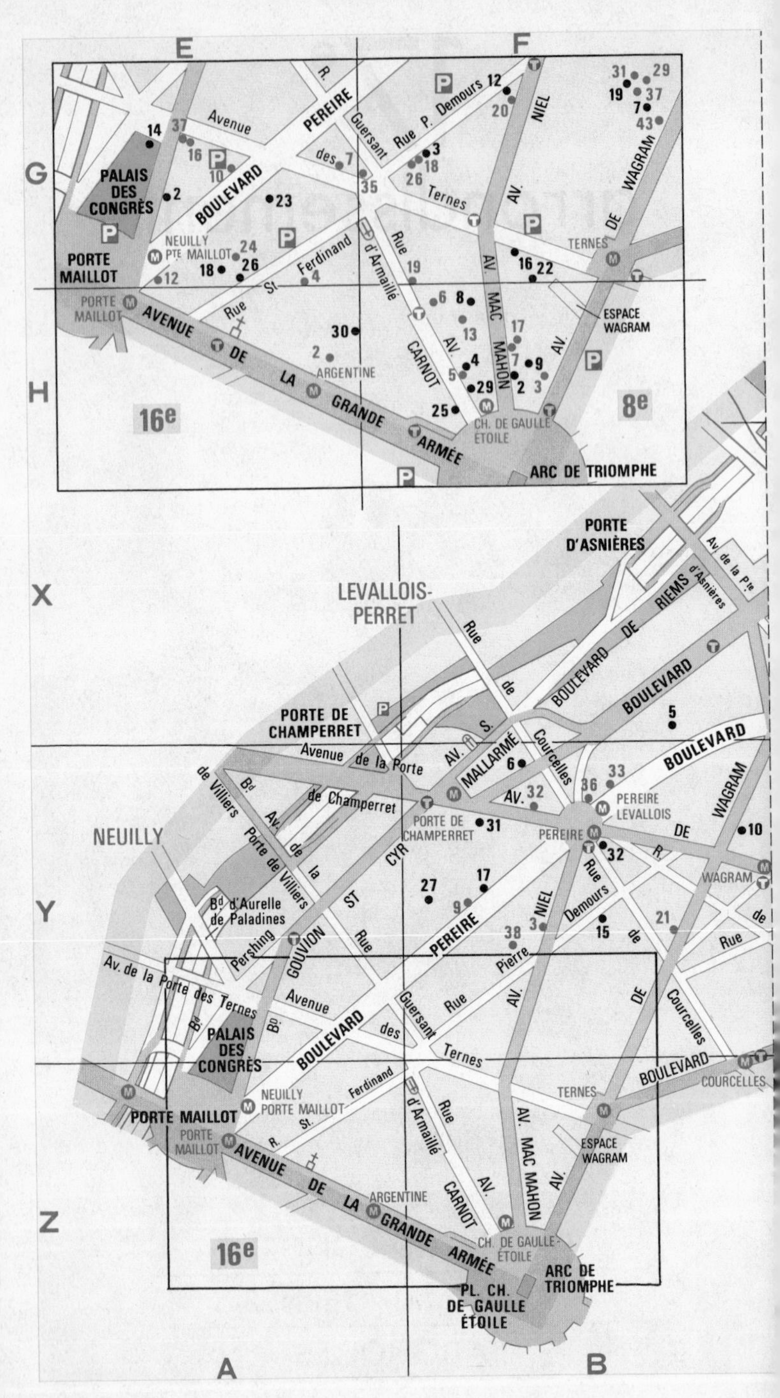
PALAIS DES CONGRÈS
PORTE MAILLOT
BOULEVARD
Avenue
PEREIRE
Rue P. Demours
Guersant
Ternes
AV. NIEL
AV. DE WAGRAM
TERNES
NEUILLY Pte MAILLOT
St. Ferdinand
Rue d'Armaillé
AV. CARNOT
AV. MAC MAHON
ESPACE WAGRAM
AVENUE DE LA GRANDE ARMÉE
ARGENTINE
CH. DE GAULLE ÉTOILE
ARC DE TRIOMPHE
16e
8e
PORTE D'ASNIÈRES
LEVALLOIS-PERRET
BOULEVARD DE RIEMS
Rue de Courcelles
PORTE DE CHAMPERRET
Avenue de la Porte de Champerret
AV. S. MALLARMÉ
AV. 32
PEREIRE LEVALLOIS
PEREIRE
WAGRAM
NEUILLY
Bd de Villiers
Av. de la Porte de Villiers
Bd d'Aurelle de Paladines
Pershing
Bd GOUVION ST CYR
Av. de la Porte des Ternes
Rue Pierre Demours
Rue Guersant
Avenue des Ternes
BOULEVARD DE COURCELLES
COURCELLES
NEUILLY PORTE MAILLOT
PL. CH. DE GAULLE ÉTOILE
ARC DE TRIOMPHE
E
F
G
H
X
Y
Z
A
B

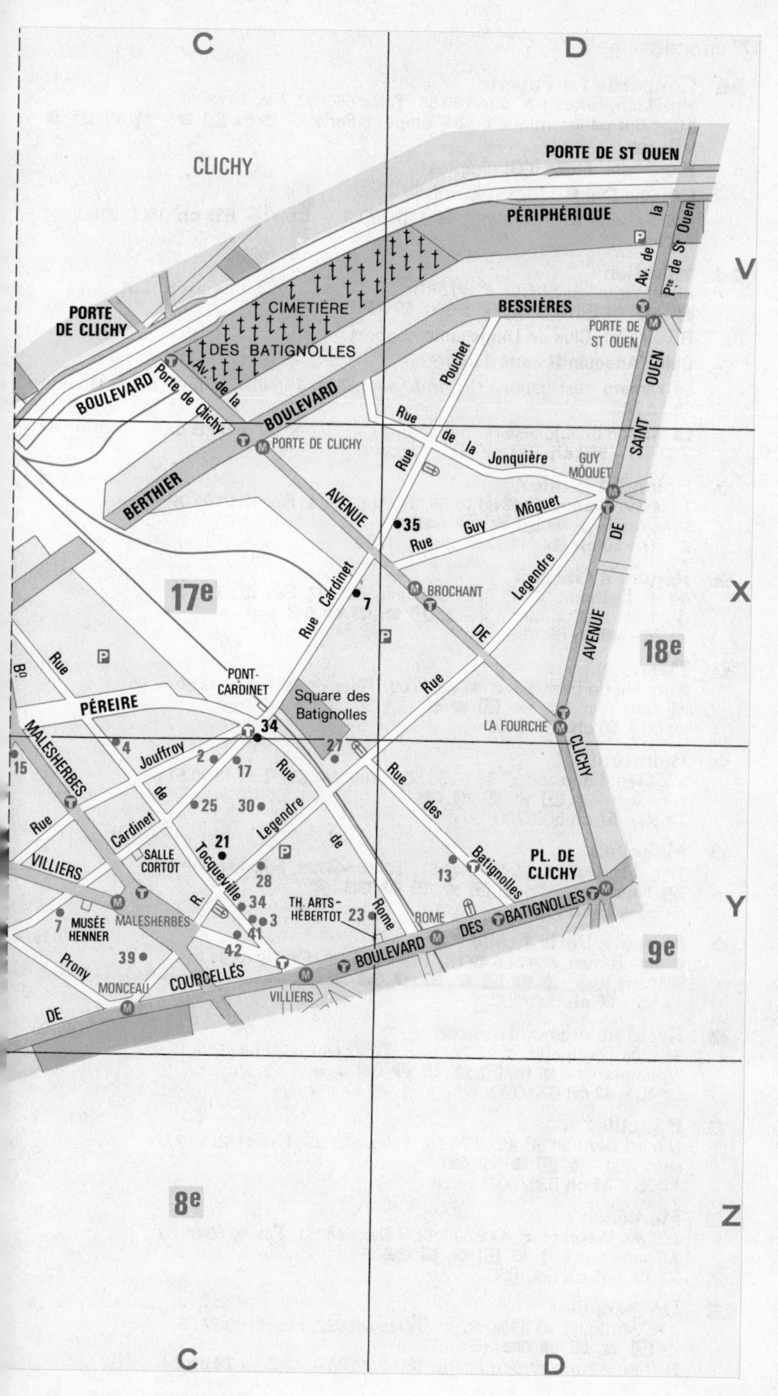
C
D
CLICHY
PORTE DE ST OUEN
PÉRIPHÉRIQUE
CIMETIÈRE
DES BATIGNOLLES
PORTE DE CLICHY
BOULEVARD
Av. de la Porte de Clichy
BESSIÈRES
Av. de la Pte de St Ouen
PORTE DE ST OUEN
Poucher
OUEN
SAINT
PORTE DE CLICHY
Rue de la Jonquière
GUY MÔQUET
BERTHIER
AVENUE
Rue Guy Môquet
DE
35
Rue Cardinet
7
BROCHANT
Legendre
AVENUE
X
V
17e
18e
DE
Rue
Bd
PÉREIRE
PONT-CARDINET
Square des Batignolles
LA FOURCHE
MALESHERBES
34
4
Jouffroy
2
17
27
Rue
CLICHY
15
de
Rue
Rue des Batignolles
25
30
Legendre
Rue
Cardinet
21
de
VILLIERS
SALLE CORTOT
Tocqueville
28
PL. DE CLICHY
13
R.
34
TH. ARTS-HÉBERTOT
23
Rome
ROME
MUSÉE HENNER
MALESHERBES
3
41
BOULEVARD
DES
BATIGNOLLES
Y
7
42
9e
Prony
39
MONCEAU
COURCELLES
VILLIERS
DE
8e
Z
C
D

Concorde La Fayette EG 14
3 pl. Gén.-Koenig ☏ 40 68 50 68, Télex 650892, Fax 40 68 50 43
M, « Bar panoramique au 34e étage ≤ Paris » – TV ☎ – 40. AE ① GB JCB
R voir rest. **Étoile d'Or** ci-après
L'Arc-en-Ciel R 175/280, enf. 78
Les Saisons (coffee shop) **R** 115/180 – 90 – **935 ch** 1500/2100, 44 appart.

Méridien EG 2
81 bd Gouvion St Cyr ☏ 40 68 34 34, Télex 651952, Fax 40 68 31 31
M – TV ☎ – 50 à 800. AE ① GB JCB
R voir rest. **Clos de Longchamp** ci-après
Café l'Arlequin R carte 175 à 305
Le Yamato (rest. japonais) *(fermé août, 3 au 11 janv., dim. et lundi)* **R** carte 150 à 260
La Maison Beaujolaise *(fermé août, 21 au 28 déc. et dim.)* **R** carte environ 180 – 95 – **989 ch** 1600/1950, 17 appart.

Splendid Etoile FH 25
1 bis av. Carnot ☏ 43 80 14 56, Télex 651773, Fax 47 64 05 09
sans rest – TV ☎. ① GB.
70 – **50 ch** 850/1100, 7 appart. 1320.

Regent's Garden FG 3
6 r. P.-Demours ☏ 45 74 07 30, Télex 640127, Fax 40 55 01 42
sans rest, « Jardin » – TV ☎. AE ① GB JCB
35 – **40 ch** 630/880.

Pierre BY 15
25 r. Th.-de-Banville ☏ 47 63 76 69, Télex 643003, Fax 43 80 63 96
M sans rest – TV ☎ – 30. AE ① GB JCB
60 – **50 ch** 630/900.

Balmoral FH 4
6 r. Gén.-Lanrezac ☏ 43 80 30 50, Télex 642435, Fax 43 80 51 56
sans rest – TV ☎. AE ① GB
38 – **57 ch** 500/700.

Magellan BY 27
17 r. J.B.-Dumas ☏ 45 72 44 51, Télex 644728, Fax 40 68 90 36
sans rest, – TV ☎. AE ① GB.
30 – **75 ch** 490.

Mercure Paris Etoile FG 16
27 av. Ternes ☏ 47 66 49 18, Télex 650679, Fax 47 63 77 91
M sans rest – TV ☎. AE ① GB
55 – **56 ch** 660/790.

Résidence St-Ferdinand EG 26
36 r. St-Ferdinand ☏ 45 72 66 66, Télex 649565, Fax 45 74 12 92
M sans rest – TV ☎. AE ① GB JCB
40 – **42 ch** 620/790.

Banville BY 6
166 bd Berthier ☏ 42 67 70 16, Télex 643025, Fax 44 40 42 77
sans rest – TV ☎. AE GB
35 – **39 ch** 535/600.

Mercédès BY 10
128 av. Wagram ☏ 42 27 77 82, Télex 644751, Fax 40 53 09 89
M sans rest – TV ☎. AE GB.
45 – **35 ch** 580/650.

De Neuville BX 5
3 r. Verniquet ☏ 43 80 26 30, Télex 648822, Fax 43 80 38 55
TV ☎. AE ① GB JCB
R *(fermé sam. et dim.)* carte 160 à 220 – 38 – **28 ch** 540/670.

Harvey EG 18
7 bis r. Débarcadère ✆ 45 74 27 19, Télex 650855, Fax 40 68 03 56
M sans rest – TV ☎. AE GB JCB
35 – **32 ch** 480/680.

Cheverny BY 31
7 Villa Berthier ✆ 43 80 46 42, Télex 648848, Fax 47 63 26 62
M sans rest – TV ☎. AE GB
35 – **50 ch** 450/750.

Étoile Pereire BY 17
146 bd Péreire ✆ 42 67 60 00, Fax 42 67 02 90
sans rest – TV ☎. AE GB.
50 – **21 ch** 460/650, 5 appart. 900.

Royal Magda FH 9
7 r. Troyon ✆ 47 64 10 19, Télex 641068, Fax 47 64 02 12
sans rest – TV ☎. AE GB
35 – **26 ch** 565/630, 11 appart. 700/900.

Belfast FH 29
10 av. Carnot ✆ 43 80 12 10, Télex 642777, Fax 43 80 34 93
sans rest – TV ☎. AE GB JCB
40 – **54 ch** 570/740.

Abrial CX 7
176 r. Cardinet ✆ 42 63 50 00, Fax 42 63 50 03
M sans rest – TV ☎ ♿. AE GB JCB
42 – **80 ch** 550/590.

Star H. Étoile FH 8
18 r. Arc de Triomphe ✆ 43 80 27 69, Télex 643569, Fax 40 54 94 84
sans rest – TV ☎. AE GB JCB
38 – **62 ch** 440/580.

Monceau FG 7
7 r. Rennequin ✆ 47 63 07 52, Télex 649094, Fax 47 66 84 44
sans rest – TV ☎. AE GB
35 – **25 ch** 530/700.

Étoile Park H. FH 2
10 av. Mac Mahon ✆ 42 67 69 63, Télex 649266, Fax 43 80 18 99
sans rest – TV ☎. AE GB
47 – **28 ch** 440/700.

Monceau Étoile CY 21
64 r. de Levis ✆ 42 27 33 10, Télex 643170, Fax 42 27 59 58
sans rest – TV ☎. GB.
30 – **26 ch** 470/530.

Astor Élysées FG 12
36 r. P. Demours ✆ 42 27 44 93, Télex 650078, Fax 40 53 91 34
sans rest – TV ☎. GB.
35 – **45 ch** 575/690.

Empire H. FG 22
3 r. Montenotte ✆ 43 80 14 55, Télex 643232, Fax 47 66 04 33
sans rest – TV ☎. AE GB
40 – **49 ch** 400/710.

Courcelles BY 32
184 r. Courcelles ✆ 47 63 65 30, Télex 642252, Fax 46 22 49 44
sans rest – TV ☎. AE GB JCB
35 – **42 ch** 510/640.

Palma EG 23
46 r. Brunel ✆ 45 74 74 51, Télex 644183, Fax 45 74 40 90
sans rest – TV ☎. GB.
32 – **37 ch** 320/420.

Acacias Étoile EH 30
11 r. Acacias ✆ 43 80 60 22, Télex 643551, Fax 48 88 96 40
sans rest – TV ☎. AE GB JCB
35 – **37 ch** 480/610.

Prima H. CX 34
167 r. Rome ✆ 46 22 21 09, Télex 642186, Fax 46 22 21 09
rest . AE GB
R *(fermé 10 au 20 août et dim.)* carte 140 à 270 – 28 – **30 ch** 300/380.

Flaubert FG 19
19 r. Rennequin ✆ 46 22 44 35, Télex 649689, Fax 43 80 32 34
sans rest – . GB.
35 – **36 ch** 390/650.

Bel'Hôtel DX 35
20 r. Pouchet ✆ 46 27 34 77, Télex 642396
sans rest, – . AE GB
fermé août – 30 – **30 ch** 160/360.

XXXX ✿✿ **Guy Savoy** FH 17
18 r. Troyon ✆ 43 80 40 61, Fax 46 22 43 09
. AE GB
fermé sam. (sauf le soir d'oct. à Pâques) et dim. – **R** 650 et carte 490 à 680
Spéc. Suprême de volaille de Bresse au foie gras, Crème légère de lentilles et langoustines, Bar en écailles grillées.

XXXX ✿✿ **Michel Rostang** FG 31
20 r. Rennequin ✆ 47 63 40 77, Fax 47 63 82 75
. AE GB
fermé 1er au 10 mai, 1er au 15 août, sam. sauf le soir de sept. à juin et dim. – **R** 260 (déj.)/660 et carte 480 à 700
Spéc. Oeufs de caille en coque d'oursins (oct. à avril), Canette de Bresse au sang, Tarte au chocolat amer.

XXXX ✿✿ **Le Clos Longchamp** - Hôtel Méridien EG 2
81 bd Gouvion-St-Cyr (Pte Maillot) ✆ 40 68 00 70, Télex 651952, Fax 40 68 30 81
. AE GB JCB
fermé 8 au 16 août, sam. et dim. – **R** 250 (déj.) et carte 425 à 550
Spéc. Echaudé de caille aux grenouilles (mars à oct.), Marbré de foie de canard au Beaumes de Venise, Noisettes d'agneau au café (mars à oct.).

XXXX ✿ **Étoile d'Or** - Hôtel Concorde La Fayette EG 14
3 pl. Gén.-Koenig ✆ 40 68 51 28, Fax 40 68 50 43
. AE GB JCB
fermé 29 fév. au 8 mars, août, sam. midi et dim. – **R** carte 310 à 540
Spéc. Maraîchère de homard au miel de romarin, Turbot vapeur à l'infusion de coriandre, Fin ragoût du Gâtinais en ravioles.

XXXX ✿ **Manoir de Paris** FG 18
6 r. P. Demours ✆ 45 72 25 25, Fax 45 74 80 98
. AE GB JCB
fermé sam. midi et dim. – **R** 290 (déj.) et carte 365 à 560
Spéc. Ravioli de scampi de Méditerranée, Ris et onglet de veau de lait en cocotte, Douceur tiède au chocolat.

XXX ✿✿ **Apicius** (Vigato) BY 32
122 av. Villiers ✆ 43 80 19 66, Fax 44 40 09 57
. AE GB
fermé août, sam. et dim. – **R** carte 350 à 540
Spéc. Grosses langoustines façon "Tempura", Pied de porc en crépinette rôti et jus de truffe au persil, Grand dessert au chocolat amer.

XXX ✿✿ **Amphyclès** (Groult) EG 7
78 av. Ternes ✆ 40 68 01 01, Fax 40 68 91 88
. GB
fermé 7 au 28 juil. sam. midi et dim. – **R** 240 (déj.)/580 et carte
Spéc. Gelée de pied de veau, Canette de Challans à la coriandre, Joue de boeuf braisée.

XXX **Maître Corbeau** FG 19
6 r. Armaillé ✆ 42 27 19 20
▤. AE ◑ GB JCB
fermé 3 au 20 août, 21 fév. au 3 mars, sam. midi et dim. – **R** carte 305 à 440.

XXX ✿ **Timgad** (Laasri) EG 4
21 r. Brunel ✆ 45 74 23 70, Télex 649239, Fax 40 68 76 46
cuisine du Maghreb, « Décor mauresque » – ▤. AE ◑ GB.
R 230/510 – Spéc. Couscous, Pastilla.

XXX ✿ **Sormani** (Fayet) FH 5
4 r. Gén.-Lanrezac ✆ 43 80 13 91
▤. GB
fermé 25 avril au 5 mai, 1er au 23 août, 23 déc. au 3 janv., sam., dim. et fériés – **R** carte 290 à 470
Spéc. Chou vert au mascarpone (1/10-31/3), Friture de cervelles, ris de veau, rognons et amourettes d'agneau (1/11-31/4), Risotto aux truffes blanches (saison).

XXX ✿ **Faucher** BY 21
123 av. Wagram ✆ 42 27 61 50, Fax 46 22 25 72
– AE GB
fermé 8 au 16 août, sam. midi et dim. – **R** 180 (déj.) et carte 255 à 460
Spéc. Millefeuille de boeuf cru, Filet de rouget au foie gras à la provençale, Ris de veau croustillant.

XXX **La Table de Pierre** BY 33
116 bd Péreire ✆ 43 80 88 68, Fax 47 66 53 02
AE GB
fermé sam. midi et dim. – **R** 220 et carte 250 à 370.

XXX **Chez Augusta** CY 4
98 r. Tocqueville ✆ 47 63 39 97, Fax 42 27 21 71
produits de la mer – ▤. GB
fermé 9 au 24 août, sam. (sauf le soir d'oct. à fin avril) et dim. – **R** carte 370 à 480.

XXX ✿ **Paul et France** (Romano) FG 20
27 av. Niel ✆ 47 63 04 24
▤. AE ◑ GB JCB.
fermé 14 juil. au 15 août, sam. et dim. – **R** 290 (déj.) et carte 330 à 530
Spéc. Ravioli de tourteaux, Rougets de roche au beurre de pistou, Rognon de veau au jus de truffe.

XXX **Il Ristorante** FG 37
22 r. Fourcroy ✆ 47 63 34 00
cuisine italienne – ▤. AE GB
fermé 10 au 24 août et dim. – **R** 158 (déj.) et carte 185 à 305.

XX **Le Madigan** CY 3
22 r. Terrasse ✆ 42 27 31 51, Fax 42 67 70 29
– ▤. AE ◑ GB JCB.
fermé sam. midi, dim. et fériés – **R** 170/250.

XX **L'Introuvable** FH 13
15 r. Arc de Triomphe ✆ 47 54 00 28
AE GB
fermé août, sam. midi et dim. – **R** 145 (déj.) et carte 250 à 350.

XX ✿ **Le Petit Colombier** (Fournier) FH 6
42 r. Acacias ✆ 43 80 28 54, Fax 44 40 04 29
▤. AE GB
fermé 18 juil. au 17 août, dim. midi et sam. – **R** 200 (déj.) et carte 310 à 440
Spéc. Oeufs rôtis à la broche aux truffes fraîches (nov. à fév.), Côte de veau en cocotte, Grouse d'Ecosse rôtie (août à nov.).

XX **Andrée Baumann** FG 35
64 av. Ternes ✆ 45 74 16 66, Fax 45 72 44 32
▤. AE ◑ GB JCB
R carte 190 à 335, enf. 60.

XX **La Braisière** CY 7
54 r. Cardinet ✆ 47 63 40 37, Fax 47 63 04 76
AE GB
fermé vacances de printemps, août, sam. et dim. – **R** carte 185 à 390.

XX **Gourmand Candide** BY 36
6 pl. Mar. Juin ✆ 43 80 01 41, Fax 46 22 82 66
– AE ⓓ GB
fermé 1er au 10 mai, août, sam. (sauf le soir de sept. à mai) et dim. – **R** carte 255 à 380.

XX **Billy Gourmand** CY 34
20 r. Tocqueville ✆ 42 27 03 71
GB – *fermé 3 au 23 août, sam. sauf le soir de sept. à juin, dim. et fêtes* – **R** carte 220 à 360.

XX **La Soupière** CY 15
154 av. Wagram ✆ 42 27 00 73
. AE GB
fermé 8 au 18 août, sam. midi et dim. – **R** 160 et carte 210 à 360.

XX **Le Beudant** CY 23
97 r. des Dames ✆ 43 87 11 20
. AE GB
fermé 15 au 31 août, sam. midi et dim. – **R** 140/285.

XX **La Coquille** EG 24
6 r. Débarcadère ✆ 45 74 25 95
. AE GB
fermé août, 23 déc. au 4 janv., dim. et lundi – **R** carte 270 à 390.

XX **Ballon des Ternes** EG 37
103 av. Ternes ✆ 45 74 17 98, Fax 45 72 18 84
AE GB
fermé août – **R** carte 180 à 305.

XX **Chez Laudrin** BY 9
154 bd Péreire ✆ 43 80 87 40
. AE GB
fermé 1er au 9 mai, sam. midi et dim. – **R** carte 280 à 390.

XX **La Truite Vagabonde** DY 13
17 r. Batignolles ✆ 43 87 77 80
– AE GB – *fermé dim. soir* – **R** 210/320.

XX **La Petite Auberge** BY 38
38 r. Laugier ✆ 47 63 85 51
GB
fermé août, sept., dim. soir et lundi – **R** (nombre de couverts limité - prévenir) 160 et carte 230 à 350.

XX **L'Écrevisse** EG 10
212 bis bd Péreire ✆ 45 72 17 60
. AE ⓓ GB
fermé sam. midi et dim. – **R** carte 180 à 340.

XX **Chez Guyvonne** CY 39
14 r. Thann ✆ 42 27 25 43
GB
fermé 13 juil. au 3 août, 24 déc. au 4 janv., sam. et dim. – **R** 230 et carte 250 à 390.

XX **Chez Georges** EG 12
273 bd Péreire ✆ 45 74 31 00, Fax 45 74 02 58
GB.
fermé août – **R** carte 150 à 300.

XX **Epicure 108** CY 25
108 r. Cardinet ✆ 47 63 50 91
GB – *fermé 15 juil. au 15 août, sam. midi, dim. et fériés* – **R** 175/300.

XX **La Niçoise** FG 26
4 r. P. Demours ✆ 45 74 42 41, Fax 45 74 80 98
. AE ⓓ GB JCB
fermé sam. midi et dim. – **R** carte 170 à 230.

XX **Le Cougar** EH 2
10 r. Acacias ✆ 47 66 74 14, Fax 47 66 74 14
. AE ⓓ GB
fermé sam. midi et dim. – **R** carte 255 à 390.

XX **Le Gouberville** CY 27
1 pl. Ch. Fillion ✆ 46 27 33 37
– GB
fermé août, vacances de fév., dim. et lundi – **R** carte 220 à 330.

XX **Chez Léon** CY 28
32 r. Legendre ✆ 42 27 06 82
GB
fermé 31 juil. au 1er sept., vacances de fév., sam., dim. et fériés – **R** 160 et carte 185 à 330.

XX **L'Écailler du Palais** EG 16
101 av. Ternes ✆ 45 74 87 07
fruits de mer – . AE GB
R 155 et carte 215 à 350.

XX **Le Troyon** FH 3
4 r. Troyon ✆ 43 80 57 02
GB
fermé sam. midi et dim. – **R** carte 165 à 245.

XX **La Toque** CY 41
16 r. Tocqueville ✆ 42 27 97 75
. GB
fermé 25 juil. au 25 août, sam. et dim. – **R** 160 et carte 210 à 325.

X **Bistrot de l'Étoile** BY 3
75 av. Niel ✆ 42 27 88 44
. GB
fermé dim. – **R** carte 180 à 275.

X **Bistrot d'à Côté Villiers** CY 42
16 av. Villiers ✆ 47 63 25 61
AE GB
fermé 1er au 10 mai, 1er au 18 août, sam. (sauf le soir de sept. à juin) et dim. – **R** 115 et carte 170 à 245.

X **Bistrot d'à Côté Flaubert** FG 29
10 r. G. Flaubert ✆ 42 67 05 81, Fax 47 63 82 75
AE GB
fermé 1er au 10 mai, 1er au 15 août, sam. (sauf le soir de sept. à juin) et dim. – **R** 115 et carte 170 à 245.

X **Les Béatilles** CY 2
127 r. Cardinet ✆ 42 27 95 64
GB
fermé 30 juil. au 24 août, sam. et dim. – **R** 130 (déj.) et carte 230 à 330.

X **Mère Michel** FG 43
5 r. Rennequin ✆ 47 63 59 80
AE GB
fermé août, sam. et dim. – **R** (nombre de couverts limité - prévenir) carte 215 à 365.

X **Le Champart** CY 17
132 r. Cardinet ✆ 42 27 36 78
AE GB
fermé 11 au 19 août, vacances de fév., sam. midi et dim – **R** 130 et carte 140 à 230, enf. 49.

X **L'Oeuf à la Neige** CY 30
16 r. Salneuve ✆ 47 63 45 43
AE GB
fermé 1er au 25 août, 24 déc. au 2 janv., sam. midi et dim. – **R** 135 et carte 175 à 320.

X **Bistrot de l'Étoile** FH 7
13 r. Troyon ✆ 42 67 25 95
. GB
fermé sam. et dim. – **R** 200 bc/250 .

Notes

18e 19e 20e arrondissements

MONTMARTRE – LA VILLETTE

BUTTES CHAUMONT

BELLEVILLE – PÈRE LACHAISE

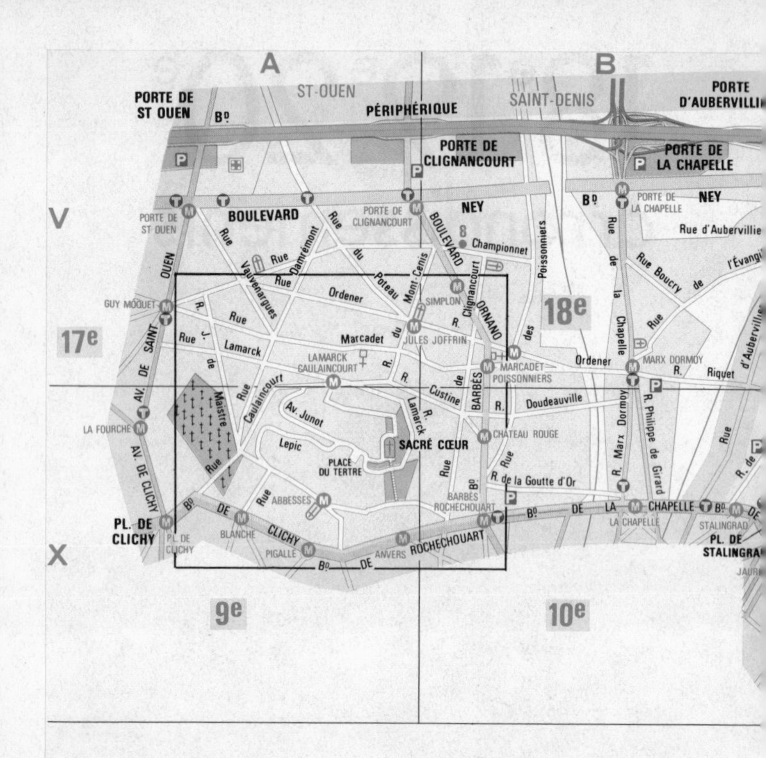
A
B
PORTE DE ST OUEN
ST-OUEN
PÉRIPHÉRIQUE
SAINT-DENIS
PORTE D'AUBERVILLI
PORTE DE CLIGNANCOURT
PORTE DE LA CHAPELLE
V
BOULEVARD
NEY
17e
18e
9e
10e
SACRÉ CŒUR
PLACE DU TERTRE
PL. DE CLICHY
X
Bd DE CLICHY
Bd DE ROCHECHOUART
Bd DE LA CHAPELLE
PL. DE STALINGRA

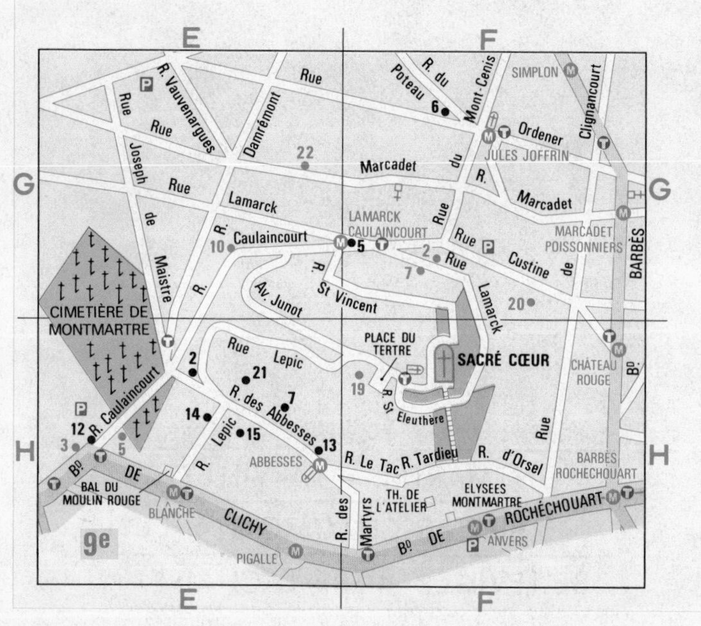
E
F
G
H
CIMETIÈRE DE MONTMARTRE
SACRÉ CŒUR
PLACE DU TERTRE
BAL DU MOULIN ROUGE
TH. DE L'ATELIER
ELYSEES MONTMARTRE
Bd DE CLICHY
Bd DE ROCHECHOUART
9e

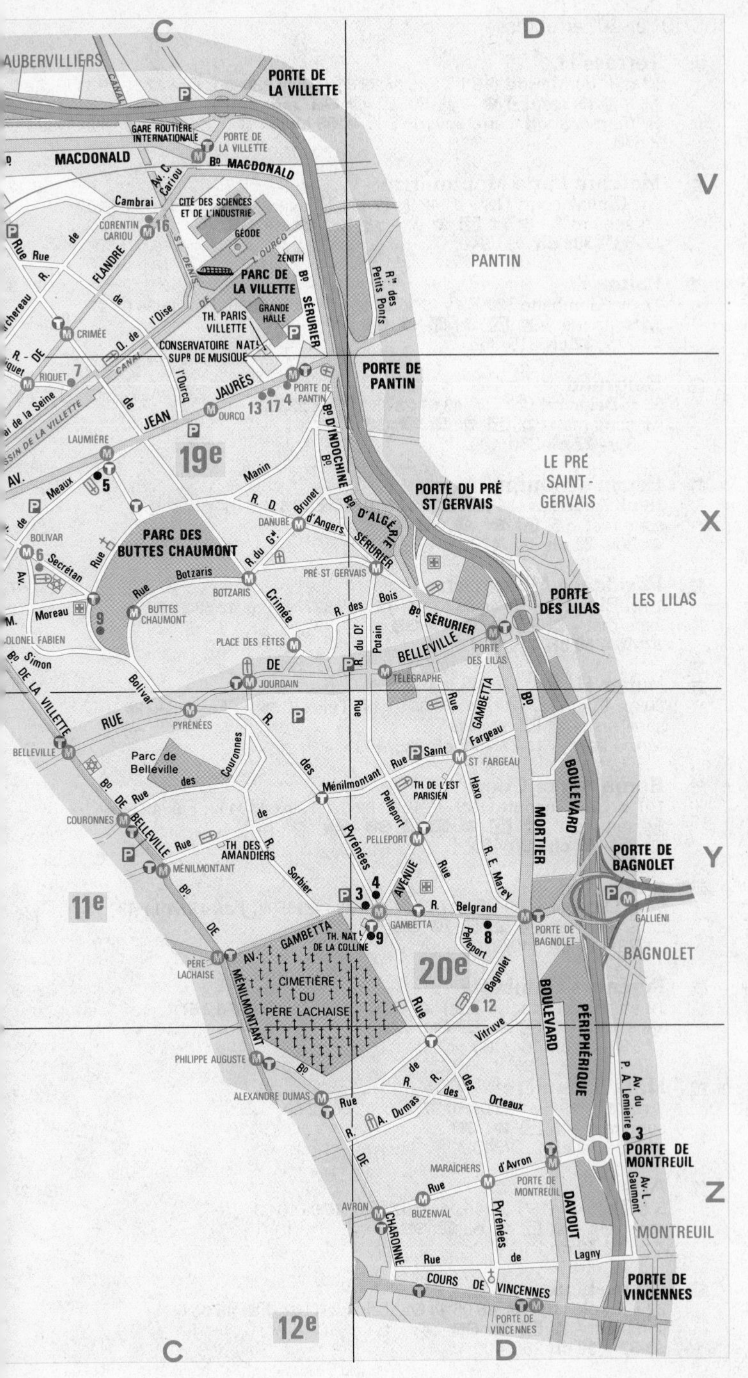

C
D
V
X
Y
Z
AUBERVILLIERS
PORTE DE LA VILLETTE
GARE ROUTIÈRE INTERNATIONALE
MACDONALD
Bd MACDONALD
CITÉ DES SCIENCES ET DE L'INDUSTRIE
GÉODE
ZÉNITH
PARC DE LA VILLETTE
GRANDE HALLE
TH. PARIS VILLETTE
CONSERVATOIRE NATL SUPR DE MUSIQUE
PANTIN
PORTE DE PANTIN
LE PRÉ SAINT-GERVAIS
PORTE DU PRÉ ST GERVAIS
19e
PARC DES BUTTES CHAUMONT
PORTE DES LILAS
LES LILAS
PLACE DES FÊTES
JOURDAIN
TÉLÉGRAPHE
PYRÉNÉES
BELLEVILLE
Parc de Belleville
TH DE L'EST PARISIEN
TH DES AMANDIERS
PORTE DE BAGNOLET
BAGNOLET
GALLIENI
11e
GAMBETTA
TH. NAT. DE LA COLLINE
20e
CIMETIÈRE DU PÈRE LACHAISE
PÈRE LACHAISE
PHILIPPE AUGUSTE
ALEXANDRE DUMAS
BOULEVARD MORTIER
BOULEVARD PÉRIPHÉRIQUE
PORTE DE MONTREUIL
MONTREUIL
AVRON
BUZENVAL
MARAÎCHERS
DAVOUT
COURS DE VINCENNES
PORTE DE VINCENNES
12e

Terrass'H. EH 2
12 r. J. de Maistre (18e) ✆ 46 06 72 85, Télex 280830, Fax 42 52 29 11
M – |‡| ▤ rest TV ☎ – 🏛 30. AE ⓓ GB JCB
R *(fermé août)* carte environ 200 – **88 ch** ☕ 800/1200, 13 appart. 1330 – P 675.

Mercure Paris Montmartre EH 12
1 r. Caulaincourt (18e) ✆ 42 94 17 17, Télex 640605, Fax 42 93 66 14
M sans rest – |‡| ▤ TV ☎ ♿ – 🏛 120. AE ⓓ GB JCB
☕ 68 – **308 ch** 760/940.

Palma DY 3
77 av. Gambetta (20e) ✆ 46 36 13 65, Télex 216056, Fax 46 36 03 27
M sans rest – |‡| TV ☎. AE ⓓ GB. ✂
☕ 27 – **32 ch** 315/365.

Belgrand DY 8
60 r. Belgrand (20e) ✆ 43 61 28 38, Télex 233620
M sans rest – |‡| TV ☎. AE ⓓ GB
☕ 30 – **27 ch** 360/400.

Regyn's Montmartre EH 13
18 pl. Abbesses (18e) ✆ 42 54 45 21, Fax 42 54 45 21
sans rest – |‡| TV ☎. ⓓ GB
☕ 36 – **22 ch** 335/420.

Résidence Montmartre EH 7
10 r. Burq (18e) ✆ 46 06 51 91, Télex 282779, Fax 42 52 82 59
sans rest – |‡| TV ☎. AE ⓓ GB
☕ 45 – **50 ch** 445/520.

Super H. DY 4
208 r. Pyrénées (20e) ✆ 46 36 97 48, Télex 215588, Fax 46 36 26 10
sans rest – |‡| TV ☎. GB
fermé août – ☕ 27 – **28 ch** 255/430.

Roma Sacré Coeur FG 5
101 r. Caulaincourt (18e) ✆ 42 62 02 02, Télex 643492, Fax 42 54 34 92
M sans rest – |‡| TV ☎. AE ⓓ GB JCB
☕ 35 – **57 ch** 390/460.

Eden H. FG 6
90 r. Ordener (18e) ✆ 42 64 61 63, Télex 290504, Fax 42 64 11 43
sans rest – |‡| TV ☎. AE ⓓ GB. ✂
☕ 28 – **35 ch** 340/370.

Pyrénées Gambetta DY 9
12 av. Père Lachaise (20e) ✆ 47 97 76 57, Fax 47 97 17 61
sans rest – |‡| TV ☎. AE GB
☕ 28 – **32 ch** 164/400.

H. Le Laumière CX 5
4 r. Petit (19e) ✆ 42 06 10 77, Fax 42 06 72 50
sans rest – |‡| TV ☎. GB
☕ 27 – **54 ch** 220/340.

Arts EH 21
5 r. Tholozé (18e) ✆ 46 06 30 52, Fax 46 06 10 83
sans rest – |‡| TV ☎ ♿. AE GB. ✂
☕ 30 – **50 ch** 310/420.

Prima-Lepic EH 14
29 r. Lepic (18e) ✆ 46 06 44 64, Télex 281162, Fax 46 06 66 11
sans rest – |‡| TV ☎. GB. ✂
☕ 32 – **38 ch** 260/400.

Climat de France DZ 3
2 av. Prof. A. Lemierre (20e) ✆ 40 31 08 80, Télex 232711, Fax 40 31 09 66
M – ⇕ ▤ TV ☎ ♿ 🚗 – 150. AE ⦿ GB
R 90/130 ⅀, enf. 35 – ☕ 40 – **325 ch** 425.

Capucines Montmartre EH 15
5 r. A.-Bruant (18e) ✆ 42 52 89 80, Télex 281648, Fax 42 52 29 57
sans rest – ⇕ TV ☎. AE ⦿ GB JCB
☕ 30 – **29 ch** 290/380.

Beauvilliers FG 2
52 r. Lamarck (18e) ✆ 42 54 54 42, Fax 42 62 70 30
« Décor original, terrasse » – AE GB.
fermé 30 août au 15 sept., lundi midi et dim. – **R** 185 (déj.) et carte 390 à 520
Spéc. Rognonnade de veau au jus de truffes, Sauté de homard aux "billes du jardin", Gâteau au chocolat.

Pavillon Puebla CX 9
Parc Buttes-Chaumont, entrée : av Bolivar, r. Botzaris (19e) ✆ 42 08 92 62, Fax 42 39 83 16
« Agréable situation dans le parc » – GB
fermé dim. et lundi – **R** 230 et carte 300 à 430.

Cochon d'Or CX 17
192 av. J.-Jaurès (19e) ✆ 42 45 46 46, Fax 42 40 43 90
▤. AE ⦿ GB
R 240 et carte 225 à 445
Spéc. Effiloché d'aile de raie en salade, Tête de veau ravigote, Grillades.

Charlot 1er "Merveilles des Mers" EH 3
128 bis bd Clichy (18e) ✆ 45 22 47 08, Fax 44 70 07 50
produits de la mer – AE ⦿ GB
R 200 (déj.) et carte 250 à 410.

Le Clodenis EG 10
57 r. Caulaincourt (18e) ✆ 46 06 20 26
GB
fermé dim. soir et lundi – **R** 200 (déj.) et carte 220 à 310.

Deux Taureaux CX 4
206 av. J.-Jaurès (19e) ✆ 42 02 12 40
AE GB
fermé sam. et dim. – **R** 250/280.

Au Clair de la Lune FH 19
9 r. Poulbot (18e) ✆ 42 58 97 03
AE GB
fermé fév., lundi midi et dim. – **R** 170/300.

Grandgousier EH 5
17 av. Rachel (18e) ✆ 43 87 66 12
AE ⦿ GB
fermé 10 au 23 août, sam. midi, dim. et fériés – **R** 145 et carte 180 à 270.

La Chaumière CX 6
46 av. Secrétan (19e) ✆ 42 06 54 69
AE ⦿ GB
fermé 8 au 25 août – **R** 143.

Cottage Marcadet EG 22
151 bis r. Marcadet (18e) ✆ 42 57 71 22
▤. GB.
fermé 30 avril au 19 mai, 8 au 31 août et dim. – **R** 195 bc et carte 200 à 300.

XX **Les Chants du Piano** FG 20
10 r. Lambert (18e) ✆ 42 62 02 14, Fax 42 54 98 52
AE ⓓ GB
fermé 16 au 26 août, dim. soir et lundi midi – **R** 149/319.

XX **Poulbot Gourmet** FG 7
39 r. Lamarck (18e) ✆ 46 06 86 00
fermé dim. – **R** carte 195 à 270.

XX **Clap 49eme** CX 7
49 quai Seine (19e) ✆ 42 09 01 70
GB
fermé 1er au 15 sept., 1er au 15 fév., sam. midi et dim. – **R** 59/170 bc.

X **Marie-Louise** BV 8
52 r. Championnet (18e) ✆ 46 06 86 55
ⓓ GB
fermé 31 juil. au 3 sept., dim., lundi et fériés – **R** 110 et carte 140 à 235.

X **Le Sancerre** CV 16
13 av. Corentin Cariou (19e) ✆ 40 36 80 44
AE ⓓ GB
fermé sam. et dim. – **R** 110/169.

X **Aucune Idée** DY 12
2 pl. St-Blaise (20e) ✆ 40 09 70 67
GB
fermé 3 au 23 août, dim. soir et lundi – **R** 110/215, enf. 45.

Environs

25 km environ autour de Paris

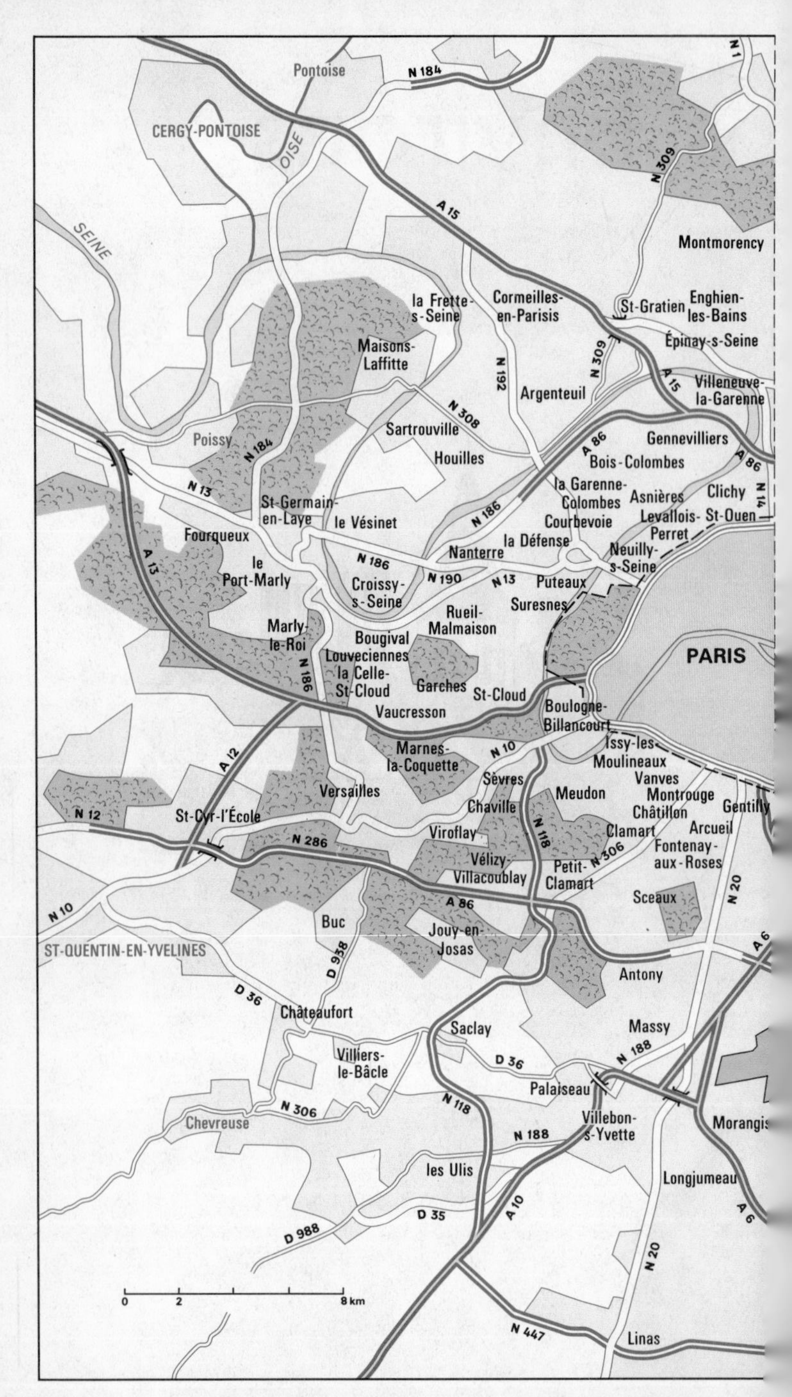
Pontoise
N 184
CERGY-PONTOISE
OISE
N 1
N 309
A 15
SEINE
Montmorency
la Frette-s-Seine
Cormeilles-en-Parisis
St-Gratien
Enghien-les-Bains
Épinay-s-Seine
Maisons-Laffitte
N 192
N 309
A 15
Villeneuve-la-Garenne
Argenteuil
N 308
Sartrouville
Poissy
N 184
A 86
Gennevilliers
Houilles
Bois-Colombes
A 86
N 13
la Garenne-Colombes
Asnières
Clichy
N 14
St-Germain-en-Laye
le Vésinet
N 186
Levallois-Perret
St-Ouen
Courbevoie
Fourqueux
la Défense
A 13
le Port-Marly
N 186
Nanterre
Neuilly-s-Seine
N 190
N 13
Puteaux
Croissy-s-Seine
Suresnes
Marly-le-Roi
Rueil-Malmaison
Bougival
PARIS
N 186
Louveciennes
la Celle-St-Cloud
Garches
St-Cloud
Boulogne-Billancourt
Vaucresson
Issy-les-Moulineaux
A 12
Marnes-la-Coquette
N 10
Vanves
Sèvres
Meudon
Montrouge
Versailles
Gentilly
N 12
St-Cyr-l'École
Chaville
Châtillon
N 118
Arcueil
N 286
Viroflay
Clamart
N 306
Fontenay-aux-Roses
Vélizy-Villacoublay
Petit-Clamart
N 20
A 86
Sceaux
N 10
Buc
Jouy-en-Josas
A 6
ST-QUENTIN-EN-YVELINES
D 938
Antony
D 36
Châteaufort
Saclay
Massy
N 188
Villiers-le-Bâcle
D 36
Palaiseau
N 118
N 306
Villebon-s-Yvette
Morangis
Chevreuse
N 188
les Ulis
Longjumeau
A 10
A 6
D 35
D 988
N 20
0
2
8 km
N 447
Linas

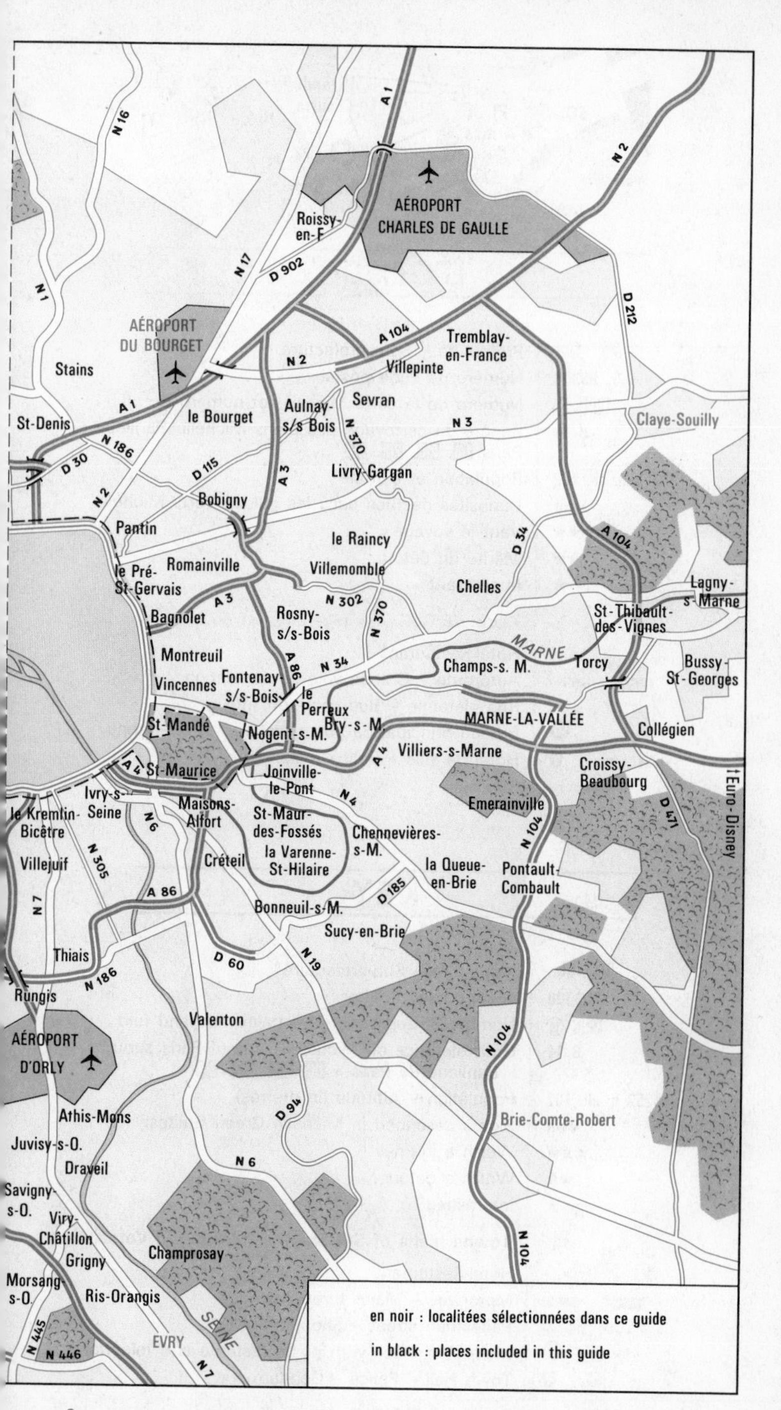
AÉROPORT
CHARLES DE GAULLE
Roissy-en-F
AÉROPORT
DU BOURGET
Stains
St-Denis
le Bourget
Aulnay-s/s Bois
Sevran
Tremblay-en-France
Villepinte
Claye-Souilly
Livry-Gargan
Bobigny
Pantin
le Raincy
Villemomble
Romainville
le Pré-St-Gervais
Bagnolet
Chelles
Lagny-s-Marne
St-Thibault-des-Vignes
Rosny-s/s-Bois
Montreuil
MARNE
Torcy
Champs-s. M.
Bussy-St-Georges
Vincennes
Fontenay-s/s-Bois
le Perreux
Bry-s-M.
MARNE-LA-VALLÉE
Collégien
St-Mandé
Nogent-s-M.
Villiers-s-Marne
St-Maurice
Joinville-le-Pont
Croissy-Beaubourg
Euro-Disney
Ivry-s-Seine
Maisons-Alfort
Emerainville
le Kremlin-Bicêtre
St-Maur-des-Fossés
Chennevières-s-M.
Villejuif
Créteil
la Varenne-St-Hilaire
la Queue-en-Brie
Pontault-Combault
Bonneuil-s-M.
Sucy-en-Brie
Thiais
Rungis
Valenton
AÉROPORT
D'ORLY
Athis-Mons
Brie-Comte-Robert
Juvisy-s-O.
Draveil
Savigny-s-O.
Viry-Châtillon
Grigny
Champrosay
Morsang-s-O.
Ris-Orangis
EVRY
SEINE
A 1
N 16
N 2
N 17
D 902
N 1
D 212
A 104
N 3
N 186
D 30
D 115
N 370
A 3
D 34
N 302
A 86
N 34
A 4
N 4
N 104
D 471
N 6
N 305
D 185
N 7
D 60
N 19
D 94
N 445
N 446
en noir : localitées sélectionnées dans ce guide
in black : places included in this guide

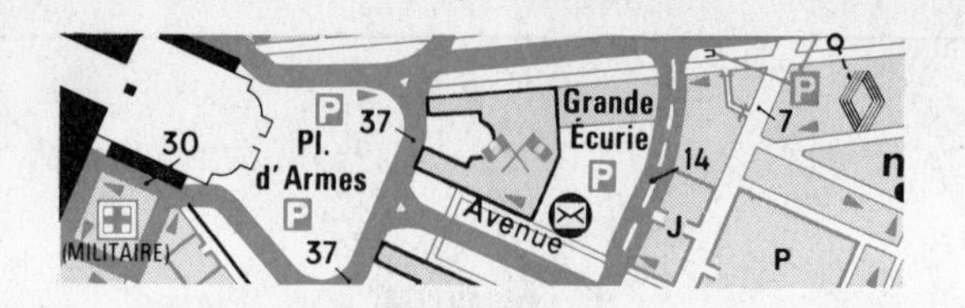

LÉGENDE

P SP	Préfecture – Sous-préfecture
93300	Numéro de code postal
101 ⑭	Numéro de la carte Michelin et numéro de pli
B 14	Repère du carroyage des plans Michelin Banlieue de Paris 18, 20, 22, 24
36252 h. alt. 102	Population et altitude
Voir	Curiosités décrites dans les guides Verts Michelin
★★★	Vaut le voyage
★★	Mérite un détour
★	Intéressant
	Plans de St-Germain-en-Laye et de Versailles
• •	Hôtel-Restaurant
	Autoroute – Grande voie de circulation
Pasteur	Rue piétonne – Rue commerçante
✉	Bureau principal de poste restante et téléphone
H POL.	Hôtel de ville – Police – Gendarmerie

KEY

P SP	Prefecture – Sub-prefecture
93300	Local postal number
101 ⑭	Number of appropriate Michelin map and fold
B 14	Grid reference on Michelin plans of Paris suburbs « Banlieue de Paris » 18, 20, 22, 24
36252 h. alt. 102	Population – Altitude (in metres)
Voir	Sights described in Michelin Green Guides:
★★★	Worth a journey
★★	Worth a detour
★	Interesting
	Towns plans of St-Germain-en-Laye and Versailles
• •	Hotel-Restaurant
	Motorway – Major through route
Pasteur	Pedestrian street – Shopping street
✉	Main post office with poste restante and telephone
H POL.	Town Hall – Police – Gendarmerie

Antony 92160 Hauts-de-Seine 101 ㉕ 22 – 57 771 h. alt. 65.

Paris 17 – Bagneux 7,5 – Corbeil-Essonnes 29 – Nanterre 24 – Versailles 16.

XX **L'Amandier** AM 24-25
8 r. Église ✆ 46 66 22 02
. GB. ✻
fermé 4 août au 1er sept., 22 déc. au 3 janv., dim. soir et lundi – **R** carte 165 à 285 ♁.

XX **La Tour de Marrakech** AN 25
75 r. Division leclerc ✆ 46 66 00 54
cuisine nord-africaine – GB. ✻
fermé août et lundi – **R** carte 140 à 270.

Arcueil 94110 Val-de-Marne 101 ㉕ 22 – 20 334 h. alt. 51.

Paris 6,5 – Boulogne Billancourt 8,5 – Longjumeau 14 – Montrouge 2,5 – Versailles 23.

Campanile AF 27
73 av. A. Briand, N 20 ✆ 47 40 87 09, Télex 632426, Fax 45 47 51 93
TV ☎ ♿ P – 25. AE GB
R 85 bc/113 bc, enf. 39 – ☕ 29 – **88 ch** 330 – P 279/307.

CITROEN Verdier Sud-Ouest, 28 av. Aristide-Briand ✆ 46 55 28 38

Equipneu, 32 r. de la Gare ✆ 46 65 10 44

Argenteuil SP 95100 Val-d'Oise 101 ⑭ 18 **G. Ile de France** – 93 096 h. alt. 42.

Paris 16 – Chantilly 35 – Pontoise 19 – St-Germain-en-Laye 14.

Campanile P 20
1 r. Ary Scheffer ✆ 39 61 34 34, Télex 688268, Fax 39 61 44 20
M, – TV ☎ ♿ P – 25 à 50. AE GB
R 85 bc/113 bc, enf. 39 – ☕ 29 – **100 ch** 330 – P 279/307.

XXX **La Ferme d'Argenteuil** N 20
2 bis r. Verte ✆ 39 61 00 62
AE GB
fermé 25 juil. au 26 août, lundi soir et dim. – **R** carte 250 à 360.

XX **Closerie Périgourdine** L 21
85 bd J.-Allemane ✆ 39 80 01 28
AE GB
fermé sam. midi et dim. soir – **R** 128 bc/300 bc.

XX **La Colombe** N 21
20 bd Héloïse ✆ 39 61 01 38, Fax 30 76 23 29
avec ch, – TV ☎ P. AE GB
R (1er étage) *(fermé dim. soir)* 180
Brasserie (rez-de-chaussée) **R** carte 115 à 165 ♁ – ☕ 30 – **20 ch** 150/400.

ALFA-ROMEO Gar. Busson, 21 r. Chapeau Rouge à Sannois ✆ 39 81 43 27
CITROEN SEDA, 117 bd J.-Allemane ✆ 39 82 81 81
FORD Gar. des Grandes Fontaines, 70 bd J. Allemane ✆ 39 81 61 61
OPEL Argenteuil Motors, 114 av. de Stalingrad ✆ 34 10 20 80
PEUGEOT-TALBOT SODISTO, 45 r. H.-Barbusse ✆ 39 47 09 79
RENAULT Succursale, 219 r. H.-Barbusse ✆ 39 47 09 09 N ✆ 05 05 15 15
RENAULT Succursale, 2 bd de la Résistance Val d'Argent ✆ 34 10 40 04 N ✆ 05 05 15 15
V.A.G Gar. du Plessis, 98 bd J.-Allemane ✆ 39 61 70 74

Monteils Pneumatiques, 48-50 av. Stalingrad ✆ 34 10 20 89
Pneu-Sécurité-Autom., 161 r. H.-Barbusse ✆ 39 61 49 90

Asnières 92600 Hauts-de-Seine 101 ⑮ 18 G. Ile de France – 71 850 h. alt. 32.

Paris 10 – Argenteuil 5,5 – Nanterre 7,5 – Pontoise 27 – St-Denis 8 – St-Germain-en-Laye 17.

Wilson H. T 24
10 bis r. Château ✆ 47 93 01 66, Télex 610350, Fax 47 33 74 98
M sans rest – TV ☎. AE ⓓ GB
35 – **62 ch** 310/390.

Le Van Gogh S 25
Port Van Gogh ✆ 47 91 05 10, Fax 47 93 00 93
– P. AE ⓓ GB.
fermé 23 déc. au 5 janv., sam., dim. et fériés – **R** carte 230 à 350.

Le Périgord S 25
3 quai Aulagnier ✆ 47 90 19 86
P. AE ⓓ GB
fermé 5 au 12 mai, 11 au 18 août, sam. et dim. – **R** 300/400.

La Petite Auberge S 23
118 r. Colombes ✆ 47 93 33 94
GB
fermé 31 juil. au 24 août, vacances de fév., dim. soir, merc. soir et lundi – **R** 130/200, enf. 50.

CITROEN Forum Automobile de l'Ouest, 249 av. d'Argenteuil à Bois-Colombes ✆ 47 82 41 00
PEUGEOT-TALBOT Gar. Hôtel de Ville, 18 r. P.-Brossolette ✆ 47 33 02 60
TOYOTA S.I.D.A.T., 3 r. de Normandie ✆ 47 90 62 10
V.A.G Gar. de la Comète, 33 av. d'Argenteuil ✆ 47 93 02 09

Coursaux, 61 r. Colombes ✆ 47 93 07 53

Athis-Mons 91200 Essonne 101 ㊱ – 29 123 h. alt. 80.

Paris 18 – Créteil 17 – Évry 11,5 – Fontainebleau 48.

La Rotonde
25 bis r. H. Pinson ✆ 69 38 97 78
M sans rest – TV ☎ P. GB. – 30 – **22 ch** 280/330.

ALFA-ROMEO Gar. Bellanger, 37 rte de Fontainebleau à Paray-Vieille-Poste ✆ 69 38 50 72
BMW VP Automobiles, 111 r. R.-Schumann ✆ 69 38 64 36

Aulnay-sous-Bois 93600 Seine-St-Denis 101 ⑰ 20 – 82 314 h. alt. 50.

Paris 18 – Bobigny 7 – Lagny-sur-Marne 21 – Meaux 30 – St-Denis 11 – Senlis 36.

Novotel L 42
rte Gonesse N 370 ✆ 48 66 22 97, Télex 230121, Fax 48 66 99 39
M, , – ch TV ☎ P – 200. AE ⓓ GB
R carte environ 160 , enf. 50 – 50 – **139 ch** 450/480.

Aub. Saints Pères R 42
212 av. Nonneville ✆ 48 66 62 11, Fax 48 66 25 22
AE ⓓ GB.
fermé août, 1er au 11 janv., sam. midi, dim. soir et lundi – **R** 260/360.

A l'Escargot P 42
40 rte Bondy ✆ 48 66 88 88
AE ⓓ GB
fermé août, vacances de fév. et lundi – **R** (déj. seul. sauf vend. et sam.) carte 230 à 385.

CITROEN Gar. des Petits Ponts, 153 rte de Mitry ✆ 43 83 70 81
FORD Bocquet, 37 av. A. France ✆ 48 66 47 33
RENAULT Paris Nord Autos, r. J.-Duclos RN 370 ✆ 48 66 30 65

La Centrale du Pneu, Bt. M 134 X Garonor ✆ 48 65 26 08

Bagnolet 93170 Seine-St-Denis 101 ⑯ 20 – 32 600 h. alt. 86.

Paris 6,5 – Bobigny 9,5 – Lagny-sur-Marne 27 – Meaux 40.

Novotel Paris Bagnolet Y 36
av. République, échangeur porte de Bagnolet ✆ 49 93 63 00, Télex 235136, Fax 43 60 83 95 – M, ≤, ⛱ – |♦| ⇔ ch ▤ TV ☎ – 🚗 – 500. AE ⓞ GB JCB
R carte environ 150 🍷, enf. 50
Grill – ☕ 52 – **602 ch** 615/650, 9 appart. 950.

PEUGEOT-TALBOT Botzaris, 210 r. de Noisy-le-Sec ✆ 43 61 17 90

Bobigny 93000 Seine-St-Denis 101 ⑰ 20 – 44 659 h. alt. 53 – Paris 15 – St-Denis 7.

Campanile T 39
304 av. Paul Vaillant-Couturier ✆ 48 31 37 55, Télex 233027, Fax 48 31 53 30
M – |♦| TV ☎ ♿ P – 25 à 50. AE GB
R 85 bc/113 bc, enf. 39 – ☕ 29 – **120 ch** 330 – P 279/307.

PEUGEOT-TALBOT Nouvelle Centrale Auto, Nouvelle Centrale Auto à Bondy ✆ 48 47 31 19

Bois-Colombes 92270 Hauts-de-Seine 101 ⑭ 18 – 24 415 h. alt. 65.

Paris 11 – Nanterre 8 – Pontoise 26 – St-Denis 9 – St-Germain-en-Laye 20.

XX **Le Bouquet Garni** S 23
7 r. Ch. Chefson ✆ 47 80 55 51
GB – *fermé dim. soir* – **R** 130.

Bonneuil-sur-Marne 94380 Val-de-Marne 101 ㉗ 24 – 13 626 h. alt. 45.

Paris 17 – Chennevières-sur-Marne 5,5 – Créteil 3,5 – Lagny-sur-Marne 27 – St-Maur-des-Fossés 5.

Campanile AL 42
ZI Petits Carreaux, 2 av. Bleuets ✆ 43 77 70 29, Télex 264197, Fax 43 99 42 96
⛱ – TV ☎ ♿ P – 25. AE GB
R 77 bc/99 bc, enf. 39 – ☕ 28 – **50 ch** 258 – P 234/256.

XX **Aub. du Moulin Bateau** AJ 43
r. Moulin Bateau ✆ 43 77 00 10
≤, ⛱, « Terrasse en bordure de Marne », 🎾 – ⇔ P. AE GB
fermé 4 au 19 janv., sam. midi et dim. soir – **R** 140/650.

CITROEN Soulard et Faure, av. du 19 Mars 1962 ✆ 43 39 63 66
MERCEDES Segmat, ZI des Petits Carreaux ✆ 43 39 70 11
RENAULT Central Gar., 11 r. Col.-Fabien ✆ 43 39 62 76
RENAULT Central Gar., 3 av. de Boissy ✆ 43 39 62 39

Bougival 78380 Yvelines 101 ⑬ 18 G. Ile de France – 8 552 h. alt. 40.

Paris 19 – Rueil-Malmaison 5 – St-Germain-en-Laye 6 – Versailles 6,5 – Le Vésinet 4.

des Maréchaux Y 12
10 côte de la Jonchère ✆ 30 82 77 11, Télex 699597, Fax 30 82 78 40
M 🐎 sans rest, parc – |♦| TV ☎ P – 120. AE ⓞ GB JCB
☕ 45 – **40 ch** 550/650.

XXXX **Coq Hardy** X 10
16 quai Rennequin-Sualem (N 13) ✆ 39 69 01 43, Fax 39 69 40 93
⛱, « Jardins en terrasses », 🌳 – P. AE ⓞ GB
fermé dim. soir et lundi – **R** 260 et carte 280 à 400.

XXX ✿ **Le Camélia** (Durand) Y 11
7 quai G. Clemenceau ✆ 39 18 36 06, Fax 39 18 33 18
▤. AE ⓞ GB JCB
fermé août, dim. et lundi – **R** 220 (déj.)/490
Spéc. Risotto noir de langoustines, Pied de cochon aux champignons, Pain perdu aux pommes rôties au miel.

X **Bistro du Quai** Y 11
6 quai G. Clemenceau ✆ 39 69 18 98, Fax 39 18 33 18
AE ⓞ GB – *fermé août et dim. soir* – **R** 115 et carte 150 à 220.

Boulogne-Billancourt 92100 Hauts-de-Seine 101 ㉔ 22 **G. Ile de France** – 101 743 h. alt. 35.

Voir Jardin Albert Kahn★ – Musée Paul Landowski★.

Paris 9 – Nanterre 10,5 – Versailles 15.

Acanthe AB 18
9 rd-pt Rhin et Danube ✆ 46 99 10 40, Télex 633062, Fax 46 99 00 05
M sans rest – |‡| ▤ TV ☎. AE ⓓ GB – ☕ 55 – **34 ch** 550/800.

Adagio AB 19
20 r. Abondances ✆ 48 25 80 80, Télex 632189, Fax 48 25 33 13
M, – |‡| TV ☎ ♿ – 60. AE ⓓ GB JCB
R *(fermé sam.)* 115/300 – ☕ 55 – **75 ch** 695/790.

Sélect H. AC 19
66 av. Gén.-Leclerc ✆ 46 04 70 47, Télex 206029, Fax 46 04 07 77
sans rest – |‡| TV ☎ Ⓟ. AE ⓓ GB. – ☕ 37 – **63 ch** 480/560.

Excelsior AC 19
12 r. Ferme ✆ 46 21 08 08, Télex 203114, Fax 46 21 76 15
sans rest – |‡| TV ☎. AE ⓓ GB – ☕ 32 – **52 ch** 340/395.

Paris AB19-20
104 bis r. Paris ✆ 46 05 13 82, Télex 632156, Fax 48 25 10 43
sans rest – |‡| TV ☎. AE ⓓ GB – ☕ 32 – **31 ch** 315/395.

XXXX **Au Comte de Gascogne** AB 19
89 av. J.-B. Clément ✆ 46 03 47 27, Fax 46 04 85 70
« Jardin d'hiver » – ▤. AE ⓓ GB JCB
fermé 14 au 18 août, sam. soir en août, sam. midi et dim. – **R** carte 400 à 580.

XX **L'Auberge** AB 19
86 av. J.-B. Clément ✆ 46 05 67 19, Fax 46 05 23 16
▤. AE ⓓ GB
fermé août, sam., dim. et fêtes – **R** 190.

XX **La Bretonnière** AB 19
120 av. J.-B. Clément ✆ 46 05 73 56
GB – *fermé sam. et dim.* – **R** 200.

ALFA-ROMEO Lov'Auto, 23 r. Solférino ✆ 46 21 50 60
BMW Zol'Auto, 24 r. du Chemin Vert ✆ 46 09 91 43 N ✆ 46 08 23 00
CITROEN Augustin, 53 r. Danjou ✆ 46 09 93 75
FIAT-LANCIA Fiat Auto France, 58 r. Denfert-Rochereau ✆ 46 04 41 62
JAGUAR, ROVER Adam Clayton, 77 av. P.-Grenier ✆ 46 09 15 32
MERCEDES Port Marly Gar., 32 bis rte de la Reine ✆ 46 03 50 50
PEUGEOT-TALBOT Paris Ouest Autom., 74 rte de la Reine ✆ 46 05 43 43
PEUGEOT-TALBOT Paris Ouest Autom., 21/23 quai A.-Le Gallo ✆ 46 05 43 43
RENAULT Succursale, 577 av. Gén.-Leclerc ✆ 47 61 39 39 N
RENAULT, ALPINE Centre Alpine, 120 r. Thiers ✆ 46 20 12 13
V.A.G Aguesseau Autom., 183 r. Gallieni ✆ 46 05 62 60

Cent Mille Pneus, 148 rte de la Reine ✆ 46 03 02 02
Etter-Pneus, 57 r. Thiers ✆ 46 20 18 55

Le Bourget 93350 Seine-St-Denis 101 ⑰ 20 **G. Ile de France** – 11 699 h. alt. 66.

Voir Musée de l'Air et de l'Espace★★.

Paris 11 – Bobigny 5 – Chantilly 37 – Meaux 41 – St-Denis 6,5 – Senlis 37.

Novotel L 38
ZA pont Yblon au Blanc Mesnil ✉ 93150 ✆ 48 67 48 88, Télex 230115, Fax 45 91 08 27
M, , , – |‡| ch ▤ TV ☎ ♿ Ⓟ – 25 à 200. AE ⓓ GB
R carte environ 150 , enf. 50 – ☕ 49 – **143 ch** 450/480.

FIAT, LANCIA-AUTOBIANCHI Actis-Barone, 77 av. Division-Leclerc ✆ 48 37 91 30
RENAULT Gar. Bon, 132 av. Division-Leclerc ✆ 48 37 01 12

Piot-Pneu, 190 av. Ch.-Floquet à Blanc-Mesnil ✆ 48 67 17 40

Bry-sur-Marne 94360 Val-de-Marne 101 ⑱ 24 – 13 826 h. alt. 39.

Paris 16 – Créteil 10,5 – Lagny-sur-Marne 19.

Bryhôtel AC 46
1 av. Europe (Z.A.C. Fontaines Giroux) ✆ 49 83 87 20, Fax 49 83 89 98
M – TV ☎ ♿ P. GB
R *(fermé dim. soir)* 75/125 ♨, enf. 37 – ☕ 28 – **44 ch** 250 – P 217.

Buc 78530 Yvelines 101 ㉓ 22 – 5 434 h. alt. 112.

Paris 24 – Bièvres 7,5 – Chevreuse 12 – Versailles 4,5.

Climat de France AL 9
Z.A.C. du Haut Buc ✆ 39 56 48 11, Télex 699220, Fax 39 56 81 54
– TV ☎ ♿ P – 25. AE GB
R 86/140 ♨, enf. 40 – ☕ 35 – **43 ch** 285.

XXX **Relais de Courlande** AL 9
2 r. Collin-Mamet au Haut Buc ✆ 39 56 24 29, Fax 39 56 03 92
avec ch, – TV ☎ P. AE GB
R *(fermé 3 au 24 août, dim. soir et lundi)* 120/340 – ☕ 30 – **12 ch** 240/350.

RENAULT Succursale, ZI, r. R. Garros ✆ 30 84 60 00 N ✆ (1) 05 05 15 15

Bussy-St-Georges 77 S.-et-M. 101 ⑳ – rattaché à Marne-la-Vallée.

La Celle-St-Cloud 78170 Yvelines 101 ⑬ 18 – 22 834 h. alt. 120.

Paris 20 – Rueil-Malmaison 6,5 – St-Germain-en-Laye 7,5 – Versailles 5 – le Vésinet 9,5.

X **Au Petit Chez Soi** AA 11
pl. Église ✆ 39 69 69 51
AE GB
R 155 ♨.

Champs-sur-Marne 77 S.-et-M. 101 ⑲ – rattaché à Marne-la-Vallée.

Châteaufort 78117 Yvelines 101 ㉒ 22 – 1 427 h. alt. 153.

Paris 30 – Arpajon 28 – Rambouillet 25 – Versailles 10.

XXX **La Belle Epoque** (Peignaud) AR 6
✆ 39 56 21 66
, « Auberge rustique dominant le vallon » – . AE GB
fermé 10 août au 8 sept., 24 déc. au 5 janv., dim. soir et lundi – **R** carte 275 à 460
Spéc. Terrine de Saint-Pierre, Ormaux aux tagliatelles gratinées, Grenadin de veau.

Châtillon 92320 Hauts-de-Seine 101 ㉕ 22 – 26 411 h.

Paris 7,5 – Boulogne-Billancourt 6,5 – Nanterre 17 – Versailles 13.

I.D.F. AG 23
40 av. Verdun ✆ 42 53 03 03, Télex 632461, Fax 42 53 53 91
M – TV ☎ ♿ P – 70. AE GB
Grill **R** 100/125 – ☕ 50 – **80 ch** 500/550.

Chaville 92370 Hauts-de-Seine 101 ㉓ 22 – 17 784 h. alt. 87.

Paris 13 – Nanterre 14 – Versailles 5.

XX **La Tonnelle** AG 15
29 r. Lamennais ✆ 47 50 42 77
– . GB
fermé 4 au 25 août, vacances de fév. et lundi – **R** 180/240, enf. 90.

Évitez de fumer au cours du repas :
vous altérez votre goût et vous gênez vos voisins.

Chelles 77500 S.-et-M. 101 ⑲ 20 – 45 365 h. alt. 45.

Paris 22 – Coulommiers 42 – Meaux 27 – Melun 45.

Climat de France W 52
D 34, rte Claye-Souilly ✆ 60 08 75 58, Télex 691149, Fax 60 08 90 94
M, – TV ☎ ♿ P – 50. AE GB
R 87/120, enf. 39 – 29 – **43 ch** 310 – P 240.

L'Eau Vive W 51
42 r. Gambetta ✆ 60 08 10 10
produits de la mer – . GB
fermé 27 avril au 10 mai, 10 août au 7 sept., dim. soir et lundi – **R** 140 (sauf vend. soir et sam. soir) et carte 185 à 360, enf. 68.

Rôt. Briarde X 51
43 r. A. Meunier ✆ 60 08 02 78, Fax 60 08 85 76
, – P. AE GB
fermé août, lundi soir et mardi – **R** carte 230 à 365, enf. 65.

CITROEN Pacha, 59 av. Mar.-Foch ✆ 60 08 56 01 N ✆ 64 26 17 96
FORD Dubos, 92 av. Mar.-Foch ✆ 60 20 43 42
OPEL Chelles-Autom., ZI, av. de Sylvie ✆ 60 08 53 02
PEUGEOT-TALBOT Metin, 53 av. Mar.-Foch ✆ 60 08 57 57
RENAULT Gar. de Chelles, 9 av. du Marais ✆ 64 21 19 81 N ✆ 60 26 15 88
V.A.G Gar. Lourdin, 33 r. G.-Nast ✆ 60 08 38 42

La Centrale du Pneu, 41 r. A.-Meunier ✆ 60 08 07 68

Chennevières-sur-Marne 94430 Val-de-Marne 101 ㉘ 24 – 17 857 h. alt. 100.

18 d'Ormesson ✆ 45 76 20 71, SE : 3 km.

Paris 19 – Coulommiers 48 – Créteil 9 – Lagny-sur-Marne 22.

Écu de France AG 45
31 r. Champigny ✆ 45 76 00 03
<, , « Cadre rustique, terrasse fleurie en bordure de rivière », – P. GB.
fermé 1er au 7 sept., dim. soir et lundi – **R** carte 220 à 355.

BMW Gar. du Bac, 2 et 4 r. Lavoisier ✆ 45 76 33 33
FIAT Carrefour des Nations, 2 rte de la Libération ✆ 45 76 56 05
RENAULT SOVEA, 96 rte de la Libération ✆ 45 76 96 70
VOLVO Volvo Alma, 102 rte de la Libération ✆ 45 93 04 00

Clamart 92140 Hauts-de-Seine 101 ㉔ 22 – 47 214 h.

Paris 10 – Boulogne-Billancourt 5 – Issy-les-Moulineaux 3,5 – Nanterre 16 – Versailles 13,5.

du Trosy AG 21
41 r. P. Vaillant-Couturier ✆ 47 36 37 37, Télex 631956, Fax 47 36 88 38
sans rest – TV ☎ ♿ . AE GB
30 – **40 ch** 310/340.

CITROEN S.E.G.A.C., 323 av. Gén.-de-Gaulle ✆ 46 30 45 90
PEUGEOT-TALBOT Claudis, 182 av. Gén.-de-Gaulle ✆ 46 32 16 40
RENAULT Clamart Automobiles, 185 av. V.-Hugo ✆ 46 44 38 03
V.A.G S.T.N.A., 154 av. Victor-Hugo ✆ 46 42 20 61

Clamart Pneus, 329 av. Gén.-de-Gaulle ✆ 46 31 12 04

Circulez en Banlieue de Paris avec les Plans Michelin *à 1/15 000.*

17 *Plan Nord-Ouest*
19 *Plan Nord-Est*
21 *Plan Sud-Ouest*
23 *Plan Sud-Est*
18 *Plan et répertoire des rues Nord-Ouest*
20 *Plan et répertoire des rues Nord-Est*
22 *Plan et répertoire des rues Sud-Ouest*
24 *Plan et répertoire des rues Sud-Est*

Clichy 92110 Hauts-de-Seine 101 ⑮ 18 – 48 030 h. alt. 30.

Paris 8 – Argenteuil 8 – Nanterre 8 – Pontoise 28 – St-Germain-en-Laye 20.

Victoria T 26
15 rue Pierre Curie ℘ 47 56 05 00, Télex 615798
sans rest – |♦| TV ☎. AE ⓞ GB JCB
☕ 35 – **28 ch** 380/450.

Girbal T 25
14 r. Dagobert ℘ 47 37 54 24, Fax 47 30 05 80
sans rest – |♦| TV ☎ 🚗. AE ⓞ GB
☕ 28 – **42 ch** 320.

Le Ruthène U 26
35 r. Klock ℘ 47 37 02 51, Télex 613461
sans rest – |♦| TV ☎. GB. ✻
☕ 28 – **20 ch** 320/350.

des Chasses T 25
49 r. des Chasses ℘ 47 37 01 73, Fax 47 31 40 98
M sans rest – |♦| TV ☎. AE ⓞ GB
☕ 28 – **35 ch** 310/330.

L'Europe T 26
52 bd Gén. Leclerc ℘ 47 37 13 10, Fax 40 87 11 06
sans rest – |♦| TV ☎. AE GB
☕ 30 – **43 ch** 330/360.

Barrière de Clichy (Le Gallès) U 26
1 r. Paris ℘ 47 37 05 18, Fax 47 37 77 05
▤. AE ⓞ GB JCB
fermé 1er au 17 août, sam. midi et dim. – **R** 270 bc/370
Spéc. Vinaigrette d'huîtres et saumon, Filet de lapereau au camembert, Pigeonneau rôti au chou.

La Bonne Table T 25
119 bd J.-Jaurès ℘ 47 37 38 79
produits de la mer – ▤. GB
fermé 31 juil. au 2 sept., sam. midi et dim. – **R** 250/400.

Dagobert T 25
76 r. Martre ℘ 42 70 05 64
▤. GB
fermé 2 au 30 août, sam. midi et dim. – **R** 130 et carte 215 à 335.

BMW G.P.M., 8 rue de Belfort ℘ 47 39 99 40
CITROEN Centre Citroën Clichy, 125 bd J.-Jaurès ℘ 42 70 17 17
CITROEN Succursale, 15-17 r. Fournier ZAC ℘ 47 37 00 54
Ⓜ Central-Pneumatique, 22 r. Dr- Calmette ℘ 42 70 99 94
P.S.T.A., 107 bd V.-Hugo ℘ 42 70 11 43

Collégien 77 S.-et-M. 101 ㉚ – rattaché à Marne-la-Vallée.

Cormeilles-en-Parisis 95240 Val-d'Oise 101 ③ ④ 18 – 17 417 h. alt. 115.

Paris 21 – Argenteuil 7 – Maisons-Laffitte 8,5 – Pontoise 14.

Aub de l'Hexagone K 16
32 r. Pommiers ℘ 39 78 77 49
Ⓟ. AE ⓞ GB. ✻
fermé 3 au 25 août et dim. – **R** 120/175.

CITROEN Cormeilles Autos, 27 bd Joffre ℘ 39 78 01 64
RENAULT Gar. Parisis, 29 bd Joffre ℘ 39 78 41 32
SEAT J.C.A. Automobiles, 19 bd Mar.-Joffre ℘ 39 78 11 06

Courbevoie **92400** Hauts-de-Seine 101 ⑭ 18 **G. Ile de France** – 65 389 h. alt. 34.

Paris 10 – Asnières-sur-Seine 3 – Levallois-Perret 5,5 – Nanterre 4 – St-Germain-en-Laye 16.

Blois U 21-22
85 bd St-Denis ☎ 43 33 13 35, Télex 612576, Fax 47 88 24 80
sans rest – TV ☎. AE GB – 33 – **30 ch** 370/410.

Marina U 20
18 av. Marceau ☎ 43 33 57 04, Télex 615305, Fax 47 88 59 38
sans rest – TV ☎. AE GB – 35 – **31 ch** 360/420.

Quartier Charras :

Paris Penta U 20
18 r. Baudin ☎ 49 04 75 00, Télex 610470, Fax 47 68 83 32
M – rest TV ☎ – 25 à 300. AE GB JCB. rest
L'Atelier R carte 190 à 295, enf.85 – 60 – **494 ch** 660/790.

au Parc de Bécon :

Trois Marmites U 22
215 bd St-Denis ☎ 43 33 25 35
. AE GB
fermé août, sam. et dim. – **R** 200.

RENAULT Succursale, 8 bd G.-Clemenceau ☎ 43 34 45 45 N ☎ 42 52 82 82

Cenci-Pneu, 8 r. de Bitche ☎ 43 33 25 36

Créteil P **94000** Val-de-Marne 101 ㉗ 24 **G. Ile de France** – 82 088 h. alt. 49.

Voir Hôtel de ville★ : parvis★.

Office de Tourisme 1 r. F.-Mauriac ☎ 48 98 58 18.

Paris 14 – Bobigny 19 – Évry 35 – Lagny-sur-Marne 28 – Melun 35.

Novotel AJ 38
au lac ☎ 42 07 91 02, Télex 264177, Fax 48 99 03 48
M, – ch TV ☎ – 50. AE GB
R carte environ 160 , enf. 50 – 49 – **110 ch** 450/490.

Ibis AK 38
carrefour Pompadour, 14 r. Basse Quinte ☎ 49 80 12 22, Télex 262378, Fax 43 99 04 45
M – TV ☎ – 30. GB
R 86 , enf. 39 – 32 – **84 ch** 290/305.

Le Cristolien AH 40
29 av. P. Brossolette, N 19 ☎ 48 98 12 01, Fax 42 07 24 47
. AE GB
fermé sam. midi et dim. – **R** 180/300.

CITROEN Citroën Palais Sport Auto, 30 r. de Valenton ☎ 42 07 81 18
PEUGEOT-TALBOT SCA-SVICA, 89 av. Gén.-de-Gaulle ☎ 43 39 50 00
RENAULT SVAC, ZI Petites Haies, 37 r. de Valenton ☎ 48 99 72 50

Créteil-Pneu, 90 av. Mar.-de-Lattre-de-Tassigny ☎ 42 07 36 58

Croissy-Beaubourg **77** S.-et-M. 101 ㉚ – rattaché à Marne-la-Vallée.

Croissy-sur-Seine **78290** Yvelines 101 ⑬ 18 – 9 098 h.

Paris 20 – Maisons-Laffitte 10 – Pontoise 27 – St-Germain-en-Laye 4,5 – Versailles 9.

La Buissonnière W 11
9 av. Mar. Foch ☎ 39 76 73 55
GB – *fermé août, dim. soir et lundi* – **R** carte 160 à 240.

FORD Croissy Automobiles, 4 r. des Ponts ☎ 39 76 22 17

La Défense 92 Hauts-de-Seine 101 ⑭ 18 G. Paris – ✉ 92400 Courbevoie.

Voir Quartier** : perspective* du parvis.

Paris 8,5 – Courbevoie 1,5 – Nanterre 2,5 – Puteaux 1.

Sofitel Paris CNIT — U 19-V 19
2 pl. Défense ✆ 46 92 10 10, Télex 613782, Fax 46 92 10 50
M – ch. AE GB JCB. rest
R voir rest. **Les Communautés** ci-après – 90 – **141 ch** 1300/1600, 6 appart. 2500/3000.

Sofitel Paris La Défense — V 20
34 cours Michelet, par bd circulaire sortie Défense 4 ✆ 47 76 44 43, Télex 612189, Fax 47 73 72 74
M – ch – 50. AE GB. rest
Les 2 Arcs R 325 (déj.) sauf dim. et carte 260 à 420 – 90 – **150 ch** 1200.

Novotel Paris La Défense — V 21
2 bd Neuilly ✆ 47 78 16 68, Télex 630288, Fax 47 78 84 71
M, ← – – 25 à 150. AE GB JCB
R carte environ 150, enf. 52 – 55 – **278 ch** 720/750.

Ibis Paris La Défense — V 21
4 bd Neuilly ✆ 47 78 15 60, Télex 611555, Fax 47 78 94 16
M – – 120. GB
R 77/98, enf. 43 – 35 – **284 ch** 455.

Fouquet's Europe — V 19
au CNIT, 2 pl. Défense, 5e étage ✆ 46 92 28 04, Fax 46 92 28 16
AE GB JCB.
fermé sam. midi et dim. – **R** carte 270 à 430
Spéc. Petits gris des Charentes en meurette, Blanc de Saint-Pierre au fumet de bigorneaux, Tarte aux pommes paysanne et glace vanille.

Les Communautés - Hôtel Sofitel Paris CNIT — UV 19
2 pl. Défense ✆ 46 92 10 10, Fax 46 92 10 50
AE GB JCB
fermé sam. et dim. – **R** carte 300 à 420
Spéc. Foie gras chaud aux lentilles, Duo de turbot et barbue aux rattes, Nougat glacé à l'ancienne.

Draveil 91210 Essonne 101 ㊱ – 27 867 h. alt. 55.

Office de Tourisme Parc de l'Hôtel de Ville ✆ 69 03 09 39.

Paris 32 – Arpajon 18 – Évry 5,5.

Arpège
46 av. Bellevue ✆ 69 42 28 16, Télex 681076, Fax 69 03 94 04
M (rest. prévu) – – 30. AE GB
30 – **33 ch** 270/300.

à Champrosay SE : 3 km par N 448 – ✉ **91210** :

Bouquet de la Forêt
rte l'Ermitage ✆ 69 42 56 08
, « A l'orée de la forêt » – . GB
fermé 27 juil. au 24 août, lundi et le soir (sauf vend. et sam.) – **R** carte 235 à 405.

FORD A.M.V., ZI Réveil Matin Ancienne RN 5 Montgeron ✆ 69 40 76 00
RENAULT Gar. du Plateau, 156bis av. de la République à Montgeron ✆ 69 03 28 52
RENAULT Gar. Pouvreau, 50 av. H.-Barbusse ✆ 69 42 22 34

Émerainville 77 S.-et-M. 101 ㉙ – rattaché à Marne-la-Vallée.

Enghien-les-Bains 95880 Val-d'Oise 101 ⑤ 18 G. Ile de France – 10 077 h. alt. 50 –
Stat. therm. (fermé janv.) – Casino .

Voir Lac★ – Deuil-la-Barre : chapiteaux historiés★ de l'église N.-Dame NE : 2 km.

18 de Domont Montmorency ☎ 39 91 07 50, N : 8 km.

Office de Tourisme 2 bd Cotte ☎ 34 12 41 15.

Paris 19 – Argenteuil 4,5 – Chantilly 31 – Pontoise 21 – St-Denis 7 – St-Germain-en-Laye 19.

Grand Hôtel — K 2
85 r. Gén. de Gaulle ☎ 34 12 80 00, Télex 607842, Fax 34 12 73 81
M, , – ch ☎ – 25. AE GB
R 210/450 – 70 – **48 ch** 980/1100, 3 appart. 1400 – P 770/830.

XXXX ✿✿ **Duc d'Enghien** — J 2
au Casino ☎ 34 12 90 00 – , lac, – . AE GB
fermé août, 2 au 10 janv., dim. soir et lundi – **R** 325 (déj.) et carte 460 à 65
Spéc. Langoustines à la vanille et menthe fraîche, Turbot rôti clouté au laurier, Ris de veau rô
jus de persil (oct. à mai).

XX **Aub. Landaise** — J 2
32 bd d'Ormesson ✉ 95880 ☎ 34 12 78 36
. AE GB – *fermé août, dim. soir et merc.* – **R** carte 150 à 265.

CITROEN Namont, 150 av. Division Leclerc ☎ 34 12 75 06
OPEL Enghien-Automobile, 211 av. Division Leclerc ☎ 39 89 14 17
PEUGEOT-TALBOT Gar. des 3 Communes, 8 rte de St-Denis à Deuil-la-Barre ☎ 39 83 22 62
RENAULT Succursale, 65/67 av. Division Leclerc à Deuil-la-Barre ☎ 34 12 46 46

Épinay-sur-Seine 93800 Seine-St-Denis 101 ⑮ 18 – 48 762 h. alt. 38.
Paris 14 – Argenteuil 4,5 – Bobigny 12 – Pontoise 21 – St-Denis 5,5.

Ibis — L 2
1 av. 18-Juin-1940 ☎ 48 29 83 41, Télex 236655, Fax 48 22 93 03
M, – ☎ – 55. GB
R 91, enf. 39 – 32 – **91 ch** 310/330.

Piot-Pneu, 123-125 av. Mar.-de-Lattre ☎ 48 41 43 75

Euro-Disney 77 S.-et-M. 101 ⑳ – rattaché à Marne-la-Vallée.

Fontenay-aux-Roses 92260 Hauts-de-Seine 101 ㉕ 22 – 23 322 h.
Paris 8,5 – Boulogne-Billancourt 7,5 – Nanterre 18 – Versailles 15.

Climat de France — AH
32 av. J. M. Dolivet ☎ 43 50 02 04, Télex 632183, Fax 46 83 81 20
M – ☎ – 50. AE GB
R 88/130 , enf. 46 – 34 – **58 ch** 330.

CITROEN B.F.A., 98 r. Boucicaut ☎ 46 61 21 75
FORD Mecanoel, 2 r. des Benards angle av. Lombart ☎ 46 61 11 14
RENAULT Beck, 17 av. Jean-Moulin ☎ 43 50 61 90

Fontenay-sous-Bois 94120 Val-de-Marne 101 ⑰ 20 24 – 51 868 h. alt. 102.
Paris 10,5 – Créteil 9,5 – Lagny-sur-Marne 23 – Villemomble 7 – Vincennes 4.

Mercure — Z 42
av. Olympiades ☎ 49 74 88 88, Télex 262159, Fax 43 94 17 73
M, – ch ☎ – 80. AE GB JCB
R carte 140 à 200 , enf. 45 – 50 – **133 ch** 550/630.

Climat de France — AA 41
18 av. Rabelais ☎ 48 76 21 98, Télex 262629, Fax 48 76 25 96
☎ – 25. AE GB
R 85/115 , enf. 36 – 32 – **59 ch** 300.

X **La Musardière** — AA 42
61 av. Mar. Joffre ☎ 48 73 96 13
. GB – *fermé août, lundi soir, mardi soir et dim.* – **R** 138.

Fourqueux 78112 Yvelines 101 ⑫ – 4 053 h.

Paris 25 – Poissy 7 – St-Germain-en-Laye 4 – Versailles 18.

XX **Le Timbalier**
2 r. Mar. Foch ☎ 39 73 75 75
AE GB
fermé dim. soir et lundi – **R** 130/200 ♂.

Garches 92380 Hauts-de-Seine 101 ⑬ 22 – 17 957 h. alt. 114.

18 18 (privé) ☎ 47 01 01 85, parc de Buzenval, 60 r. 19-Janvier.

Paris 15 – Courbevoie 8,5 – Nanterre 8 – St-Germain-en-Laye 14 – Versailles 8,5.

X **La Tardoire** AB 15
136 Grande Rue ☎ 47 41 41 59
GB
fermé 15 juil. au 19 août, 4 au 14 janv., dim. soir et lundi – **R** 100 (déj.)/160.

CITROEN Gar. Magenta, 4 bd Gén de Gaulle ☎ 47 41 67 36

La Garenne-Colombes 92250 Hauts-de-Seine 101 ⑭ 18 – 21 754 h. alt. 25.

Syndicat d'Initiative 24 r. E.-d'Orves ☎ 47 85 09 90.

Paris 11,5 – Argenteuil 6 – Asnières-sur-Seine 4,5 – Courbevoie 2 – Nanterre 2 – Pontoise 27 – St-Germain-en-Laye 14.

XX **Aub. du 14 Juillet** T 21
9 bd République ☎ 42 42 21 79
AE ① GB
fermé 1er au 17 mai, sam., dim. et fêtes – **R** carte 245 à 390.

XX **La Sartorine** T 21
23 r. Sartoris ☎ 47 60 14 40
– AE ① GB
fermé 14 août au 8 sept., sam. et dim. – **R** 130/290.

XX **Aux Gourmets Landais** T 20
5 av. Joffre ☎ 42 42 22 86
– AE ① GB
fermé 15 août au 15 sept., dim. soir et lundi – **R** 190/200 ♂, enf. 52.

FIAT, LANCIA Lutèce Autom., 86 r. Faidherbe ☎ 47 80 10 10 N ☎ 49 89 80 75

PEUGEOT-TALBOT Succursale, 9 bd National ☎ 47 80 71 67

Gennevilliers 92230 Hauts-de-Seine 101 ⑮ 18 – 44 818 h. alt. 29.

Office de Tourisme 177 av. G.-Péri (fermé matin) ☎ 47 99 33 92.

Paris 11,5 – Nanterre 11 – Pontoise 23 – St-Denis 4,5 – St-Germain-en-Laye 23.

Résidence du Parc P 24
14 r. E. Varlin ☎ 47 92 05 62, Télex 613815, Fax 47 94 04 07
sans rest – TV ☎. GB
☐ 29 – **20 ch** 290/310.

Gentilly 94250 Val-de-Marne 101 ㉕ 24 – 17 093 h. alt. 47.

Paris 6 – Créteil 13.

Saphir Paris Gentilly AF 29
51 av. Raspail ☎ 47 40 87 87, Fax 47 40 15 88
M, – ⇕ ch rest TV ☎ ♿ P – 35. AE ① GB
R 85/185 – ☐ 45 – **86 ch** 450.

Ibis AE 30
13 r. Val de Marne ☎ 46 64 19 25, Télex 634802, Fax 45 46 41 52
M – ⇕ TV ☎ – 25 à 100. GB
R 99 ♂, enf. 43 – ☐ 35 – **296 ch** 350/380.

For a description of French culinary terms or specialties, see the glossary pp 18 to 24.

Houilles 78800 Yvelines 101 ⑬ 18 – 29 650 h.

Paris 17 – Argenteuil 6 – Maisons-Laffite 4,5 – Pontoise 21 – St-Germain-en-Laye 10 – Versailles 20.

XX **Le Gambetta** R 15
41 r. Gambetta ✆ 39 68 52 12, Fax 30 86 97 22
AE GB
fermé dim. soir et lundi – **R** 140 (dîner) sauf sam./190.

CITROEN Gar. Clement, 28 r. Gambetta ✆ 39 68 74 12
FORD Gar. Farges, 71-73 bd Henri-Barbusse ✆ 39 14 25 25

Issy-les-Moulineaux 92130 Hauts-de-Seine 101 ㉔ 22 – 46 127 h. alt. 37.

Paris 6,5 – Boulogne-Billancourt 3 – Clamart 3,5 – Nanterre 12 – Versailles 16.

Campanile AD 21
213 r. J.-J. Rousseau ✆ 47 36 42 00, Télex 631246, Fax 47 36 88 93
M – ⎮$⎮ TV ☎ ♿ – P – 70. AE GB
R 85 bc/113 bc, enf. 39 – 29 – **168 ch** 345 – P 287/315.

XX **La Manufacture** AD 23
20 espl. Manufacture ✆ 40 93 08 98, Fax 40 93 57 22
AE GB
fermé 10 au 24 août, sam. midi et dim. – **R** 190 (déj.) et carte 200 à 280.

Ivry-sur-Seine 94200 Val-de-Marne 101 ㉖ 24 – 53 619 h. alt. 33.

Paris 7,5 – Créteil 9,5 – Lagny-sur-Marne 28.

Apogia AE 34
14 bd P. Vaillant-Couturier ✆ 46 71 56 56, Télex 260701, Fax 46 58 36 29
M – ⎮$⎮ rest TV ☎ ♿ P – 100. AE GB JCB
R 100/140, enf. 50 – 50 – **90 ch** 520/680.

Campanile AE 32
9 r. R. Villars, Pte d'Ivry ✆ 46 71 00 17, Télex 263966, Fax 46 58 91 00
M – ⎮$⎮ TV ☎ ♿ – 25. AE GB
R 85 bc/113 bc, enf. 39 – 29 – **159 ch** 345 – P 287/315.

Joinville-le-Pont 94340 Val-de-Marne 101 ㉗ 24 – 16 657 h. alt. 35.

Office de Tourisme à la Mairie ✆ 42 83 41 16.

Paris 11 – Créteil 6 – Lagny-sur-Marne 23 – Maisons-Alfort 4 – Vincennes 4,5.

Campanile AE 40
1 allée E. L'Heureux (N 4) ✆ 48 89 89 99, Télex 261664, Fax 48 89 76 49
M, – ⎮$⎮ TV ☎ ♿ . AE GB
R 85 bc/113 bc, enf. 39 – 29 – **122 ch** 330 – P 279/307.

PEUGEOT-TALBOT Restellini, 49 av. Gén.-Gallieni ✆ 48 86 30 30
RENAULT Girardin, 118 av. Roger Salengro à Champigny-sur-Marne ✆ 48 82 11 05 N ✆ 44 22 52 32
V.A.G Bonnet, 134 R. Salengro à Champigny ✆ 48 81 90 10
Inter Pneu, 33 av. Gén.-de-Gaulle à Champigny-sur-Marne ✆ 48 83 66 67
Piot Pneu, 146 av. R. Salengro à Champigny ✆ 48 81 32 12

Jouy-en-Josas 78350 Yvelines 101 ㉓ 22 G. Ile de France – 7 687 h. alt. 87.

Voir Église : la "Diège" ★ (statue).

Paris 21 – Arpajon 26 – Évry 29 – Rambouillet 37 – Versailles 7.

XXX **Rest. du Château** AL 14
à la Fondation Cartier, 3 r. Manufacture ✆ 39 56 46 46, Télex 696674, Fax 39 56 05 71
, « Dans un parc, exposition permanente d'art contemporain » – P. AE GB.
fermé 27 juil. au 17 août et 21 déc. au 4 janv. – **R** *(fermé dim. sauf le midi de mai à sept., mardi soir, merc. soir, vend. midi, sam. midi et lundi)* 280/380.

Juvisy-sur-Orge 91260 Essonne 101 ㊱ – 11 816 h. alt. 36.

Paris 20 – Évry 8,5 – Longjumeau 9 – Versailles 26.

Occitanie
2 r. Draveil ✆ 69 21 43 43, Télex 604316, Fax 69 45 53 50
– 25 à 40. AE GB
R *(fermé dim. soir et lundi)* 95/195 – 30 – **29 ch** 280/350.

CITROEN Gd Gar. de l'Essonne, 1 av. Cour de France ✆ 69 21 35 90

PEUGEOT-TALBOT Besse et Guilbaud, 38 av. Cour de France ✆ 69 21 55 33

Le Kremlin-Bicêtre 94270 Val-de-Marne 101 ㉖ 24 – 19 348 h. alt. 69.

Paris 6 – Boulogne-Billancourt 10 – Évry 29 – Versailles 25.

Campanile AE 31
bd Gén.-de-Gaulle ✆ 46 70 11 86, Télex 265328, Fax 46 70 64 47
M, – – 30 à 150. AE GB
R 85 bc/113 bc, enf. 39 – 29 – **155 ch** 345 – P 287/315.

Lagny-sur-Marne 77 S.-et-M. 101 ⑳ – rattaché à Marne-la-Vallée.

Levallois-Perret 92300 Hauts-de-Seine 101 ⑮ 18 – 47 548 h. alt. 30.

Paris 8 – Argenteuil 10 – Nanterre 6,5 – Pontoise 30 – St-Germain-en-Laye 18.

Parc U 23
18 r. Baudin ✆ 47 58 61 60, Télex 615488, Fax 47 48 07 92
M sans rest – . GB JCB
38 – **51 ch** 285/415.

Champerret-Danton V 23
63 r. Danton ✆ 47 57 01 55, Télex 615933, Fax 47 57 54 23
sans rest – . AE GB
30 – **39 ch** 300/350.

Espace Champerret V 24
26 r. Louise Michel ✆ 47 57 20 71, Fax 47 57 31 39
sans rest – . AE GB
33 – **36 ch** 345/390.

Splendid'H. V 24
75 r. Louise Michel ✆ 47 37 47 03, Fax 47 37 50 01
sans rest – . AE GB.
35 – **47 ch** 315/399.

Champagne H. U 23
20 r. Baudin ✆ 47 48 96 00, Télex 614817, Fax 47 58 13 79
M sans rest – . GB
27 – **30 ch** 320/370.

Hermès U 23
22 r. Baudin ✆ 47 59 96 00, Télex 620308, Fax 47 48 90 84
sans rest – . GB
38 – **33 ch** 330/415.

XXX **La Cerisaie** V 23
56 r. Villiers ✆ 47 58 40 61
GB – *fermé sam. et dim.* – **R** carte 285 à 380.

XX **Le Chou Farci** V 24
113 r. L. Rouquier ✆ 47 37 13 43
. GB.
fermé 1er au 23 août, lundi soir et dim. – **R** 160/200.

XX **Le Jardin** U 24
9 pl. Jean Zay ✆ 47 39 54 02
AE GB
fermé 12 au 18 août, sam. midi et dim. – **R** 150/220.

BMW Pozzi, 114-116 r. A.-Briand ✆ 47 39 46 60
FERRARI, Pozzi, 109. r. A.-Briand ✆ 47 39 96 50 N ✆ 46 42 41 78
FIAT, LANCIA Fiat Auto France, 80/82 quai Michelet ✆ 47 30 50 00
JAGUAR Franco Britannic Autos., 25 r. P.-Vaillant-Couturier ✆ 47 57 50 80 N ✆ 46 42 41 78
JAGUAR Gar. Wilson-Lacour, 116 r. Prés.-Wilson ✆ 47 39 92 50
MERCEDES, MITSUBISHI, PORSCHE Sonauto, 53 r. Marjolin ✆ 47 39 97 40
RENAULT Gar. Redele, 7-9 promenade des Ponts Ctre Eiffel ✆ 47 39 32 00

Central Pneu, 101 r. A.-France ✆ 47 58 56 70
Coudert, 2 r. de Bretagne ✆ 47 37 89 16

Linas 91310 Essonne 101 ㉞ – 4 767 h.

Paris 26 – Arpajon 5,5 – Évry 15 – Montlhéry 0,5.

XX **Escargot de Linas**
136 av. Div. Leclerc (rte Orléans) ✆ 69 01 00 30
– P. AE ① GB
fermé 10 au 31 août, lundi soir et dim. – **R** 200 et carte 255 à 405.

Livry-Gargan 93190 Seine-St-Denis 101 ⑱ 20 – 35 387 h. alt. 63.

Office de Tourisme pl. Hôtel de Ville ✆ 43 30 61 60.

Paris 18 – Aubervilliers 13 – Aulnay-sous-Bois 4 – Bobigny 6,5 – Meaux 28 – Senlis 39.

XXX **Aub. St-Quentinoise** T 45
23 bd République ✆ 43 81 13 08
– AE GB
fermé dim. soir et lundi – **R** carte 250 à 340.

XX **Petite Marmite** T 45
8 bd République ✆ 43 81 29 15
– ▤. GB
fermé 15 août au 1er sept. et merc. – **R** carte 210 à 335, enf. 100.

OPEL Gar. Guiot, 1-3 av. A.-Briand ✆ 43 02 63 31

Bonnet, 4 av. C.-Desmoulins ✆ 43 81 53 13

Longjumeau 91160 Essonne 101 ㉟ – 19 864 h. alt. 72.

Paris 20 – Chartres 69 – Dreux 85 – Évry 16 – Melun 38 – ♦Orléans 111 – Versailles 26.

Relais des Chartreux
à Saulxier SO : 2 km, sur N 20 ✉ 91160 Longjumeau ✆ 69 09 34 31, Télex 601245, Fax 69 34 57 70
M, ≤, , , , , – ▤ rest TV ☎ P – 180. AE GB
R 150/200, enf. 75 – **100 ch** ☕ 350/375 – P 340.

à Saulx-les-Chartreux SO par D 118 – 4 141 h. – ✉ **91160** :

Relais St-Georges
rte de Montlhéry : 1 km ✆ 64 48 36 40, Télex 603038, Fax 64 48 89 48
M , ≤, parc, , – TV ☎ P – 150. AE GB
fermé mi-juil. à mi-août – **R** 190/450 – ☕ 40 – **40 ch** 380/430.

Climat de France
av. S. Allendé (D 118) ✆ 64 48 09 00, Télex 600609, Fax 64 48 99 00
M, – TV ☎ ♿ P – 40. AE GB
R 89/130 , enf. 38 – ☕ 30 – **54 ch** 295 – P 250.

V.A.G Gar. du Postillon, ZI r. du Canal ✆ 69 09 52 37

La Centrale du Pneu, 5 rte de Versailles ✆ 69 34 11 50

Louveciennes 78430 Yvelines 101 ⑫ ⑬ 18 G. Ile de France – 7 446 h. alt. 130.

Paris 22 – St-Germain-en-Laye 5 – Versailles 8.

XX **Aux Chandelles** Y 8
12 pl. Église ✆ 39 69 08 40
, – AE GB
fermé 17 au 30 août, sam. midi et merc. – **R** 160 (déj.) et carte 250 à 340, enf. 90.

RENAULT Gar. de la Princesse, 17 rte de la Princesse ✆ 39 69 81 23

Maisons-Alfort 94700 Val-de-Marne 101 ㉗ 24 – 53 375 h. alt. 35.

Voir Charenton : musée du Pain★ NO : 3,5 km, **G. Ile de France.**

Paris 9,5 – Créteil 4 – Évry 35 – Melun 38.

XX **La Bourgogne** AG 37
164 r. J. Jaurès ✆ 43 75 12 75
. GB
fermé août, sam. et dim. – **R** 205/300.

RENAULT M.A.E.S.A., 8 av. Prof.-Cadiot ✆ 43 76 63 70 N ✆ 05 05 15 15
V.A.G Gar. de la Pointe, 65 av. E.-Cossonneau à Noisy-le-Grand ✆ 43 03 30 92

Le Page Pneus, 19 av. G.-Clemenceau ✆ 43 68 14 14
Vaysse, 249 av. de la République ✆ 42 07 36 85

Maisons-Laffitte 78600 Yvelines 101 ⑬ 18 G. Ile de France – 22 173 h. alt. 40.

Voir Château★.

Paris 21 – Argenteuil 10,5 – Mantes-la-Jolie 41 – Poissy 8 – Pontoise 18 – St-Germain-en-Laye 9,5 – Versailles 18.

XXX ✿✿ **Le Tastevin** (Blanchet) M 11
9 av. Eglé ✆ 39 62 11 67, Fax 39 62 73 09
, – AE GB JCB
fermé 18 août au 10 sept., vacances de fév., lundi soir et mardi – **R** carte 400 à 525
Spéc. Saint-Jacques rôties aux endives (oct. à mars), Ris de veau rôti dans son jus, Millefeuille au caramel et noix (sept. à mars).

XXX ✿✿ **Vieille Fontaine** (Clerc) L 12
8 av. Gretry ✆ 39 62 01 78
, – AE GB
fermé 30 juil. au 30 août, dim. et lundi – **R** 230 et carte 400 à 570
Spéc. Terrine de pieds de mouton "Poulette", Langoustines à la vanille et au gingembre, Ris de veau, ail et échalotes confites à la cannelle.

XX **Le Laffitte** M 11
5 av. St-Germain ✆ 39 62 01 53
AE GB
fermé août, dim. soir, mardi soir et merc. – **R** carte 210 à 315.

CITROEN Gar. du Parc, 75 r. de Paris ✆ 39 62 04 78
CITROEN Selier, 4 av. Longueil ✆ 39 62 04 05

Marly-le-Roi 78160 Yvelines 101 ⑫ 18 G. Ile de France – 16 741 h. alt. 150.

Voir Parc★.

Paris 22 – St-Germain-en-Laye 4 – Versailles 8.

XX **Les Chevaux de Marly** Y 7
5 pl. Abreuvoir ✆ 39 58 47 61, Fax 39 16 65 56
avec ch, , – TV . GB
R 158/250 bc – 45 – **8 ch** 360/460.

Marne-la-Vallée **77206** S.-et-M. **101** ⑲ ⑳ **24** **G. Ile de France.**

de Bussy-St-Georges ✆ 64 66 00 00.

Paris 28 – Meaux 28 – Melun 40.

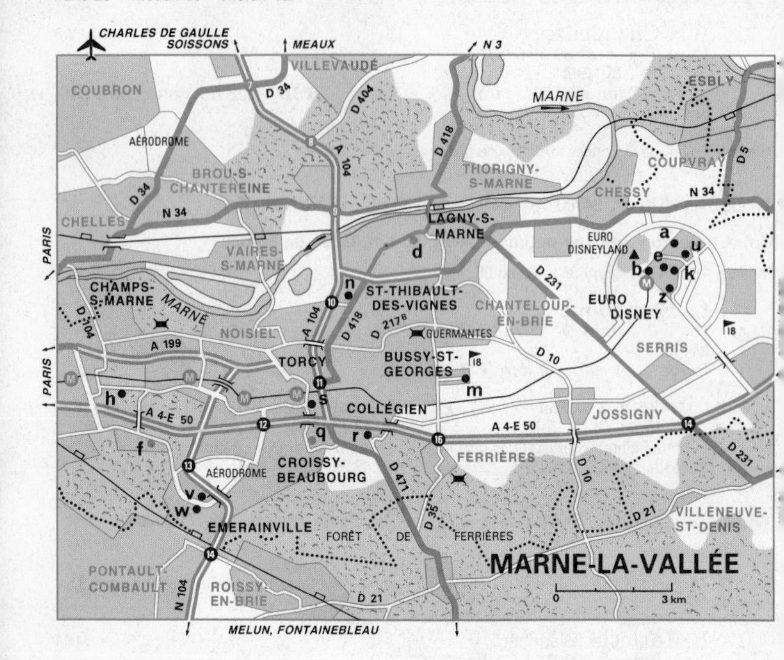

à Bussy-St-Georges – 1 545 h. – ✉ **77600**.

Voir Château★ : salon chinois★★ et parc★★ **G. Ile de France.**

Days H.

15 av. Golf **(m)** ✆ 64 66 30 30, Télex 693322, Fax 64 66 04 36
M, ch – 140. AE GB
R 150, enf. 60 – 55 – **96 ch** 440/650.

à Champs-sur-Marne – 21 611 h. alt. 74 – ✉ **77436**.

Arcade

cité Descartes, bd Newton **(h)** ✆ 64 68 00 83, Télex 693702, Fax 64 68 02 60
M, – 80. AE GB
R 98 – 35 – **110 ch** 310/340.

à Collégien – 2 331 h. – ✉ **77090**.

Novotel

à l'échangeur de Lagny A 4 **(r)** ✆ 64 80 53 53, Télex 691990, Fax 64 80 48 37
M, rest – 130. AE GB
R carte environ 150, enf. 50 – 52 – **200 ch** 450/490.

à Croissy-Beaubourg – 2 396 h. – ✉ **77183**.

L'Aigle d'Or

(q) ✆ 60 05 31 33, Fax 64 62 09 39
– AE GB
fermé dim. soir et lundi – **R** 250/450, enf. 150.

à Émerainville – 6 766 h. alt. 108 – ✉ **77184**.

Fimotel
ZI Pariest bd Beaubourg **(v)** ✆ 60 17 88 39, Télex 693274, Fax 64 62 12 34
M – ♿ TV ☎ & P – 80. AE ① GB JCB
R 85/150 ♨, enf. 36 – ☕ 39 – **80 ch** 350/370 – P 350.

Fimetap
Z.I. Pariest r. Emery **(w)** ✆ 60 06 38 34, Fax 60 17 86 05
M sans rest – TV ☎ & P – 25. AE ① GB – ☕ 36 – **40 ch** 310.

Au Faisan Doré
sur D 406 à Malnoue Emerainville **(f)** ✆ 64 61 71 90
P. AE ① GB
fermé 1er au 24 août, dim. soir et lundi – **R** 170/260, enf. 50.

à Euro Disney accès par autoroute A 4 et bretelle Euro-Disney.
Voir Parc Euro Disneyland★★★.

Disneyland
(b) ✆ 60 45 65 00, Fax 60 45 65 33
M, ←, « Bel ensemble de style victorien à l'entrée du parc d'attractions », – ch TV ☎ & P. AE GB.
California Grill R carte 300 à 375
Inventions R carte 200 à 250 enf. 60 – ☕ 140 – **479 ch** 1950/2750, 21 appart.

New-York
(e) ✆ 60 45 73 00, Fax 60 45 73 33
M, ←, « Espace rappelant l'architecture de Manhattan », – ch rest TV ☎ & P – 1 500. AE GB.
Rainbow Room (dîner dansant) **R** carte 300 à 450
Parkside Diner R 235, enf. 60 – ☕ 110 – **554 ch** 1600/2400, 19 appart.

Newport Bay Club
(z) ✆ 60 45 55 00, Fax 60 45 55 33
M, ←, « Évocation du bord de mer de la Nouvelle Angleterre », – ch TV ☎ & P. AE GB.
Cape Cod R 170/350
Yacht Club R 110bc/175bc, enf. 60 – ☕ 60 – **1 093 ch** 1100/1350, 5 apart. 2000.

Séquoia Lodge
(k) ✆ 60 45 51 00, Fax 60 45 51 33
M, ←, « Atmosphère d'un hôtel des Montagnes Rocheuses », – ch TV ☎ & P. AE GB. ch
Hunter's Grill R 165
Beaver Creek Tavern R carte 125 à 270, enf. 60 – ☕ 100 – **1 007 ch** 1100/1700, 4 appart. 1900.

Santa Fé
(u) ✆ 60 45 78 00, Fax 60 45 78 33
M, « Construction évoquant les pueblos du Nouveau Mexique » – ch rest TV ☎ & P. AE GB. ch
La Cantina R carte 110 à 160, enf. 60 – ☕ 60 – **1 000 ch** 750.

Cheyenne
(a) ✆ 60 45 62 00, Fax 60 45 62 33
M, « Reconstitution d'une petite ville du Far-West » – ch rest TV ☎ & P. AE GB. ch
Chuck Wagon Café R carte 110 à 160, enf. 60 – ☕ 60 – **1 000 ch** 750.

à Lagny-sur-Marne **G. Ile de France** – 18 643 h. alt. 44 – ✉ **77400**.
Voir Galerie★ du Château de Guermantes S : 3 km par D 35.
ℹ Office de Tourisme 5 cour Abbaye ✆ 64 30 68 77.

Egleny
13 av. Gén. Leclerc **(d)** ✆ 64 30 52 69, Fax 60 07 56 79
– P. AE ① GB – *fermé 4 au 11 mai, 10 au 31 août, 2 au 9 janv., dim. soir et lundi* – **R** 230 (déj.)/360.

à St-Thibault-des-Vignes – 4 207 h. – ✉ **77400**.

Relais Bleus
(n) ✆ 64 02 02 44, Télex 693908, Fax 64 02 40 70
M, – TV ☎ ♿ P – 25 à 35. AE GB
R 82/105, enf. 45 – ☕ 35 – **66 ch** 320/410.

à Torcy **G. Ile de France** – 18 681 h. alt. 98 – ✉ **77200**.

Campanile
34 r. Gén. de Gaulle **(s)** ✆ 60 17 84 85, Télex 691571, Fax 64 62 06 91
M, – TV ☎ ♿ P – 150. AE GB
R 85 bc/113 bc, enf. 39 – ☕ 29 – **164 ch** 330 – P 279/307.

CITROEN Yvois, 57 av. Leclerc à St-Thibault-des-Vignes ✆ 64 30 53 67
FORD Gar. Jamin, 34 av. Gén.-Leclerc à Lagny-sur-Marne ✆ 64 30 02 90
MERCEDES Compagnie de l'Est, 57 allée des Frènes à Champs-sur-Marne ✆ 64 68 70 87
PEUGEOT-TALBOT Métin Marne, 2 av. Gén.-Leclerc à Pomponne ✆ 64 30 30 30
PEUGEOT-TALBOT Queillé, 34 r. J.-Le-Paire à Lagny-sur-Marne ✆ 64 30 06 74
PEUGEOT-TALBOT Queille, 127-129 r. Gén.-Leclerc à Lagny-sur-Marne ✆ 64 30 06 74
RENAULT Gar. Brie des Nations, 4-6 av. P.-Mendès-France à Noisiel ✆ 60 05 92 92

La Centrale du Pneu, ZI, 6-8 r. C.-Chappe à Lagny-sur-Marne ✆ 64 30 55 00
Stand Pneus, ZAC le Ru de Nesles à Champs-sur-Marne ✆ 64 28 21 99

Marnes-la-Coquette 92430 Hauts-de-Seine 101 ㉓ 22 G. Ile de France – 1 594 h. alt. 136.

Voir Institut Pasteur - musée des Applications de la Recherche★.

Paris 14 – Nanterre 11,5 – St-Germain-en-Laye 12 – Versailles 6,5.

XX **Host. Tête Noire** AC 14
6 pl. Mairie ✆ 47 41 06 28
AE GB
fermé 9 au 27 août, dim. soir et lundi – **R** 200 bc/320 bc, enf. 100.

Massy 91300 Essonne 101 ㉟ 22 – 38 574 h.

Paris 19 – Arpajon 18 – Évry 22 – Palaiseau 2,5 – Rambouillet 40.

Mercure AS 22
21 av. Carnot (gare T.G.V.) ✆ 69 32 80 20, Télex 681670, Fax 69 32 80 25
M, – ch TV ☎ ♿ P – 50. AE GB
R carte environ 180 ₰, enf. 45 – ☕ 50 – **116 ch** 475/485.

CITROEN Massy Automobiles, rte de Chilly ✆ 69 30 27 27
RENAULT Villaines Automobiles, 8 r. de Versailles ✆ 69 30 13 70

La Centrale du Pneu, 12 r. Marcel Paul, ZI La Bombe ✆ 69 20 38 20

Meudon 92190 Hauts-de-Seine 101 ㉔ 22 G. Ile de France (plan) – 45 339 h. alt. 100.

Voir Terrasse★ : ❋★ – Forêt de Meudon★.

Paris 11,5 – Boulogne-Billancourt 4,5 – Clamart 2,5 – Nanterre 15 – Versailles 12.

XXX **Relais des Gardes** AE 19
à Bellevue, 42 av. Gallieni ✆ 45 34 11 79
AE ⓓ GB JCB
fermé 6 août au 6 sept., sam. midi et dim. – **R** 190/290.

XX **Lapin Sauté** AF 19
12 av. Le Corbeiller ✆ 46 26 68 68
AE ⓓ GB
fermé 31 juil. au 31 août, dim. soir et lundi – **R** 160 et carte 200 à 340.

au sud à Meudon-la-Forêt – ✉ **92360** :

Forest Hill AJ 18-19
40 av. Mar. de Lattre de Tassigny ✆ 46 30 22 55, Télex 203150, Fax 46 32 16 54
M, – – ⓟ – 150. AE ⓓ GB
R 98 bc/158 bc, enf. 69 – 55 – **155 ch** 390/550 – P 400/450.

Ibis AH 18
rte Verrières ✆ 45 37 09 09, Télex 632453, Fax 40 94 00 19
M, – – ⓟ – 25. GB
R 91/145, enf. 39 – 32 – **64 ch** 330/350.

CITROEN Gar. Rabelais, 31 bd Nations-Unies ✆ 46 26 45 50
PEUGEOT-TALBOT Coussedière, 2 bis r. Banès ✆ 46 26 49 06
RENAULT Gar. de l'Orangerie, 16 r. de l'Orangerie ✆ 45 34 27 18

Montmorency 95160 Val-d'Oise 101 ⑤ G. Ile de France – 20 920 h. alt. 130.

Voir Collégiale St-Martin★.

Env. Château d'Écouen★★ : musée de la Renaissance★★ (tenture de David et de Bethsabée★★★).

Paris 19 – Enghien-les-Bains 3,5 – Pontoise 24 – St-Denis 9,5.

Gem H.
42 av. Domont ✆ 34 17 00 02, Télex 699886, Fax 34 28 04 71
M, – – ⓟ – 60. AE GB
R carte environ 140 – 36 – **42 ch** 310/340 – P 270.

V.A.G Gar. des Loges, 63 r. des Chesneaux ✆ 39 64 95 78

Montreuil 93100 Seine-St-Denis 101 ⑰ 20 G. Ile de France – 94 754 h. alt. 75.

Voir Musée de l'Histoire vivante★.

Office de Tourisme 1 r. Kléber ✆ 42 87 38 09.

Paris 7 – Bobigny 9 – Lagny-sur-Marne 27 – Meaux 40 – Senlis 46.

Confortel Y 38
15-19 r. Franklin ✆ 48 59 00 03, Télex 651883, Fax 48 59 54 56
M, – – – 80. AE GB
R 79 bc/160 bc, enf. 43 – 35 – **89 ch** 345/480.

Modern'H. Y 38
8 bd P. Vaillant-Couturier ✆ 42 87 48 35
sans rest – . GB – 25 – **40 ch** 130/250.

XXX **Le Gaillard** Y 37
28 r. Colbert ✆ 48 58 17 37
– ⓟ. AE GB
fermé août, lundi soir et dim. – **R** 160.

CITROEN Succursale, 224-226 bd A.-Briand ℘ 48 59 64 00
RENAULT Succursale Renault-Montreuil, 57 r. A.-Carrel ℘ 48 51 98 21

Franor, 97 bd de Chanzy ℘ 42 87 39 60
Pneu-Service, 65 r. de St-Mandé ℘ 48 51 93 79

Montrouge 92120 Hauts-de-Seine 101 ㉕ 22 – 38 106 h. alt. 74.

Paris 5 – Boulogne-Billancourt 6,5 – Longjumeau 16 – Nanterre 15 – Versailles 19.

AE 27

Mercure
13 r. F.-Ory ℘ 46 57 11 26, Télex 632978, Fax 47 35 47 61
M – ⬚ – 150. AE ⓓ GB JCB
R carte environ 200, enf. 45 – ⊏ 55 – **192 ch** 700/880.

CITROEN Verdier-Montrouge, 99 av. Verdier ℘ 46 57 12 00
MERCEDES-BENZ Euro-Gar, 73 av. A.-Briand ℘ 47 35 52 20
RENAULT Colin-Montrouge, 59 av. République ℘ 46 55 26 20

Morangis 91420 Essonne 101 ㉟ – 10 043 h. alt. 76.

Paris 21 – Évry 14 – Longjumeau 4 – Versailles 23.

XXX **Le Sabayon**
15 r. Lavoisier ℘ 69 09 43 80
⬚. GB
fermé août, sam. midi, lundi soir et dim. – **R** 180 et carte 300 à 400.

PEUGEOT TALBOT Gar. Grandchamp, av. Ch.-de-Gaulle à Wissous ℘ 69 20 64 42
RENAULT Station Richard, rte de Savigny ℘ 69 09 47 50

Morsang-sur-Orge 91390 Essonne 101 ㊱ – 19 401 h. alt. 75.

Paris 24 – Corbeil-Essonnes 18 – Évry 8,5 – Versailles 30.

XX **La Causette**
47 bd Gribelette ℘ 60 15 16 85
AE GB
fermé 30 juil. au 23 août, sam. midi, dim. soir et lundi – **R** 85 (sauf vend. soir et sam. soir)/140, enf. 60.

CITROEN Essauto Diffusion, 91 rte de Corbeil ℘ 69 04 21 68

Nanterre P 92000 Hauts-de-Seine 101 ⑬ 18 G. Ile de France – 84 565 h. alt. 38.

Paris 12 – Beauvais 73 – Rouen 123 – Versailles 14.

W 15

XXX **Ile de France**
83 av. Mar. Joffre ℘ 47 24 10 44
⬚ – ⓟ. AE ⓓ GB
fermé août et dim. – **R** 160 et carte 210 à 315.

V 17

XX **La Rôtisserie**
180 av. G. Clemenceau ℘ 46 97 12 11, Fax 46 97 12 09
⬚ – GB
fermé dim. – **R** (prévenir) 150.

CITROEN Succursale, 100 av. F. Arago ℘ 47 80 71 20

Mery-Pneus, 9 r. des Carriers ℘ 47 24 77 05
Piot-Pneu, 74 av. V.-Lénine ℘ 47 24 61 01

Neuilly-sur-Seine **92200** Hauts-de-Seine 101 ⑮ 18 **G. Ile de France** – **61 768 h.** alt. 36.

Paris 7,5 – Argenteuil 10 – Nanterre 3,5 – Pontoise 32 – St-Germain-en-Laye 15 – Versailles 17.

L'Hôtel International de Paris — V 23
58 Bd V. Hugo ✆ 47 58 11 00, Télex 610971, Fax 47 58 75 52
M, – ♦ ≡ ch TV ☎ P – 120. AE ⓓ GB
R carte 150 à 250 – ☕ 75 – **318 ch** 780/1300, 3 appart.

Paris Neuilly — W 21
1 av. Madrid ✆ 47 47 14 67, Télex 613170, Fax 47 47 97 42
M sans rest – ♦ ≡ TV ☎. AE ⓓ GB JCB
☕ 50 – **74 ch** 555/810, 6 appart. 995.

Jardin de Neuilly — W 23
5 r. P. Déroulède ✆ 46 24 51 62, Télex 612004, Fax 46 37 14 60
sans rest – ♦ TV ☎. AE ⓓ GB. ✻
☕ 50 – **30 ch** 700/1200.

Parc Neuilly — U 22
4 bd Parc ✆ 46 24 32 62, Télex 613689, Fax 46 40 77 31
sans rest – ♦ TV ☎. GB
☕ 25 – **71 ch** 285/480.

Roule — W 23
37 bis av. Roule ✆ 46 24 60 09, Fax 40 88 37 89
sans rest – ♦ TV ☎. GB
☕ 33 – **35 ch** 350/450.

XXX ✿ **Jacqueline Fénix** — W 23
42 av. Ch. de Gaulle ✆ 46 24 42 61
≡. AE GB
fermé août, 24 déc. au 2 janv., sam. et dim. – **R** (nombre de couverts limité-prévenir) 330 et carte 310 à 430
Spéc. Vinaigrette de cresson et langoustines aux nouilles "grillotées", Dos de turbotin rôti, Cocotte de pigeon en ravioli de champignons des bois.

XXX ✿ **Truffe Noire** (Jacquet) — W 23
2 pl. Parmentier ✆ 46 24 94 14, Fax 46 37 27 02
GB. ✻
fermé 8 au 31 août, sam. et dim. – **R** 225 et carte 265 à 335
Spéc. Mousseline de brochet beurre blanc, Beuchelle à la tourangelle (sept. à nov.), Gratin de coquilles Saint-Jacques (oct. à mars).

XXX **Focly** — V 21
79 av. Ch. de Gaulle ✆ 46 24 43 36
cuisine chinoise – ≡. AE GB
fermé 9 au 23 août – **R** 105 (déj.) et carte 150 à 250.

XX **Tonnelle Saintongeaise** — U 22
32 bd Vital Bouhot ✆ 46 24 43 15
– GB
fermé 1er au 23 août, 21 déc. au 3 janv., sam. et dim. – **R** carte 190 à 270.

XX **Les Feuilles Libres** — V 22
34 r. Perronet ✆ 46 24 41 41, Fax 46 40 77 61
AE ⓓ GB
fermé 1er au 20 août, sam. midi et dim. – **R** 150 (déj.)/245 bc.

XX **Jarrasse** — W 21
4 av. Madrid ✆ 46 24 07 56
AE ⓓ GB
fermé août et dim. soir – **R** carte 285 à 490.

XX **San Valero** — V 21
209 ter av. Ch. de Gaulle ✆ 46 24 07 87
cuisine espagnole – AE ⓓ GB. ✻
fermé 24 déc. au 1er janv., sam. midi, dim. et fériés – **R** 140 (sauf sam.)/190.

XX **Chau'veau** — V 22
59 r. Chauveau ✆ 46 24 46 22
GB
fermé août, 22 déc. au 2 janv., sam. midi et dim. – **R** carte 190 à 285.

XX **Carpe Diem** V 22
10 r. Église ✆ 46 24 95 01
▤. ⓓ GB
fermé 1er au 8 mai, 1er au 27 août, 25 déc. au 2 janv., sam. midi et dim. – **R** (nombre de couverts limité, prévenir) 160 (dîner) et carte 250 à 340.

X **Bistrot d'à Côté Neuilly** W 21
4 r. Boutard ✆ 47 45 34 55
AE GB
fermé 1er au 10 mai, 1er au 15 août, sam. (sauf le soir de sept. à juin) et dim. – **R** 160 et carte 170 à 245.

X **La Catounière** W 22
4 r. Poissonniers ✆ 47 47 14 33
▤. GB
fermé 1er au 13 mai, 1er août au 2 sept., sam. midi et dim. – **R** 173 bc.

ALFA-ROMEO, FIAT Éts Hottot, 25 r. M.-Michelis ✆ 46 37 14 50
CITROEN Succursale, 124 av. A.-Peretti ✆ 47 47 11 22
VOLVO Actena, 16 r. d'Orléans ✆ 47 47 50 05
Ⓜ Maillot-Pneus, 69 av. Gén.-de-Gaulle ✆ 46 24 33 69

Nogent-sur-Marne

SP **94130** Val-de-Marne 101 ㉗ 24 **G. Ile de France** – 25 248 h. alt. 56.

🅸 **Office de Tourisme 5 av. Joinville (fermé matin)** ✆ **48 73 73 97.**

Paris 10 – Créteil 8 – Montreuil 4,5 – Vincennes 3,5.

Nogentel AC 42
8 r. Port ✆ 48 72 70 00, Télex 264549, Fax 48 72 86 19
– |♦| TV ☎ – 25 à 200. AE ⓓ GB
Le Panoramic *(fermé août)* **R** carte 280 à 395
Le Canotier grill **R** carte 140 à 255 ♂, enf.60 – ☕ 45 – **60 ch** 450/490.

Campanile AC 42-43
quai du port (Pt de Nogent) ✆ 48 72 51 98, Télex 263592, Fax 48 72 05 09
– |♦| TV ☎ ♿ – 30. AE GB
R 85 bc/113 bc, enf. 39 – ☕ 29 – **122 ch** 330 – P 279/307.

PEUGEOT Royal-Nogent-Gar., 44 Gde R. Ch.-de-Gaulle ✆ 48 73 68 90
Ⓜ Technigum Pneus, 2 av. A. Briand à Neuilly-sur-Marne ✆ 43 08 44 11

Orly (Aéroports de Paris)

94310 Val-de-Marne 101 ㉖ 24 – 21 646 h. alt. 89.

✈ ✆ **49 75 15 15.**

Paris 15 – Corbeil-Essonnes 18 – Créteil 14 – Longjumeau 12 – Villeneuve-St-Georges 8,5.

Hilton Orly AR 31
près aérogare ✉ 94544 ✆ 46 87 33 88, Télex 265971, Fax 49 78 06 75
M – |♦| ⇔ ch ▤ TV ☎ ♿ P – 300. AE ⓓ GB JCB
R 190/250 ♂ – ☕ 90 – **359 ch** 880/1500.

Altéa Paris Orly
N 7, Z.I. Nord ✉ 94547 ✆ 46 87 23 37, Télex 265665, Fax 46 87 71 92
M – |♦| ▤ TV ☎ ♿ P – 30. AE ⓓ GB
R carte 180 à 290 – ☕ 55 – **193 ch** 620/790.

Aérogare d'Orly Sud :

XX **Le Grillardin**
3e étage ✉ 94542 ✆ 49 75 78 23, Fax 49 75 36 69
← – ▤. AE ⓓ GB
R (déj. seul.) 180 et carte 190 à 300.

Aérogare d'Orly Ouest :

XXXX **Maxim's**
2e étage ✉ 94546 ✆ 46 86 87 84, Télex 265247, Fax 46 87 05 39
← – ▤. AE ⓓ GB
fermé août, sam. et dim. – **R** (déj. seul.) carte 390 à 530.

XXX **Grill Maxim's**
2e étage ✉ 94546 ✆ 46 87 16 16, Télex 265247, Fax 46 87 05 39
← – ▤. AE ⓓ GB
R 250 bc et carte 235 à 330.

Voir aussi à ***Rungis***

RENAULT S.A.P.A., Bât. 225, Aérogares ✆ 49 75 25 60

Palaiseau

91120 Essonne 101 ㉞ 22 – 28 395 h. alt. 80.
Paris 21 – Arpajon 17 – Chartres 70 – Évry 21 – Rambouillet 38.

Novotel AS 22
Z.I. de Massy ✆ 69 20 84 91, Télex 601595, Fax 64 47 17 80
M, – ▤ ▤ TV ☎ ♿ P – 25 à 120. AE ⓓ GB
R carte environ 150, enf. 50 – ☕ 49 – **151 ch** 450/480.

I.D.F.
82 r. Gutenberg, Z.A.E. Le Cardon ✆ 60 11 19 19, Télex 600769, Fax 60 11 05 90
M – ▤ ▤ rest TV ☎ ♿ P – 250. AE ⓓ GB
Grill R 100/125 – ☕ 50 – **84 ch** 480.

CITROEN Jean-Jaurès-Auto, 33 av. J.-Jaurès ✆ 60 14 09 92
RENAULT Palaiseau Autom., 14 r. E.-Branly ✆ 60 10 61 76
La Centrale du Pneu, 12 r. M.-Paul, ZI de la Bonde ✆ 42 63 23 63

Pantin

93500 Seine-St-Denis 101 ⑯ 20 – 47 303 h. alt. 45.
Paris 7 – Bobigny 4 – Montreuil 6 – St-Denis 7.

Référence H. V 34
22 av. J. Lolive ✆ 48 91 66 00, Télex 232900, Fax 48 44 12 17
M, – ▤ ▤ TV ☎ ♿ – 120. AE ⓓ GB. ✻ rest
R *(fermé sam., dim. et fériés)* 120/200 – ☕ 60 – **122 ch** 520/730, 3 appart. 1340.

Mercure Porte de Pantin U 34-V 34
r. Scandicci ✆ 48 46 70 66, Télex 230742, Fax 48 46 07 90
M – ▤ TV ☎ – 25 à 150. AE ⓓ GB JCB
R carte 150 à 200, enf. 45 – ☕ 52 – **129 ch** 615/720, 9 appart. 850.

Confortel U 35
96 av. Gén. Leclerc ✆ 48 91 05 51, Fax 48 43 97 35
M – ▤ TV ☎ ♿ P – 25 à 150. GB
R 59/120, enf. 37 – ☕ 30 – **89 ch** 330/350.

CITROEN Succursale, 68 av. Gén.-Leclerc ✆ 48 44 28 58
RENAULT Succursale, 13 av. Gén.-Leclerc ✆ 49 42 38 38
Maillot Pneus, 160 av. J.-Jaurès ✆ 48 45 25 85
Steier-Pneus, 217 av. J.-Lolive ✆ 48 44 36 80

Le Perreux-sur-Marne

94170 Val-de-Marne 101 ⑱ 24 – 28 477 h. alt. 54.
Office de Tourisme pl. R.-Belvaux ✆ 43 24 26 58.
Paris 16 – Créteil 11,5 – Lagny-sur-Marne 17 – Villemomble 7,5 – Vincennes 6,5.

XXX **Les Magnolias** (Royant) AC 43
48 av. de Bry ✆ 48 72 47 43 – ▤. AE GB
fermé 2 au 8 mars, 10 au 23 août, sam. midi et dim. – **R** 280 et carte 300 à 405
Spéc. Ravioli de langoustines au beurre de crustacés, Méli-mélo de ris et rognons de veau au Xérès, Feuilleté au chocolat.

CITROEN S.A.G.A., 131 av. P.-Brossolette, niv. A4 ☎ 43 24 13 50
PEUGEOT-TALBOT Sabrié, 9/15 av. République à Fontenay-sous-Bois ☎ 48 75 06 10
RENAULT Gar. Hoel, 46 av. Bry ☎ 43 24 52 00
RENAULT Rel. des Nations, 258 av. République à Fontenay-sous-Bois ☎ 48 76 42 72 N ☎ 05 05 15 15

Maison du Pneu 94, 103 bd Alsace-Lorraine ☎ 43 24 41 43

Petit-Clamart 92 Hauts-de-Seine 101 ㉔ 22 – alt. 110 – ✉ 92140 Clamart.

Voir Bièvres : Musée français de la photographie* S : 1 km, **G. Ile de France.**

Paris 16 – Antony 8 – Clamart 5 – Meudon 4 – Nanterre 16 – Sèvres 7,5 – Versailles 8,5.

XX **Au Rendez-vous de Chasse** — AK 19
1 av. du Gén. Eisenhower ☎ 46 31 11 95
AE GB
fermé dim. soir – **R** 100/200, enf. 80.

Pontault-Combault 77340 S.-et-M. 101 ㉙ 24 – 26 804 h. alt. 101.

Paris 27 – Créteil 22 – Lagny-sur-Marne 13 – Melun 34.

Saphir H.
aire des Berchères sur CD 51 ☎ 64 43 45 47, Télex 693585, Fax 64 40 52 43
M, – 150. AE GB
Le Jardin grill **R** 75/145 ⅓, enf. 50
Le Canadel *(fermé août, sam. et dim.)* **R** 175/240 – ☕ 50 – **158 ch** 475/510, 21 appart. 580/850.

Le Port-Marly 78560 Yvelines 101 ⑫ 18 – 4 181 h. alt. 32.

Paris 20 – St Germain-en-Laye 2,5 – Versailles 9,5.

XX **Aub. du Relais Breton** — W 8
27 r. Paris ☎ 39 58 64 33
, « Auberge rustique », – AE GB
fermé 1er au 27 août, dim. soir et lundi – **R** 159/209 bc.

MERCEDES-BENZ Port-Marly Gar., 10 r. St-Germain ☎ 39 58 44 38 N ☎ 88 72 00 94

Le Pré St-Gervais 93310 Seine-St-Denis 101 ⑯ 20 – 15 373 h. alt. 71.

Paris 7,5 – Bobigny 5,5 – Lagny-sur-Marne 36 – Meaux 41 – Senlis 48.

X **Au Pouilly Reuilly** (Thibault) — V 35
68 r. A. Joineau ☎ 48 45 14 59
AE GB.
fermé fin juil. au 6 sept., dim. et fêtes – **R** carte 165 à 360
Spéc. Pâté de grenouilles, Rognons de veau dijonnaise, Gibier (saison).

Puteaux 92800 Hauts-de-Seine 101 ⑭ 18 – 42 756 h. alt. 36.

Paris 9,5 – Nanterre 4 – Pontoise 32 – St-Germain-en-Laye 13 – Versailles 16.

Syjac — W 20
20 quai de Dion-Bouton ☎ 42 04 03 04, Télex 614164, Fax 45 06 78 69
M sans rest, « Élégante installation » – 30. AE GB. –
☕ 52 – **33 ch** 510/590, 3 appart., 3 duplex 1100.

Princesse Isabelle — W 20
72 r. J. Jaurès ☎ 47 78 80 06, Télex 613923, Fax 47 75 25 20
M sans rest – . AE GB – ☕ 50 – **30 ch** 610.

Le Dauphin — W 20
45 r. J. Jaurès ☎ 47 73 71 63, Télex 615989, Fax 47 75 25 20
M sans rest – . AE GB – ☕ 35 – **30 ch** 435.

Victoria — W 19
85 bd R. Wallace ☎ 45 06 55 51, Télex 615295, Fax 40 99 05 97
sans rest – . AE GB – ☕ 35 – **32 ch** 390/520.

XX Les Gourmandises W 19
4 r. A. France ✆ 49 00 15 16
▤. AE GB
fermé sam., dim. et fériés – **R** carte 250 à 350.

XX La Chaumière W 18
127 av. Prés. Wilson - rd-pt des Bergères ✆ 47 75 05 46
▤. AE GB
fermé 10 au 31 août, sam. midi, dim. soir et lundi soir – **R** 130.

XX Gasnier W 20
7 bd Richard-Wallace ✆ 45 06 33 63
AE ⓓ GB
fermé 26 juin au 4 août, vacances de fév., sam., dim. et fériés – **R** 215 et carte 220 à 350.

Maison André, 20 r. des Fusillés ✆ 47 75 36 31

La Queue-en-Brie

94510 Val-de-Marne 101 ㉙ 24 – 9 897 h. alt. 97.

Paris 22 – Coulommiers 49 – Créteil 13 – Lagny-sur-Marne 20 – Melun 32 – Provins 65.

Climat de France AH 48
av. Hippodrome ✆ 45 94 61 61, Télex 262209, Fax 45 93 32 69
M – TV ☎ ♿ P – 25 à 80. GB
R 85/120 ♁, enf. 40 – ☕ 30 – **56 ch** 280.

XX Aub. du Petit Caporal AJ 50
42 r. Gén. de Gaulle (N 4) ✆ 45 76 30 06 – ▤. AE GB
fermé août, vacances de fév., mardi soir, merc. soir et dim. – **R** carte 230 à 400.

Le Raincy

SP **93340** Seine-St-Denis 101 ⑱ 20 **G. Ile de France** – 13 478 h. alt. 76.

Voir Eglise N.-Dame ★.

Paris 16 – Bobigny 5,5 – Lagny-sur-Marne 22 – Livry-Gargan 3 – Meaux 31 – Senlis 42.

XX Chalet des Pins U 45
13 av. Livry ✆ 43 81 01 19, Fax 43 02 75 42 – ☂ – AE ⓓ GB
fermé sam. midi en juil.-août, mardi en juil., lundi en août et dim. soir – **R** 180 et carte 200 à 350.

Ris-Orangis

91130 Essonne 101 ㊱ – 24 677 h. alt. 51.

Paris 30 – Évry 3,5.

Ris H.
N 7 ✆ 69 25 81 81, Télex 603608, Fax 69 43 65 55
M sans rest – |‡| TV ☎ ♿ P. AE GB – ☕ 30 – **50 ch** 259/289.

Roissy-en-France (Aéroports de Paris)

95700 Val-d'Oise 101 ⑧ – 2 054 h. alt. 85.

✈ ✆ 48 62 22 80.

Paris 26 – Chantilly 26 – Meaux 36 – Pontoise 38 – Senlis 26.

à Roissy-ville :

Holiday Inn
allée Verger ✆ 34 29 30 00, Télex 605143, Fax 34 29 90 52
M, Fø – |‡| ⇹ ▤ TV ☎ P – 25 à 200. AE ⓓ GB JCB
R 135/205, enf. 50 – ☕ 75 – **240 ch** 760/980.

Altéa
allée Verger ✆ 34 29 40 00, Télex 605205, Fax 34 29 00 18
|‡| ▤ TV ☎ ♿ P – 30 à 160. AE ⓓ GB JCB
Brasserie R 110/165, enf.53 – ☕ 60 – **198 ch** 640/910, 4 appart. 1070.

Ibis
av. Raperie ✆ 34 29 34 34, Télex 699083, Fax 34 29 34 19
M – |‡| ▤ TV ☎ ♿ P – 25 à 80. AE ⓓ GB
R 91 ♁, enf. 39 – ☕ 34 – **200 ch** 415/470.

dans le domaine de l'aéroport :

Sofitel
48 62 23 23, Télex 230166, Fax 48 62 78 49
M, ⛱, - ⇅ ▤ TV ☎ ♿ P - 25 à 180. AE ⓓ GB
Les Valois rest. panoramique *(fermé sam. midi, dim. midi et fériés le midi) (dîner seul. en août)* **R** carte 200 à 370
Le Jardin brasserie (rez-de-chaussée) **R** carte 130 à 220 , enf. 58 - 70 - **344 ch** 780/880, 8 appart. 1300.

Novotel
48 62 00 53, Télex 232397, Fax 48 62 00 11
M - ⇅ ch ▤ TV ☎ ♿ P - 25 à 70. AE ⓓ GB JCB
R carte environ 160 , enf. 52 - 52 - **201 ch** 640/690.

dans l'aérogare n° 1 :

Maxim's
48 62 16 16, Télex 236356, Fax 48 62 45 96
▤. AE ⓓ GB
R (déj. seul.) 250 et carte 280 à 440.

Grill Maxim's
48 62 16 16, Télex 236356, Fax 48 62 45 96
▤. AE ⓓ GB
R 220 bc et carte 160 à 310.

Romainville 93230 Seine-St-Denis 101 ⑰ 20 – 23 563 h. alt. 118.

Paris 9,5 – Bobigny 3 – St-Denis 11 – Vincennes 4,5.

Chez Henri U 37
72 rte Noisy 48 45 26 65, Fax 48 91 16 74
▤ P. GB
fermé 1er au 10 mai, 8 au 25 août, lundi soir, sam. midi, dim. et fériés – **R** carte 250 à 370.

Rosny-sous-Bois 93110 Seine-St-Denis 101 ⑰ 20 – 37 489 h. alt. 81.

Paris 11 – Bobigny 6,5 – Le Perreux-sur-Marne 5 – St-Denis 15.

Sweet H. X 41
4 r. Rome 48 94 33 08, Télex 232098, Fax 48 94 30 05
M, - ⇅ ▤ rest TV ☎ ♿ P - 25 à 150. AE ⓓ GB
Grand Carré R carte 125 à 215 , enf. 45 - 47 - **97 ch** 490/520.

Fimotel W 41
1 r. Lisbonne 48 94 78 78, Fax 45 28 83 69
M - ⇅ ch ▤ rest TV ☎ ♿ P - 100. AE ⓓ GB. rest
R 105/150 , enf. 40 - 41 - **100 ch** 390/420.

Piot Pneu, 183 bd Alsace-Lorraine 45 28 15 96

Rueil-Malmaison 92500 Hauts-de-Seine 101 ⑬ 18 G. Ile de France – 66 401 h. alt. 15.

Voir Château de Bois-Préau★ – Buffet d'orgues★ de l'église – Malmaison : musée★★ du château.

Paris 14 – Argenteuil 10,5 – Nanterre 3 – St-Germain-en-Laye 9 – Versailles 11,5.

Cardinal X 14
1 pl. Richelieu 47 08 20 20, Télex 634001, Fax 47 08 35 84
M sans rest - ⇅ TV ☎ ♿ P. AE ⓓ GB JCB
45 - **61 ch** 550/660, 4 duplex.

Arts W 14
3 bd Mar. Joffre 47 52 15 00, Télex 632328, Fax 47 14 90 19
M sans rest - ⇅ TV ☎ ♿. AE ⓓ GB
fermé 8 au 17 août - 38 - **32 ch** 460/520.

El Chiquito W 15
126 av. P. Doumer 47 51 00 53, Fax 47 49 19 61
, produits de la mer, « Jardin » – . AE GB
fermé 14 août au 1er sept., sam. et dim. – **R** carte 325 à 400.

Relais de St-Cucufa Y 13
114 r. Gén. Miribel 47 49 79 05
– AE GB
fermé 9 au 18 août, dim. soir et lundi soir – **R** carte 240 à 355.

Plat d'Étain Y 13
2 r. Marronniers 47 51 86 28
– AE GB
fermé août, dim. soir et lundi – **R** carte 200 à 300.

Rungis

94150 Val-de-Marne 101 ㉖ 24 – 2 939 h. alt. 80 - Marché d'Intérêt National.

Paris 14 – Antony 5 – Corbeil-Essonnes 28 – Créteil 14 – Longjumeau 10,5.

à Pondorly : accès : de Paris, A6 et bretelle d'Orly ; de province, A6 et sortie Rungis

Pullman Orly AM 29
20 av. Ch. Lindbergh 94656 46 87 36 36, Télex 260738, Fax 46 87 08 48
M, – – 25 à 250. AE GB
La Rungisserie R 135/185bc, enf.50 – 75 – **196 ch** 600/780.

Holiday Inn AM 29
4 av. Ch. Lindbergh 94656 46 87 26 66, Télex 265803, Fax 45 60 91 25
M, – ch – 50 à 200. AE GB JCB
R 130/180, enf. 55 – 70 – **168 ch** 795/995.

Ibis AM 29
1 r. Mondétour 94656 46 87 22 45, Télex 261173, Fax 46 87 84 72
M, – – 80. GB
R 91 , enf. 39 – 35 – **119 ch** 330.

à Rungis-ville :

Le Charolais AN 30
13 r. N.-Dame 46 86 16 42
AE GB
fermé 10 au 31 août, sam. et dim. – **R** 180 et carte 250 à 480.

Piot-Pneu, 2 r. des Transports, Centre Routier 46 86 46 01

Vertadier, 88 av. Stalingrad à Chevilly-Larue 46 87 25 48

Saclay

91400 Essonne 101 ㉓ 22 – 2 894 h. alt. 157.

de St-Aubin 69 41 25 19, SO : 2,5 km.

Paris 24 – Arpajon 22 – Chartres 68 – Évry 27 – Rambouillet 31 – Versailles 11,5.

Novotel
près rd-point Christ de Saclay 69 41 81 40, Télex 601856, Fax 69 41 01 77
M, , , , – ch – 200. AE GB
R carte environ 140 , enf. 50 – 49 – **134 ch** 450/480.

St-Cloud 92210 Hauts-de-Seine 101 ⑭ 22 G. Ile de France – 28 597 h. alt. 60.

Voir Parc** (Grandes Eaux**) – Église Stella Matutina*.

(privé) ☎ 47 01 01 85 parc de Buzenval à Garches, O : 4 km.

Paris 11,5 – Nanterre 9,5 – Rueil-Malmaison 6,5 – St-Germain 16 – Versailles 10,5.

Villa Henri IV et rest. Le Bourbon AB 17
43 bd République ☎ 46 02 59 30, Télex 631893, Fax 49 11 11 02
AE GB. rest
R *(fermé 17 juil. au 17 août, 26 au 31 déc., dim. soir et sam.)* 100/180, enf. 80 – 40 – **36 ch** 420/500.

Quorum et rest. La Désirade AB 17
2 bd République ☎ 47 71 22 33, Télex 631618, Fax 46 02 75 64
M, – rest AE GB
R *(fermé dim.)* 100 bc – 50 – **58 ch** 500/570.

Le Florian AB 18
14 r.Église ☎ 47 71 29 90
AE GB
fermé sam. midi et dim. – **R** carte 225 à 360.

FIAT Eurofugi, 29 r. Pasteur ☎ 46 02 93 24
PEUGEOT-TALBOT St-Cloud-Autom., 147 av. Foch ☎ 47 71 83 80
V.A.G Gar. de St-Cloud, 38 r. Dailly ☎ 46 02 56 20

Pour visiter la région parisienne, utilisez le guide Vert Michelin *Ile-de-France, les* cartes 101, 106, 237 *et les* plans de Banlieue 17, 19, 21 et 23.

St-Cyr-l'École 78210 Yvelines 101 ㉒ – 14 829 h. alt. 133.

Paris 26 – Dreux 56 – Rambouillet 26 – St-Germain-en-Laye 13 – Versailles 4.

Aérotel
88 r. Dr Vaillant ☎ 30 45 07 44, Fax 34 60 35 96
sans rest – GB – 29 – **26 ch** 252/350.

RENAULT Gar. de l'Octroi, 28 av. Division-Leclerc ☎ 30 45 00 16
Lantran, 39 r. D.-Casanova ☎ 34 60 60 40
La Centrale du Pneu, 10 av. H.-Barbusse ☎ 30 45 29 72
St-Cyr-Pneu, 86 av. P.-Curie ☎ 34 60 43 80

St-Denis 93200 Seine-St-Denis 101 ⑯ 20 G. Ile de France – 89 988 h. alt. 33.

Voir Cathédrale***.

Office de Tourisme 2 r. Légion d'Honneur ☎ 42 43 33 55.

Paris 9 – Argenteuil 10,5 – Beauvais 67 – Bobigny 7 – Chantilly 32 – Pontoise 27 – Senlis 41.

Campanile P 28
2 quai St-Ouen ☎ 48 20 29 88, Télex 231156, Fax 48 20 11 04
M – – 80. AE GB
R 85 bc/113 bc, enf. 39 – 29 – **70 ch** 330.

CITROEN Succursale, 43 bd Libération ☎ 48 20 40 45 N
MERCEDES-BENZ Moderne Autos, 35 bd Carnot ☎ 48 09 24 24
OPEL, GM St-Denis-Nord-Autos, 64 bd M.-Sembat ☎ 48 20 01 86
PEUGEOT-TALBOT Neubauer, 227 bd A.-France ☎ 48 21 60 21
RENAULT Succursale, 93 r. de la Convention à la Courneuve ☎ 48 36 95 06 N ☎ 44 22 76 05
Bertrand Pneus, 29 r. R. Salengro à Villetaneuse ☎ 48 21 20 24
Pegaud et Cie, 16 av. R.-Semat ☎ 48 22 12 14
St-Denis Pneum., 20 bis r. G.-Péri ☎ 48 20 10 77

St-Germain-en-Laye SP **78100** Yvelines 101 ⑫ 18 **G. Ile de France** – 39 926 h. alt. 78.

Voir Terrasse★★ BY – Jardin anglais★ BY – Château★ BZ : musée des Antiquités nationales★★ – Musée du Prieuré★ AZ.

9 18 (privé) ✆ 34 51 75 90, par ④ : 3 km ; 9 9 9 de Fourqueux (privé) ✆ 34 51 41 47, par r. de Mareil AZ.

Office Municipal de Tourisme 38 r. Au Pain ✆ 34 51 05 12.

Paris 23 ③ – Beauvais 75 ① – Chartres 79 ③ – Dreux 63 ③ – Mantes-la-Jolie 34 ④ – Versailles 12 ③.

ST-GERMAIN EN-LAYE

Bonnenfant (R.A.) ..... AZ 3
Marché-Neuf (Pl. du) .. AZ 17
Pain (R. au) .... AZ 20
Paris (R. de) .... AZ
Poissy (R. de) .... AZ 22

Vieux-Marché (R. du) .. AZ 33

Alain (Pl. Jéhan) ...... AY 2
Coches (R. des) ...... AZ 4
Denis (R. M.) .... AZ 5
Detaille (Pl.) .... AY 6
Gaulle (Pl. Ch.-de) .... BZ 7
Giraud-Teulon (R.) .... BZ 9
Gde-Fontaine (R.) .... AZ 10
Gréban (R. R.) .... AZ 12

Lattre-de-T. (Av. Mar.-de) BZ 13
Loges (Av. des) .... AY 14
Lyautey (R. Mar.) ..... BZ 15
Malraux (Pl. A.) .... BZ 16
Mareil (Pl.) .... AZ 19
Pologne (R. de) .... AY 23
Pontoise (R. de) .... AY 25
St-Louis (R.) .... BZ 26
Victoire (Pl. de la) ..... AY 30
Vieil-Abreuvoir (R. du) .. AZ 32

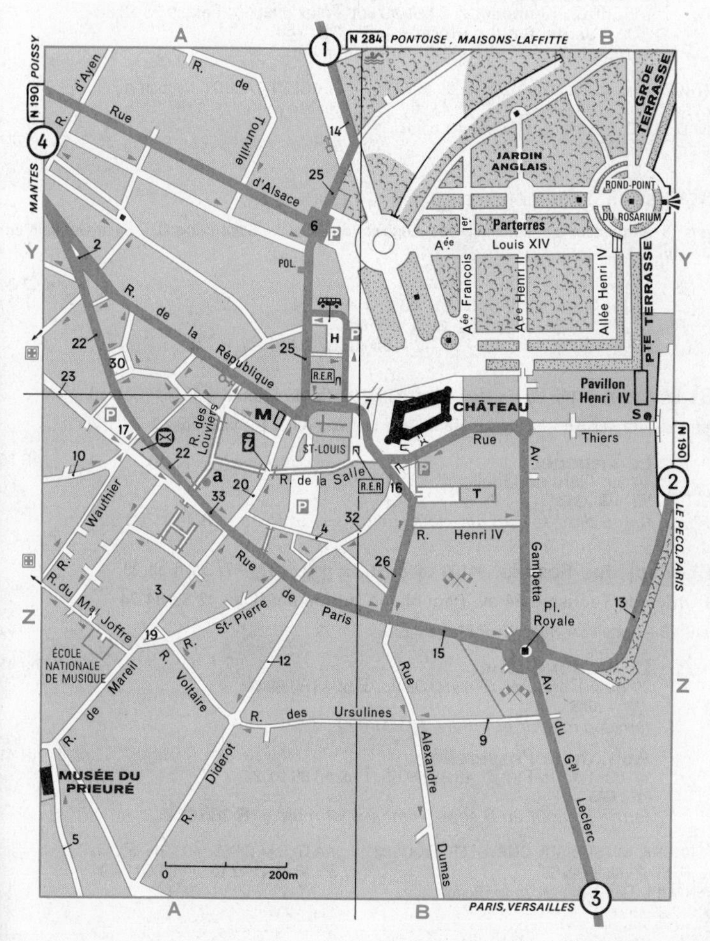

Pavillon Henri IV BZ **s**
21 r. Thiers ✆ 34 51 62 62, Télex 695822, Fax 39 73 93 73
<, Paris et Seine, , – rest – 200. AE GB
R carte 190 à 290 – 50 – **42 ch** 500/1300.

La Feuillantine AZ **a**
10 r. Louviers ✆ 34 51 04 24, Fax 39 21 07 70
GB
R 130.

au NO par ① : 2,5 km par N 284 et rte des Mares – ✉ **78100** St-Germain-en-Laye :

La Forestière
1 av. Prés. Kennedy ✆ 39 73 36 60, Télex 696055, Fax 39 73 73 88
M, – – 30. GB JCB
R voir rest. **Cazaudehore** ci-après – 58 – **24 ch** 650/780, 6 appart. 950/1200.

Cazaudehore
1 av. Prés. Kennedy ✆ 34 51 93 80, Télex 696055, Fax 39 73 73 88
, « Jardin fleuri en forêt » – . GB JCB
fermé lundi sauf fériés – **R** carte 290 à 440.

CITROEN Ouest-Automobile, 45 rte de Mantes N 13 à Chambourcy par ④ ✆ 39 65 42 00
FORD G.A.O., r. Clos de la Famille à Chambourcy ✆ 39 65 50 00
PEUGEOT-TALBOT Vauban Autom., pl. Vauban par ④ ✆ 30 87 15 15

Relais du Pneu, 22 r. Péreire ✆ 34 51 19 33

St-Gratien 95210 Val-d'Oise 101 ⑤ 18 – 19 338 h. alt. 53.

Paris 18 – Argenteuil 3,5 – Chantilly 33 – Enghien-les-Bains 2 – Saint-Denis 10 – Saint-Germain-en-Laye 18.

Gem H. K 23-24
54 bd Gare ✆ 39 89 01 11, Fax 34 28 01 39
M, – ch . AE GB
R 95/150 , enf. 45 – 42 – **50 ch** 370/420 – ½ P 275.

St-Mandé 94160 Val-de-Marne 101 ㉖ 24 G. Ile de France – 18 684 h. alt. 50.

Paris 5,5 – Créteil 9,5 – Lagny-sur-Marne 28 – Maisons-Alfort 5 – Vincennes 2.

Le Trinquet AB 36
44 av. Gén. de Gaulle ✆ 43 28 23 93
AE GB
fermé dim. soir en juil.-août, mardi soir et merc. – **R** 140/250 bc.

St-Maur-des-Fossés 94100 Val-de-Marne 101 ㉗ 24 – 77 206 h. alt. 39.

Office de Tourisme 34 av. République (fermé août) ✆ 42 83 84 74.

Paris 13 – Créteil 5 – Nogent-sur-Marne 4,5.

Le Jardin d'Ohé AJ 42
29 quai Bonneuil ✆ 48 83 08 26, Fax 48 83 89 00
– GB
fermé dim. soir et lundi – **R** 150/220.

Aub. de la Passerelle AH 41
37 quai de la Pie ✆ 48 83 59 65, Fax 48 89 91 24
. GB
fermé 20 août au 9 sept., dim. soir et merc. – **R** 185/255.

PORSCHE, MITSUBISHI, CHRYSLER Fast, 102 av. Foch ✆ 48 85 45 55
RENAULT Gar. National, 28 av. République ✆ 42 83 46 40
V.A.G S.M.C.D.A., 48 r. de la Varenne ✆ 48 86 41 42 N ✆ 05 00 24 24

St-Maurice 94410 Val-de-Marne 101 ㉗ 24 – 11 157 h. alt. 33.

Paris 7,5 – Créteil 6,5 – Joinville-le-Pont 3,5 – Maisons-Alfort 2 – Vincennes 7.

Mercure — AE 36
12 r. Mar. Leclerc ✆ 43 75 94 94, Télex 264041, Fax 48 93 21 14
M – TV – 25 à 70. AE GB JCB
R carte 150 à 220, enf. 48 – 50 – **93 ch** 520/660, 5 duplex 900.

St-Ouen 93400 Seine-St-Denis 101 ⑮ 18 – 42 343 h. alt. 36.

Office de Tourisme pl. République ✆ 40 11 77 36.

Paris 9,5 – Bobigny 11 – Chantilly 34 – Meaux 48 – Pontoise 27 – St-Denis 3.

Sovereign — R 28
54 quai Seine ✆ 40 12 91 29, Télex 233050, Fax 40 10 89 49
M – TV – 45. AE GB
R 95, enf. 38 – 32 – **104 ch** 330/450.

Fimotel — U 27
9 r. La Fontaine ✆ 40 12 51 97, Fax 40 12 61 00
M – TV – 90. AE GB
R *(fermé dim.)* 110/170, enf. 38 – 42 – **120 ch** 420/450.

Coq de la Maison Blanche — S 28
37 bd J. Jaurès ✆ 40 11 01 23
– GB
fermé 1er au 17 août et dim. – **R** carte 210 à 330.

FORD Bocquet, 45-57 av. Michelet ✆ 40 11 13 10
Gar. Michelet, 5 r. Auguste-Rodin ✆ 40 11 85 61

Sté Nouvelle du Pneumatique, 87 bd V.-Hugo ✆ 40 11 08 66
Technigum Pneus, 165 r. Docteur Bauer ✆ 40 11 08 56

St-Thibault-des-Vignes 77 S.-et-M. 101 ⑳ – rattaché à Marne-la-Vallée.

Sartrouville 78500 Yvelines 101 ⑬ 18 – 50 329 h.

Paris 20 – Argenteuil 9 – Maisons-Laffitte 1,5 – Pontoise 20 – St-Germain-en-Laye 7,5 – Versailles 19.

Le Jardin Gourmand — M 16
109 rte Pontoise ✆ 39 13 18 88
AE GB
fermé 10 au 30 août et dim. – **R** carte 195 à 300.

C.B. Maintenance, 34 av. Georges-Clemenceau ✆ 39 13 56 18

Savigny-sur-Orge 91600 Essonne 101 ㊱ – 33 295 h. alt. 80.

Paris 22 – Évry 12 – Longjumeau 5 – Versailles 28.

Gd Panorama
5 r. Mont-Blanc ✆ 69 96 17 61, Fax 69 96 28 82
– TV. AE GB
R *(fermé merc.)* 80/330, enf. 40 – 25 – **25 ch** 195/230.

Sceaux 92330 Hauts-de-Seine 101 ㉕ 22 G. Ile de France – 18 052 h. alt. 100.

Voir Parc★★ et Musée de l'Ile-de-France★ – L'Hay-les-Roses : roseraie★★ E : 3 km – Châtenay-Malabry : église St-Germain l'Auxerrois★, Maison de Chateaubriand★ SO : 3 km.

Office de Tourisme 68 r. Houdan (fermé matin) ✆ 46 61 19 03.

Paris 10,5 – Antony 3,5 – Bagneux 4 – Corbeil-Essonnes 32 – Nanterre 20 – Versailles 15.

BMW, OPEL Éts Loiseau, 3 r. de la Flèche ✆ 47 02 72 50
Vaysse, 30 av. du Gén.-Leclerc à Bourg-la-Reine ✆ 46 65 67 69

Vaysse, 77 r. V. Fayo à Châtenay-Malabry ✆ 46 61 14 18

Sevran **93270** Seine-St-Denis 101 ⑱ 20 – 48 478 h. alt. 55.
Paris 20 – Bobigny 9 – Meaux 28 – Villepinte 3.

Campanile — M 45
r. A. Léonov ✆ 43 84 67 77, Télex 233030, Fax 43 83 27 40
P – 25. AE GB
R 85 bc/113 bc, enf. 39 – 29 – **58 ch** 330 – P 279/307.

Otico, 7 allée du Mar.-Bugeaud ✆ 43 84 36 30

Sèvres **92310** Hauts-de-Seine 101 ㉔ 22 **G. Ile de France** – 21 990 h. alt. 95.
Voir Musée National de céramique★★ – Étangs★ de Ville d'Avray O : 3 km.
Paris 11,5 – Boulogne-Billancourt 2,5 – Nanterre 11 – St-Germain-en-Laye 17 – Versailles 7,5.

Adagio — AD 18
13 Grande Rue ✆ 46 23 20 00, Télex 631286, Fax 46 23 02 32
M, , – ch – 80. AE GB
R 95/165 – 55 – **95 ch** 790.

Aub. Garden — AF 17
24 rte Pavé des Gardes ✆ 46 26 50 50, Fax 46 26 58 58
– GB
fermé août, vacances de fév., dim. soir, lundi soir et mardi soir – **R** carte 220 à 400.

CITROEN Gar. Pont de Sèvres, ZAC, 2 av. Cristallerie ✆ 45 34 01 93

Stains **93240** Seine-St-Denis 101 ⑯ 20 – 34 879 h. alt. 41.
Paris 14 – Chantilly 29 – Meaux 48 – Pontoise 30 – Senlis 44 – St-Denis 5.

Chez Bibi — L 33
41 allée Val du Moulin ✆ 48 26 64 10
GB
fermé 8 au 30 août, vacances de Noël, sam. et dim. – **R** carte 200 à 310.

Sucy-en-Brie **94370** Val-de-Marne 101 ㉘ 24 – 25 839 h. alt. 96.
Voir Château de Gros Bois★ : mobilier★★ S : 5 km, **G. Ile de France.**
Paris 18 – Créteil 6,5 – Chennevières-sur-Marne 3,5.

quartier les Bruyères SE : 3 km :

Le Tartarin — AM 48
carrefour de la Patte d'Oie ✆ 45 90 42 61
M , – – 40. AE GB
R *(fermé mardi soir , merc. soir, jeudi soir et lundi)* 160/250 – 30 – **11 ch** 295/310.

Terrasse Fleurie — AM 48
1 rte Marolles ✆ 45 90 40 07
– P. AE GB
fermé 3 au 27 août, 21 déc. au 10 janv., mardi et merc. – **R** 160/480.

CITROEN Ruffin-Heitmann, 40 r. de Valenton à Boissy-St-Léger ✆ 45 69 80 81 N ✆ 60 46 34 19
PEUGEOT-TALBOT Éts Paulmier, 89 r. Gén.-Leclerc ✆ 45 90 95 95 N
RENAULT Boissy Autos, 51/53 av. Gén. Leclerc à Boissy-St-Léger ✆ 45 69 96 30 N ✆ 44 02 10 74

In categories and , the facilities listed are usually to be found only in some of the rooms, but all these establishments have baths or showers on the premises for general use.

Suresnes **92150** Hauts-de-Seine 101 ⑭ 18 **G. Ile de France** – 35 998 h. alt. 42.
Voir Fort du Mont Valérien (Mémorial National de la France combattante).
Paris 12 – Nanterre 4,5 – Pontoise 35 – St Germain-en-Laye 13 – Versailles 13.

Novotel — X 19
7 r. Port aux Vins ☎ 40 99 00 00, Télex 611909, Fax 45 06 60 06
M – 25 à 80. AE GB
R carte environ 160 – 55 – **109 ch** 620/680.

Atrium — Y 18
64 bd H. Sellier ☎ 42 04 60 76, Télex 616516, Fax 46 97 71 61
M sans rest – 80. AE GB JCB
50 – **42 ch** 580/800.

Astor — X 18
19 bis r. Mt Valérien ☎ 45 06 15 52, Fax 42 04 65 29
M sans rest – GB
28 – **51 ch** 300.

Ibis — X 18
6 r. Bourets ☎ 45 06 44 88, Télex 614484, Fax 46 97 08 37
M, – ch – 30. GB
R 91 – 35 – **62 ch** 375/390.

Pont de Suresnes — Y 18
58 r. Pasteur ☎ 45 06 66 56, Fax 45 06 65 09
– AE GB
R carte 200 à 280.

La Centrale du Pneu, 4 r. E. Nieuport ☎ 47 72 43 21

Taverny **95150** Val-d'Oise 101 ④ **G. Ile de France** – 25 151 h. alt. 91.
Voir église★.
Paris 28 – Beauvais 55 – Chantilly 30 – L'Isle Adam 14,5 – Pontoise 12,5.

Campanile
centre commercial les Portes de Taverny ☎ 30 40 10 85, Télex 606050, Fax 30 40 10 87
– 25. AE GB
R 77 bc/99 bc, enf. 39 – 28 – **51 ch** 258 – P 234/256.

CITROEN Gar. Vincent Père et Fils, 183 r. d'Herblay ☎ 39 95 44 00
PEUGEOT-TALBOT Gar. des Lignières, 29 r. de Beauchamp ☎ 39 60 13 58
RENAULT Gar. de la Diligence, 75 r. d'Herblay ☎ 39 60 75 68

Torcy **77** S.-et-M. 101 ⑲ – rattaché à Marne-la-Vallée.

Tremblay-en-France **93290** Seine-St-Denis 101 ⑧ 20 – 31 385 h. alt. 63.
Paris 23 – Aulnay-sous-Bois 7,5 – Bobigny 12 – Villepinte 4.

au Tremblay-Vieux-Pays :

Le Cénacle — H 48
1 r. Mairie ☎ 48 61 32 91, Fax 48 60 43 89
AE GB
fermé 13 août au 3 sept., 24 déc. au 2 janv., sam. midi, dim. et fériés – **R** 150 (déj.)/290, enf. 90.

Les Ulis **91940** Essonne 101 ㉚ – 27 164 h. alt. 159.
Paris 31 – Arpajon 17 – Évry 27 – Rambouillet 29 – Versailles 19.

Mercure
Z.A. de Courtaboeuf ☎ 69 07 63 96, Télex 601247, Fax 69 07 92 00
M, – ch – 200. AE GB JCB
R 130/160, enf. 45 – 45 – **108 ch** 560/625.

Campanile
Z.A. de Courtaboeuf ☎ 69 28 60 60, Télex 603094, Fax 69 28 06 35
– TV ☎ ♿ P – 25. AE GB
R 77 bc/99 bc, enf. 39 – ☐ 28 – **50 ch** 258 – P 234/256.

RENAULT S.D.A.O., av. des Tropiques, ZA Courtaboeuf-les-Ulis ☎ 69 07 78 35

Valenton 94460 Val-de-Marne 101 ㉗ 24 – 11 110 h. alt. 84.

Paris 19 – Boissy-St-Léger 4 – Créteil 6,5.

AN 39

Confortel
av. Champs St Julien ☎ 43 82 21 31, Télex 263747, Fax 43 82 09 13
M – rest TV ☎ ♿ P – 60. GB
R 74/120 – ☐ 30 – **60 ch** 250/260 – P 406/454.

RENAULT Ferreyra, 166 r. de Paris à Villeneuve-St-Georges ☎ 43 82 04 82 N ☎ 44 60 78 41
RENAULT Boissy Autos, 18 av. de Valenton à Limeil-Brévannes ☎ 45 69 96 30 N ☎ 44 02 10 74

V.A.G Rabes, 21 r. Diderot à Villeneuve-St-Georges ☎ 43 82 17 02

La Centrale du Pneu, 54 av. H. Barbusse ☎ 43 89 06 54

Vanves 92170 Hauts-de-Seine 101 ㉕ 22 – 25 967 h. alt. 47.

Paris 7,5 – Boulogne-Billancourt 4 – Nanterre 13.

AD 24

Mercure Paris Porte de la Plaine
r. Moulin ☎ 46 42 93 22, Télex 631628, Fax 46 42 40 64
M, – TV ☎ ♿ – 480. AE GB JCB
R brasserie 130, enf. 50 – ☐ 55 – **391 ch** 665/880.

AD 23

Parc des Expositions
18 r. E. Baudouin ☎ 45 29 00 68, Fax 45 29 00 78
M sans rest – TV ☎ ♿. AE GB
☐ 45 – **38 ch** 550/750.

AE 23

Pavillon de la Tourelle
10 r. Larmeroux ☎ 46 42 15 59, Fax 46 42 06 27
, – AE GB JCB
fermé 3 au 31 août, vacances de fév., dim. soir et lundi – **R** 200 et carte 280 à 415, enf. 70.

La Varenne-St-Hilaire 94210 Val-de-Marne 101 ㉘ 24 – alt. 40.

Paris 15 – Chennevières-sur-Marne 2,5 – Lagny-sur-Marne 22 – St-Maur-des-Fossés 2.

AJ 44

La Bretèche
171 quai Bonneuil ☎ 48 83 38 73
– AE GB
fermé vacances de fév., dim. soir et lundi – **R** 160 et carte 225 à 345.

AG 45

Chez Nous comme chez Vous
110 av. du Mesnil ☎ 48 85 41 61
. GB
fermé août, fév., dim. soir et merc. – **R** 150/525.

Selz-Pneus-Est, 5 av. L.-Blanc ☎ 48 85 27 33

Vaucresson 92420 Hauts-de-Seine 101 ㉓ 22 – 8 118 h. alt. 142.

Voir Etang de St-Cucufa★ NE : 2,5 km, **G. Ile de France.**

Paris 16 – Mantes-la-Jolie 43 – Nanterre 14 – St-Germain-en-Laye 10,5 – Versailles 5.

voir plan de Versailles

U **a**

La Poularde
36 bd Jardy (près autoroute) D 182 ☎ 47 41 13 47
– P. AE GB
fermé août, vacances de fév., dim. soir, mardi soir et merc. – **R** carte 230 à 360.

RENAULT Moriceau, 106 bd République ☎ 47 41 12 40

Vélizy-Villacoublay **78140** Yvelines 101 ㉓ 22 – 20 725 h. alt. 174.
Paris 17 – Antony 13 – Chartres 76 – Meudon 8,5 – Versailles 6.

Holiday Inn — AJ 18
av. Europe, près centre commercial Vélizy II ✆ 39 46 96 98, Télex 696537, Fax 34 65 95 21
M, ⛹, ▢ – 🛗 ⛔ ▤ ch TV ☎ ♿ P – 🏛 250. AE ⓓ GB JCB. ⚔ rest
R 175/210 🍷, enf. 65 – ☕ 75 – **182 ch** 795/995.

Orée du Bois — AH 14
2 r. M. Sembat ✆ 39 46 38 40, Fax 30 70 88 67
☂ – AE GB
fermé août, sam. et dim. – **R** carte 240 à 395.

RENAULT BSE-Vélizy, av. L.-Breguet ✆ 39 46 96 03

Versailles P **78000** Yvelines 101 ㉒ 22 **G. Ile de France** – 87 789 h. alt. 132.
Voir Château★★★ Y – Jardins★★★ (Grandes Eaux★★★ et fêtes de nuit★★★ en été) V – Ecuries Royales★ Y – Trianon★★ V – Musée Lambinet★ Y **M.**
⛳9 ⛳18 ⛳18 Racing Club de France (privé) ✆ 39 50 59 41, par ③ : 2,5 km.
ℹ Office de Tourisme 7 r. Réservoirs ✆ 39 50 36 22.
Paris 20 ① – Beauvais 88 ⑦ – Dreux 60 ⑥ – Évreux 88 ⑦ – Melun 61 ③ – ♦Orléans 121 ③.

Plans pages suivantes

Trianon Palace — X **r**
1 bd Reine ✆ 30 84 38 00, Télex 698863, Fax 39 49 00 77
M 🐎, ←, parc, « Élégant décor début de siècle », ⛹, ▢, 🎾 – 🛗 ▤ ch TV ☎ 🚗 P. AE ⓓ GB JCB. ⚔ rest
R voir rest. **Les Trois Marches** ci-après – ☕ 95 – **69 ch** 850/2200, 25 appart..

Pullman Place d'Armes — Y **a**
2 av. Paris ✆ 39 53 30 31, Télex 697042, Fax 39 53 87 20
M – 🛗 ▤ rest TV ☎ ♿ 🚗 – 🏛 150. AE ⓓ GB JCB
R 185/320 – ☕ 65 – **146 ch** 690, 6 appart. 1300.

Trianon Hôtel — X **r**
1 bd Reine ✆ 30 84 38 00, Télex 699210, Fax 39 51 57 79
M 🐎, parc, ⛹, ▢, 🎾 – 🛗 ▤ TV ☎ ♿ 🚗 P – 🏛 400. AE ⓓ GB JCB.
⚔ rest
R 195 – ☕ 85 – **97 ch** 850/1050.

Novotel — X **z**
4 bd St-Antoine au Chesnay ✉ 78150 ✆ 39 54 96 96, Télex 689624, Fax 39 54 94 40
M – 🛗 ⛔ ch ▤ TV ☎ ♿ 🚗 – 🏛 25 à 150. AE ⓓ GB JCB
R carte environ 150 🍷, enf. 50
☕ 49 – **103 ch** 510/540.

Mercure — U **e**
r. Marly-le-Roi au Chesnay, face centre commercial Parly II ✉ 78150
✆ 39 55 11 41, Télex 695205, Fax 39 55 06 22
M sans rest – 🛗 ▤ TV ☎ P. AE ⓓ GB
☕ 48 – **78 ch** 495/550.

Résidence du Berry — Z **s**
14 r. Anjou ✆ 39 49 07 07, Télex 689058, Fax 39 50 59 40
M sans rest – 🛗 TV ☎. AE ⓓ GB
fermé 20 déc. au 5 janv. – ☕ 35 – **38 ch** 360/430.

Arcade — Y **u**
4 av. Gén. de Gaulle ✆ 39 53 03 30, Télex 695652, Fax 39 50 06 31
M sans rest – 🛗 TV ☎ ♿ P – 🏛 25. AE GB
☕ 40 – **85 ch** 360/470.

VERSAILLES

- Bellevue (Av. de) .... U 2
- Coste (R.) .... V 9
- Dr-Schweitzer (Av. du) .. U 12
- Franchet-d'Esperey (Av. du Mar.) .... U 14
- Glatigny (Bd de) .... U 15
- Leclerc (Av. du Gén.) .... V 22
- Leclerc (Av. du Mar.) .... V 23
- Marly-le-Roi (R. de) ..... U 26
- Mermoz (R. Jean) .... V 27
- Moxouris (R.) .... U 29
- Pelin (R. L.) .... U 32
- Porchefontaine (Av. de) .... V 33
- Pottier (R.) .... U 35
- Rocquencourt (Av. de) ... U 39
- St-Antoine (Allée) .... V 40
- Sports (R. des) .... U 43
- Vauban (R.) .... V 45

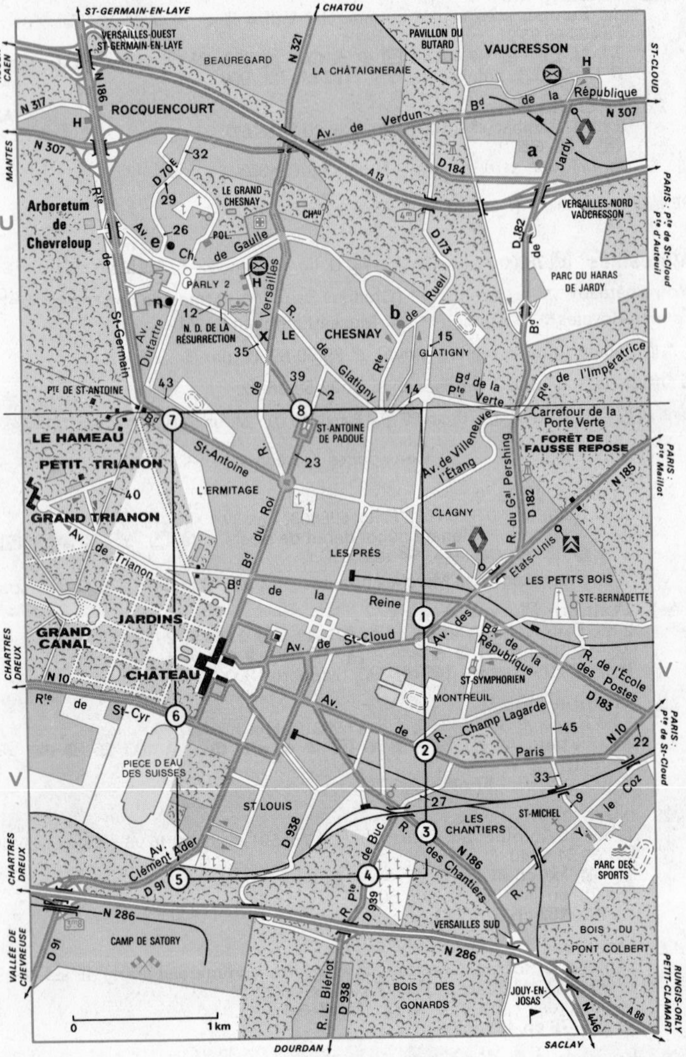

Les **guides Rouges,** les **guides Verts** et les **cartes Michelin** sont complémentaires. Utilisez-les ensemble.

VERSAILLES

Carnot (R.) . . . . Y
Clemenceau (R. Georges). . . . . Y 7
États-Généraux (R. des) . Z
Foch (R. du Mar.) . . . . . . Y
Hoche (R.) . . . . Y
Leclerc (R. du Gén.) . . . . . Z 24
Orangerie (R. de l') . . . . YZ
Paroisse (R. de la) . . . . . . Y
Royale (R.) . . . . Z
Satory (R. de) . . . . YZ 42
Vieux-Versailles (R. du) YZ 47

Chancellerie (R. de la). . . Y 3
Chantiers (R. des) . . . . . . Z 5
Cotte (R. Robert-de) . . . . . Y 10
Europe (Av. de l') . . . . Y 14
Gambetta (Pl.) . . . . Y 17
Gaulle (Av. Gén.-de) . . . . YZ 19
Indép. Américaine (R.) . . . Y 20
Mermoz (R. Jean) . . . . Z 27
Nolhac (R. Pierre-de) . . . . . Y 30
Porte de Buc (R.) . . . . Z 34
Rockefeller (Av.) . . . . Y 37

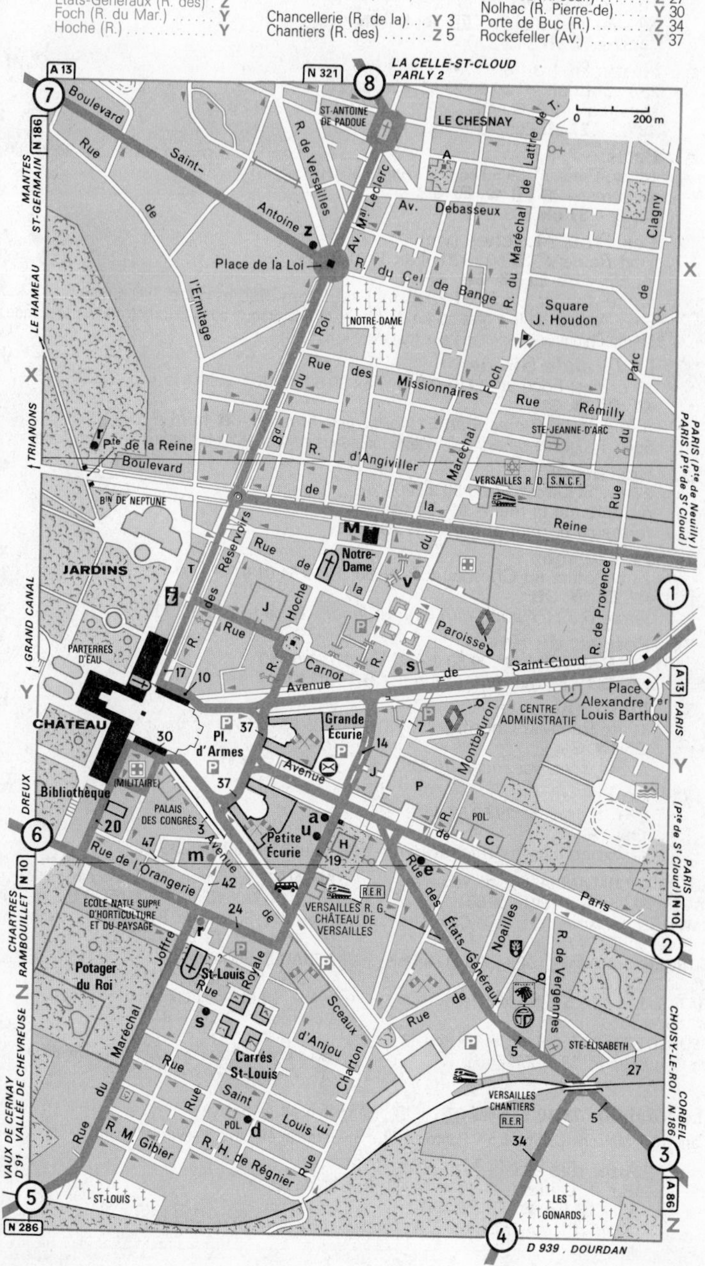

Urbis U **n**
av. Dutartre au Chesnay, centre commercial Parly II ✉ 78150 ☎ 39 63 37 93, Télex 689188, Fax 39 55 18 66
M sans rest – |‡| ⇹ TV ☎ ♿. GB
☕ 32 – **72 ch** 345/370.

Home St-Louis Z **d**
28 r. St-Louis ☎ 39 50 23 55, Fax 30 21 62 45
sans rest – TV ☎. GB
☕ 30 – **27 ch** 265/320.

Paris YZ **e**
14 av. Paris ☎ 39 50 56 00, Fax 39 50 21 83
sans rest – |‡| TV ☎. AE GB
☕ 32 – **37 ch** 303/346.

XXXX ✿✿ **Les Trois Marches** (Vié) X **r**
1 bd Reine ☎ 39 50 13 21, Fax 30 21 01 25
≤, – ▤. AE ① GB. ✻
fermé dim. et lundi – **R** 260 (déj.) sauf sam./595 et carte 380 à 600
Spéc. Assiette de foie gras au vin de Maury et à la croque au sel, Turbot au jus de viande, Crème Chiboust caramélisée aux fruits.

XXX ✿ **La Grande Sirène** Y **v**
25 r. Mar. Foch ☎ 39 53 08 08, Fax 39 53 37 15
▤. AE ① GB
fermé 1er au 9 mai, 9 au 31 août, dim. et lundi – **R** 148 bc (déj.)/240
Spéc. Trilogie de canard, Saint-Pierre rôti au jus de veau, Millefeuille aux noix chocolatées.

XXX **Rescatore** Y **s**
27 av. St-Cloud ☎ 39 50 23 60
produits de la mer – ▤. AE GB
fermé sam. midi et dim. – **R** 200/375.

XX **Le Chesnoy** U **x**
24 r. Pottier au Chesnay ✉ 78150 ☎ 39 54 01 01
▤. AE ① GB
fermé 6 au 27 août, dim. soir et lundi – **R** carte 200 à 290.

XX **Potager du Roy** Z **r**
1 r. Mar.-Joffre ☎ 39 50 35 34, Fax 30 21 69 30
▤. GB – *fermé dim. et lundi* – **R** 115/160.

XX **Le Connemara** U **b**
41 rte Rueil au Chesnay ✉ 78150 ☎ 39 55 63 07
AE ① GB
fermé août, vacances de fév., dim. et lundi – **R** 145.

XX **Le Pot au Feu** Y **m**
22 r. Satory ☎ 39 50 57 43
GB. ✻
fermé août, sam. midi et dim. – **R** 115 et carte 210 à 280.

AUTOBIANCHI-LANCIA Gar. de Versailles, 18/22 r. de Conde ☎ 39 51 06 68
BMW Gar. Lostanlen, 10 r. de la Celle, Le Chesnay ☎ 39 54 75 20
CITROEN Succursale, 124 av. des États-Unis ☎ 30 21 52 53
FIAT Sodiam 78, 15 r. Parc de Clagny ☎ 39 50 64 10
PEUGEOT-TALBOT Gar. de Vergennes, 18 r. de Vergennes ☎ 39 02 27 27
RENAULT Succursale, 12 r. Haussmann ☎ 30 84 60 00 N ☎ (1) 05 05 15 15
RENAULT Succursale, 81 r. de la Paroisse ☎ 30 84 60 00 N ☎ (1) 05 05 15 15
RENAULT Succursale, 46 av. de St-Cloud ☎ 30 84 60 00 N ☎ (1) 05 05 15 15
V.A.G Gd Gar. des Chantiers, 58 r. des Chantiers ☎ 39 50 04 97

La Centrale du Pneu, 77 r. des Chantiers ☎ 30 21 24 25

Le Vésinet 78110 Yvelines 101 ⑬ 18 – 15 945 h. alt. 44.

Paris 18 – Maisons-Laffitte 8,5 – Pontoise 22 – St-Germain-en-Laye 3 – Versailles 14.

Aub. des Trois Marches V 10
15 r. J. Laurent ☎ 39 76 87 93, Fax 39 76 62 58
– |‡| TV ☎. AE ① GB
fermé 10 au 16 août – **R** *(fermé dim. soir et lundi)* 130 – ☕ 30 – **15 ch** 380/440.

Villejuif **94800** Val-de-Marne 101 ㉖ 22 – 48 405 h. alt. 103.
Paris 8 – Créteil 12 – Orly 8,5 – Vitry-sur-Seine 3.

Campanile AG 29
20 r. Dr Pinel ☏ 46 78 10 11, Télex 260883, Fax 46 77 88 94
– 50. AE GB
R 85 bc/113 bc, enf. 39 – 29 – **73 ch** 330 – P 279/307.

La Pneumathèque, 21 r. de Verdun ☏ 46 77 06 06

Villemomble **93250** Seine-St-Denis 101 ⑱ 20 – 26 863 h. alt. 58.
de Rosny-sous-Bois ☏ 48 94 01 81 ; O par N 302 (av. Rosny-sous-Bois) : 3 km.
Paris 14 – Lagny-sur-Marne 16 – Livry-Gargan 4,5 – Meaux 32 – Senlis 44.

Boule d'Or V 44
10 av. Gallieni ☏ 48 54 47 26
GB – *fermé 29 juil. au 3 sept., vacances de fév., dim. soir, mardi soir et merc.* – **R** carte 145 à 260.

RENAULT Villemomble-Autom., 19 av. de Rosny ☏ 48 94 16 16 N ☏ 05 05 15 15
V.A.G Gar. du Progrès, 25 rte Noisy ☏ 45 28 66 30
Barillet, 19 rte Noisy ☏ 48 54 29 25

Villeneuve-la-Garenne **92390** Hauts-de-Seine 101 ⑮ 20 – 23 824 h. alt. 28.
Paris 10,5 – Nanterre 13 – Pontoise 25 – St-Denis 2,5 – St-Germain-en-Laye 21.

Les Chanteraines N 27
av. 8 Mai 1945 ☏ 47 99 31 31
– . AE GB – *fermé 15 au 30 août, dim. soir et sam.* – **R** 170.

RENAULT Raynal, 16 av. M. Sangnier ☏ 47 94 09 09
Central-Pneu, 23 av. M. Sangnier ☏ 47 98 08 10
La Centrale du Pneu, 8 av. de la Redoute, ZI ☏ 47 94 22 85

Villepinte **93420** Seine-St-Denis 101 ⑧ 20 – 30 303 h. alt. 63.
Paris 22 – Bobigny 10,5 – Meaux 30 – St-Denis 18.

Campanile K 48
2 r. J. Fourgeaud ☏ 48 60 35 47, Télex 231773, Fax 48 61 49 33
M, – – 40. AE GB
R 78 bc/99 bc, enf. 39 – 28 – **50 ch** 258.

Parc des Expositions Paris Nord II – ✉ **93420** Villepinte :

Ibis K 44
sortie visiteurs ☏ 48 63 89 50, Télex 233822, Fax 48 63 23 10
M, – – 60. GB
R 95 , enf. 39 – 32 – **124 ch** 380.

RENAULT Verdier 4 av. G.-Clemenceau ☏ 48 61 96 65 N ☏ 05 05 15 15

Villiers-le-Bâcle **91190** Essonne 101 ㉝ 22 – 953 h. alt. 151.
Paris 27 – Arpajon 25 – Rambouillet 28 – Versailles 10,5.

La Petite Forge AS 9
☏ 60 19 03 88
GB – *fermé 1er au 10 mai, 1er au 23 août, 23 déc. au 2 janv., sam. et dim.* – **R** carte 300 à 390.

Villiers-sur-Marne **94350** Val-de-Marne 101 ㉘ 24 – 22 740 h.
Paris 17 – Créteil 12 – Lagny-sur-Marne 16.

Captain H. AC 47
75 bd Friedberg ☏ 49 30 95 15, Télex 230043, Fax 49 30 17 59
M – rest – 80. AE GB. rest
R 78/120 , enf. 39 – 30 – **84 ch** 285/300 – P 250.

Vincennes 94300 Val-de-Marne 101 ⑰ 24 – 42 267 h. alt. 60.

Voir Château★★ – Bois de Vincennes★★ : Zoo★★, Parc floral de Paris★★, Musée des Arts africains et océaniens★, G. Paris.

Office de Tourisme 11 av. Nogent ✆ 48 08 13 00.

Paris 6,5 – Créteil 13 – Lagny-sur-Marne 25 – Meaux 46 – Melun 51 – Montreuil 1,5 – Senlis 48.

St-Louis AB 37
2 bis r. R. Giraudineau ✆ 43 74 16 78, Fax 43 74 16 49
M sans rest – ☎ – 25. AE GB JCB
☕ 43 – **22 ch** 500/650.

Daumesnil Vincennes AB 37
50 av. Paris ✆ 48 08 44 10, Télex 264644, Fax 43 65 10 94
M sans rest – ☎. AE GB
☕ 30 – **50 ch** 330/390.

Donjon AB 37
22 r. Donjon ✆ 43 28 19 17, Fax 49 57 02 04
sans rest – ☎. GB.
fermé 24 juil. au 23 août
☕ 30 – **25 ch** 250/350.

La Rigadelle AB 37
26 r. Montreuil ✆ 43 28 04 23
GB
fermé août, sam. midi et dim. – **R** (nombre de couverts limité, prévenir) carte 225 à 355.

CITROEN Succursale, 120 av. de Paris ✆ 43 74 12 25
FORD Deshayes, 232 r. de Fontenay ✆ 43 74 97 40
PEUGEOT-TALBOT Sabrié, 3 av. de Paris ✆ 43 28 37 54

Pneu-Service, 12 r. de Fontenay ✆ 43 28 14 79

Viroflay 78220 Yvelines 101 ㉓ 22 – 14 689 h. alt. 115.

Paris 14 – Antony 15 – Boulogne-Billancourt 6,5 – Versailles 4.

Aub. la Chaumière AG 13
3 av. Versailles ✆ 30 24 48 76
– GB
fermé dim. soir et lundi – **R** 150 (sauf fêtes) et carte 215 à 370.

AUSTIN-ROVER SOGA Versailles, 189 av. du Gén.-Leclerc ✆ 30 24 06 16
PEUGEOT-TALBOT Gar. de l'Ile de France, 17 av. du Gén.-Leclerc ✆ 30 24 48 42

La Centrale du Pneu, 199 av. Gén.-Leclerc ✆ 30 24 49 96

Viry-Châtillon 91170 Essonne 101 ㊱ – 30 580 h. alt. 36.

Paris 26 – Corbeil-Essonnes 17 – Évry 8 – Longjumeau 8,5 – Versailles 31.

La Dariole de Viry (Richard)
21 r. Pasteur ✆ 69 44 22 40, Fax 69 96 88 87
. AE GB
fermé 20 juil. au 12 août, 24 déc. au 5 janv., sam. midi et dim. – **R** carte 250 à 360
Spéc. Blinis aux escargots de Bourgogne, Navarin de terre et mer parfumé au curry, Gibier (saison).

RENAULT Come et Bardon, 119 av. Ch.-de-Gaulle ✆ 69 96 91 40 N ✆ 05 05 15 15
SEAT Gar. Marchand, 113 av. Gén.-de-Gaulle ✆ 69 05 38 49

La Centrale du Pneu, 134 rte Nationale 7 ✆ 69 44 30 07

SNCF - RER

MÉTRO - TAXI

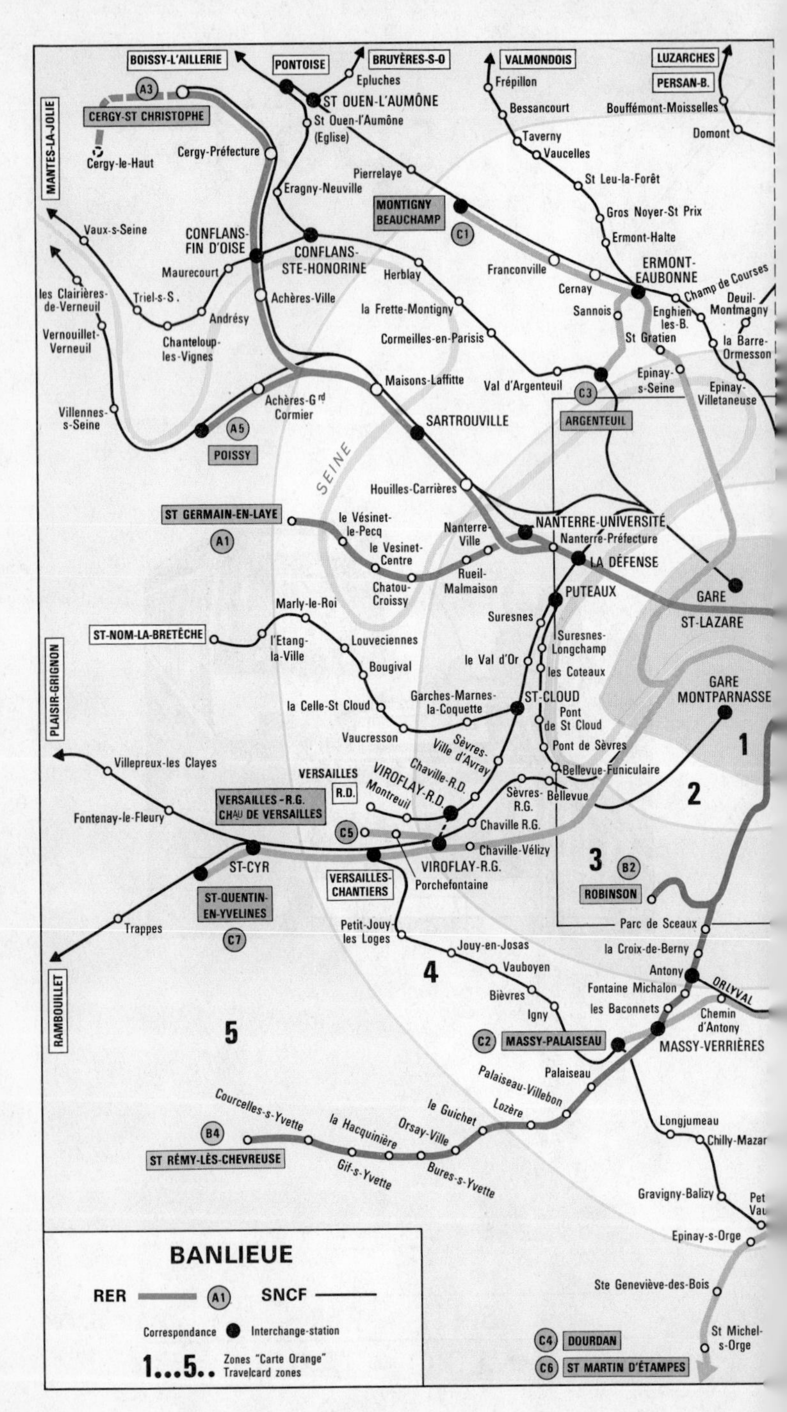
BOISSY-L'AILLERIE
PONTOISE
BRUYÈRES-S-O
VALMONDOIS
LUZARCHES
PERSAN-B.
MANTES-LA-JOLIE
A3
CERGY-ST CHRISTOPHE
Cergy-le-Haut
Cergy-Préfecture
Epluches
ST OUEN-L'AUMÔNE
St Ouen-l'Aumône (Eglise)
Eragny-Neuville
Pierrelaye
MONTIGNY BEAUCHAMP
C1
Frépillon
Bessancourt
Taverny
Vaucelles
St Leu-la-Forêt
Gros Noyer-St Prix
Ermont-Halte
Bouffémont-Moisselles
Domont
Vaux-s-Seine
CONFLANS-FIN D'OISE
CONFLANS-STE-HONORINE
Maurecourt
Herblay
Franconville
Cernay
ERMONT-EAUBONNE
Champ de Courses
Deuil-Montmagny
les Clairières-de-Verneuil
Triel-s-S.
Andrésy
Achères-Ville
la Frette-Montigny
Sannois
Enghien-les-B.
St Gratien
la Barre-Ormesson
Vernouillet-Verneuil
Chanteloup-les-Vignes
Cormeilles-en-Parisis
Epinay-s-Seine
Epinay-Villetaneuse
Villennes-s-Seine
Achères-Grd Cormier
Maisons-Laffitte
Val d'Argenteuil
C3
ARGENTEUIL
A5
POISSY
SARTROUVILLE
SEINE
Houilles-Carrières
ST GERMAIN-EN-LAYE
A1
le Vésinet-le-Pecq
le Vesinet-Centre
Chatou-Croissy
Nanterre-Ville
Rueil-Malmaison
NANTERRE-UNIVERSITÉ
Nanterre-Préfecture
LA DÉFENSE
PUTEAUX
GARE ST-LAZARE
Marly-le-Roi
ST-NOM-LA-BRETÈCHE
l'Etang-la-Ville
Louveciennes
Bougival
Suresnes
Suresnes-Longchamp
le Val d'Or
les Coteaux
PLAISIR-GRIGNON
la Celle-St Cloud
Garches-Marnes-la-Coquette
ST-CLOUD
Pont de St Cloud
GARE MONTPARNASSE
Vaucresson
Sèvres-Ville d'Avray
Pont de Sèvres
1
Villepreux-les Clayes
VERSAILLES R.D.
Chaville-R.D.
VIROFLAY-R.D.
Montreuil
Bellevue-Funiculaire
Sèvres-R.G.
Bellevue
2
VERSAILLES-R.G. CHÂU DE VERSAILLES
Fontenay-le-Fleury
C5
Chaville R.G.
Chaville-Vélizy
VIROFLAY-R.G.
Porchefontaine
ST-CYR
VERSAILLES-CHANTIERS
3
B2
ROBINSON
ST-QUENTIN-EN-YVELINES
C7
Trappes
Petit-Jouy-les Loges
Parc de Sceaux
la Croix-de-Berny
Jouy-en-Josas
Vauboyen
4
Antony
ORLYVAL
Fontaine Michalon
les Baconnets
Chemin d'Antony
Bièvres
Igny
RAMBOUILLET
5
C2
MASSY-PALAISEAU
MASSY-VERRIÈRES
Palaiseau
Palaiseau-Villebon
Lozère
le Guichet
Longjumeau
Courcelles-s-Yvette
la Hacquinière
Orsay-Ville
Chilly-Mazar
B4
ST RÉMY-LÈS-CHEVREUSE
Gif-s-Yvette
Bures-s-Yvette
Gravigny-Balizy
BANLIEUE
RER
SNCF
Correspondance
Interchange-station
1...5..
Zones "Carte Orange"
Travelcard zones
Epinay-s-Orge
Ste Geneviève-des-Bois
St Michel-s-Orge
C4
DOURDAN
C6
ST MARTIN D'ÉTAMPES

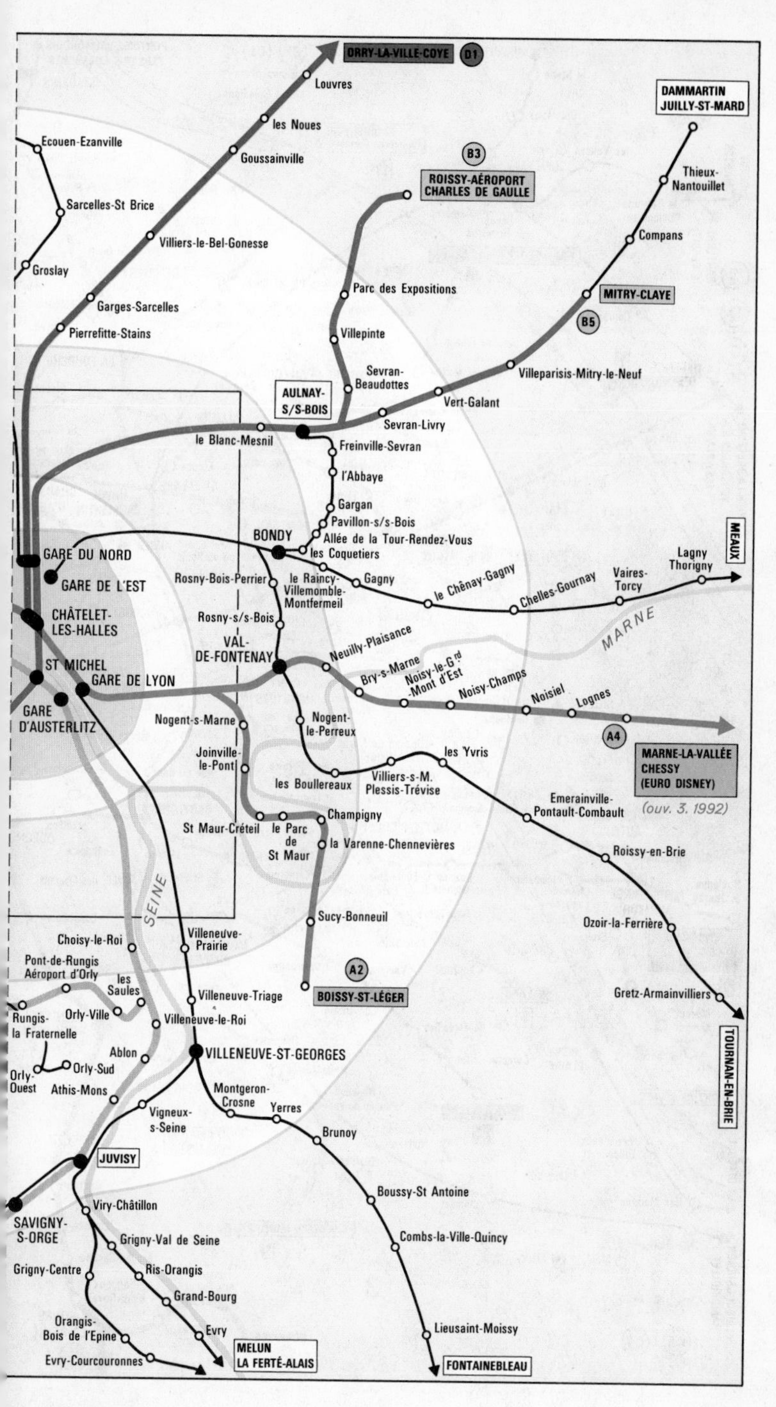
ORRY-LA-VILLE-COYE
D1
Louvres
les Noues
Goussainville
Ecouen-Ezanville
Sarcelles-St Brice
Villiers-le-Bel-Gonesse
Groslay
Garges-Sarcelles
Pierrefitte-Stains
DAMMARTIN
JUILLY-ST-MARD
B3
ROISSY-AÉROPORT
CHARLES DE GAULLE
Thieux-
Nantouillet
Compans
Parc des Expositions
MITRY-CLAYE
B5
Villepinte
Villeparisis-Mitry-le-Neuf
Sevran-
Beaudottes
AULNAY-
S/S-BOIS
Vert-Galant
Sevran-Livry
le Blanc-Mesnil
Freinville-Sevran
l'Abbaye
Gargan
Pavillon-s/s-Bois
BONDY
Allée de la Tour-Rendez-Vous
les Coquetiers
MEAUX
GARE DU NORD
Lagny
Thorigny
GARE DE L'EST
Rosny-Bois-Perrier
le Raincy-
Villemomble-
Montfermeil
Gagny
le Chênay-Gagny
Chelles-Gournay
Vaires-
Torcy
CHÂTELET-
LES-HALLES
Rosny-s/s-Bois
MARNE
VAL-
DE-FONTENAY
Neuilly-Plaisance
ST MICHEL
GARE DE LYON
Bry-s-Marne
Noisy-le-Gd
-Mont d'Est
Noisy-Champs
Noisiel
Lognes
GARE
D'AUSTERLITZ
Nogent-s-Marne
Nogent-
le-Perreux
A4
Joinville-
le-Pont
les Yvris
MARNE-LA-VALLÉE
CHESSY
(EURO DISNEY)
les Boullereaux
Villiers-s-M.
Plessis-Trévise
Emerainville-
Pontault-Combault
(ouv. 3. 1992)
St Maur-Créteil
le Parc
de
St Maur
Champigny
la Varenne-Chennevières
Roissy-en-Brie
SEINE
Sucy-Bonneuil
Ozoir-la-Ferrière
Choisy-le-Roi
Villeneuve-
Prairie
Pont-de-Rungis
Aéroport d'Orly
les
Saules
A2
Villeneuve-Triage
BOISSY-ST-LÉGER
Gretz-Armainvilliers
Rungis-
la Fraternelle
Orly-Ville
Villeneuve-le-Roi
Ablon
VILLENEUVE-ST-GEORGES
TOURNAN-EN-BRIE
Orly-Sud
Orly-
Ouest
Athis-Mons
Montgeron-
Crosne
Yerres
Vigneux-
s-Seine
Brunoy
JUVISY
Boussy-St Antoine
Viry-Châtillon
SAVIGNY-
S-ORGE
Grigny-Val de Seine
Combs-la-Ville-Quincy
Grigny-Centre
Ris-Orangis
Grand-Bourg
Orangis-
Bois de l'Epine
Evry
Lieusaint-Moissy
MELUN
LA FERTÉ-ALAIS
Evry-Courcouronnes
FONTAINEBLEAU

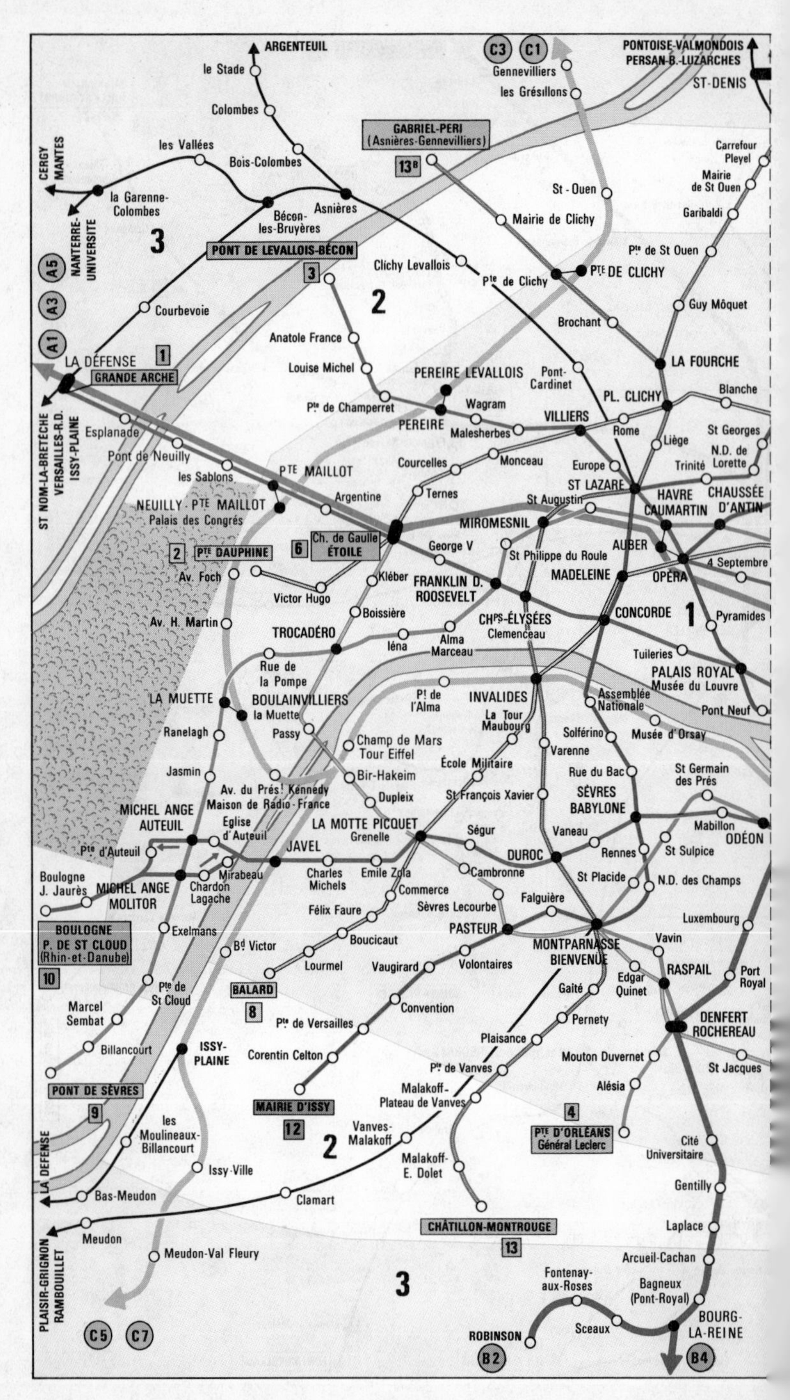
ARGENTEUIL
le Stade
Colombes
les Vallées
Bois-Colombes
la Garenne-Colombes
Bécon-les-Bruyères
Asnières
CERGY
MANTES
NANTERRE-UNIVERSITE
PONT DE LEVALLOIS-BÉCON
Courbevoie
LA DÉFENSE
GRANDE ARCHE
ST NOM-LA-BRETÈCHE
VERSAILLES-R.D.
ISSY-PLAINE
Esplanade
Pont de Neuilly
les Sablons
PTE MAILLOT
NEUILLY · PTE MAILLOT
Palais des Congrès
Argentine
PTE DAUPHINE
Av. Foch
Av. H. Martin
Victor Hugo
Ch. de Gaulle ÉTOILE
GABRIEL-PERI
(Asnières-Gennevilliers)
Gennevilliers
les Grésillons
PONTOISE-VALMONDOIS
PERSAN-B.-LUZARCHES
ST-DENIS
Carrefour Pleyel
Mairie de St Ouen
Garibaldi
St - Ouen
Mairie de Clichy
Pte de St Ouen
PTE DE CLICHY
Clichy Levallois
Pte de Clichy
Guy Môquet
Brochant
Anatole France
Louise Michel
LA FOURCHE
PEREIRE LEVALLOIS
Pont-Cardinet
Pte de Champerret
PEREIRE
Wagram
Malesherbes
VILLIERS
PL. CLICHY
Blanche
Rome
Liège
St Georges
N.D. de Lorette
Trinité
Courcelles
Monceau
Europe
Ternes
ST LAZARE
HAVRE CAUMARTIN
CHAUSSÉE D'ANTIN
St Augustin
MIROMESNIL
AUBER
OPÉRA
4 Septembre
George V
St Philippe du Roule
MADELEINE
Kléber
FRANKLIN D. ROOSEVELT
CHPS-ÉLYSÉES
Clemenceau
CONCORDE
Pyramides
Boissière
TROCADÉRO
Iéna
Alma Marceau
Tuileries
PALAIS ROYAL
Musée du Louvre
Rue de la Pompe
Pt de l'Alma
INVALIDES
Assemblée Nationale
Pont Neuf
LA MUETTE
BOULAINVILLIERS
la Muette
La Tour Maubourg
Ranelagh
Passy
Champ de Mars Tour Eiffel
Solférino
Musée d'Orsay
Varenne
Jasmin
Bir-Hakeim
École Militaire
Rue du Bac
St Germain des Prés
Av. du Présᵗ Kennedy
Maison de Radio-France
Dupleix
St François Xavier
SÈVRES BABYLONE
MICHEL ANGE AUTEUIL
Eglise d'Auteuil
LA MOTTE PICQUET
Grenelle
Ségur
Vaneau
Mabillon
ODÉON
Pte d'Auteuil
JAVEL
DUROC
Rennes
St Sulpice
Boulogne J. Jaurès
MICHEL ANGE MOLITOR
Mirabeau
Chardon Lagache
Charles Michels
Emile Zola
Cambronne
St Placide
N.D. des Champs
Commerce
Sèvres Lecourbe
Falguière
Félix Faure
Luxembourg
BOULOGNE
P. DE ST CLOUD
(Rhin-et-Danube)
Exelmans
Boucicaut
PASTEUR
MONTPARNASSE BIENVENUE
Vavin
Bd Victor
Lourmel
Vaugirard
Volontaires
Edgar Quinet
RASPAIL
Port Royal
Pte de St Cloud
BALARD
Gaîté
Marcel Sembat
Convention
Pernety
DENFERT ROCHEREAU
Pte de Versailles
Plaisance
Billancourt
ISSY-PLAINE
Corentin Celton
Mouton Duvernet
St Jacques
Pte de Vanves
Alésia
PONT DE SÈVRES
Malakoff-Plateau de Vanves
MAIRIE D'ISSY
les Moulineaux-Billancourt
Vanves-Malakoff
PTE D'ORLÉANS
Général Leclerc
Cité Universitaire
LA DÉFENSE
Issy-Ville
Malakoff-E. Dolet
Gentilly
Bas-Meudon
Clamart
Meudon
CHÂTILLON-MONTROUGE
Laplace
PLAISIR-GRIGNON
RAMBOUILLET
Meudon-Val Fleury
Arcueil-Cachan
Fontenay-aux-Roses
Bagneux (Pont-Royal)
Sceaux
BOURG-LA-REINE
ROBINSON

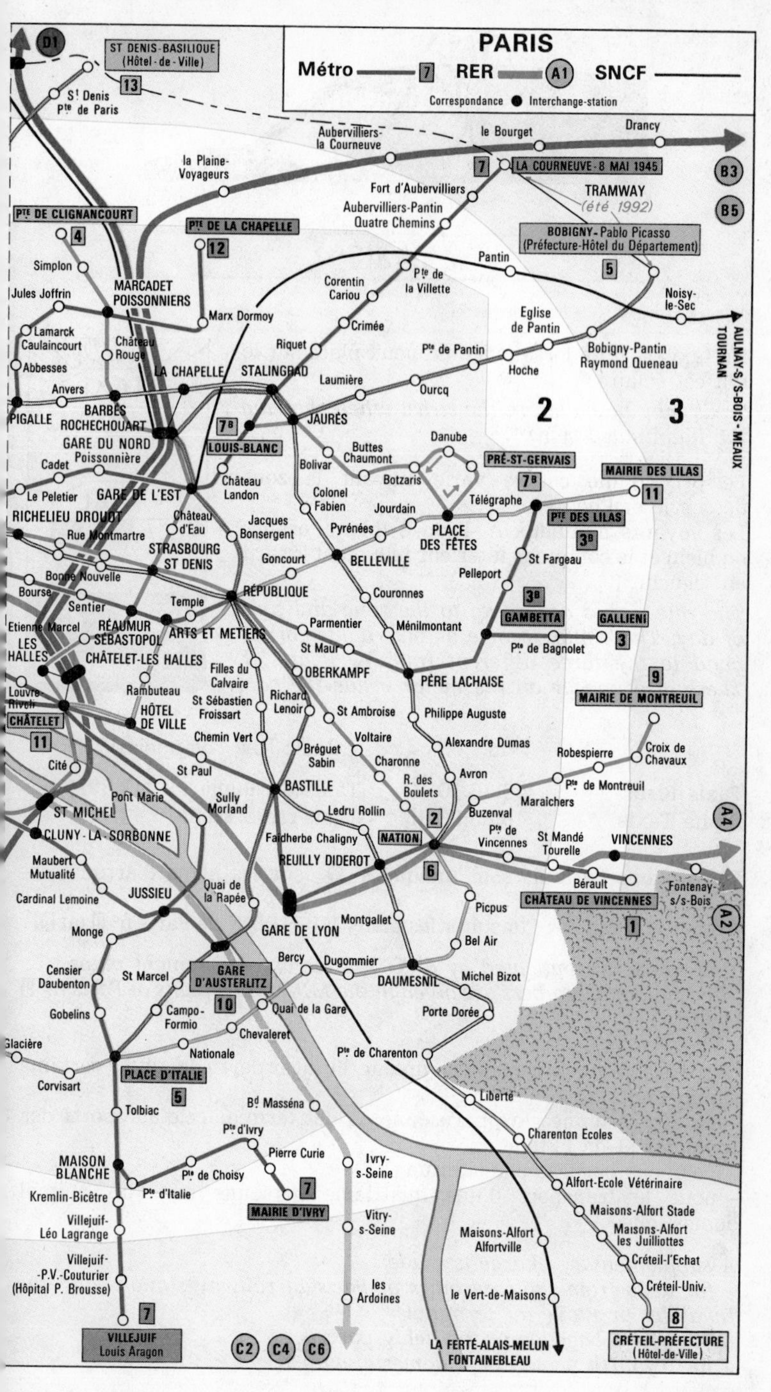
PARIS
Métro 7 RER A1 SNCF
Correspondance ● Interchange-station
ST DENIS-BASILIQUE (Hôtel-de-Ville)
13
D1
St Denis Pte de Paris
Aubervilliers-la Courneuve
le Bourget
Drancy
la Plaine-Voyageurs
7
LA COURNEUVE-8 MAI 1945
B3
B5
TRAMWAY
(été 1992)
Fort d'Aubervilliers
Aubervilliers-Pantin Quatre Chemins
BOBIGNY-Pablo Picasso (Préfecture-Hôtel du Département)
5
Pantin
Noisy-le-Sec
AULNAY-S/S-BOIS - MEAUX
TOURNAN
PTE DE CLIGNANCOURT
4
PTE DE LA CHAPELLE
12
Simplon
Jules Joffrin
MARCADET POISSONNIERS
Marx Dormoy
Corentin Cariou
Pte de la Villette
Crimée
Eglise de Pantin
Lamarck Caulaincourt
Château Rouge
Riquet
Pte de Pantin
Bobigny-Pantin Raymond Queneau
Abbesses
LA CHAPELLE
STALINGRAD
Laumière
Hoche
Anvers
Ourcq
PIGALLE
BARBÈS ROCHECHOUART
JAURÈS
2
3
7B
LOUIS-BLANC
GARE DU NORD
Poissonnière
Cadet
Bolivar
Buttes Chaumont
Danube
PRÉ-ST-GERVAIS
Château Landon
Botzaris
7B
MAIRIE DES LILAS
Le Peletier
GARE DE L'EST
Colonel Fabien
Télégraphe
11
RICHELIEU DROUOT
Château d'Eau
Jacques Bonsergent
Jourdain
PLACE DES FÊTES
PTE DES LILAS
3B
Rue Montmartre
Pyrénées
STRASBOURG ST DENIS
Goncourt
BELLEVILLE
St Fargeau
Pelleport
Bonne Nouvelle
Bourse
RÉPUBLIQUE
Couronnes
Sentier
Temple
3B
GAMBETTA
GALLIENI
Etienne Marcel
RÉAUMUR SÉBASTOPOL
ARTS ET METIERS
Parmentier
Ménilmontant
3
LES HALLES
CHÂTELET-LES HALLES
St Maur
Pte de Bagnolet
Filles du Calvaire
OBERKAMPF
PÈRE LACHAISE
9
Louvre-Rivoli
Rambuteau
MAIRIE DE MONTREUIL
CHÂTELET
HÔTEL DE VILLE
St Sébastien Froissart
Richard Lenoir
St Ambroise
Philippe Auguste
11
Chemin Vert
Voltaire
Alexandre Dumas
Croix de Chavaux
Bréguet Sabin
Robespierre
Cité
St Paul
Charonne
Avron
Pte de Montreuil
Pont Marie
Sully Morland
BASTILLE
R. des Boulets
Maraichers
ST MICHEL
Ledru Rollin
2
Buzenval
A4
CLUNY-LA-SORBONNE
Faidherbe Chaligny
NATION
Pte de Vincennes
St Mandé Tourelle
VINCENNES
Maubert Mutualité
REUILLY DIDEROT
6
Bérault
Fontenay-s/s-Bois
Quai de la Rapée
JUSSIEU
Cardinal Lemoine
Picpus
CHÂTEAU DE VINCENNES
A2
1
Monge
GARE DE LYON
Montgallet
Bel Air
Censier Daubenton
St Marcel
GARE D'AUSTERLITZ
Bercy
Dugommier
DAUMESNIL
Michel Bizot
10
Gobelins
Campo-Formio
Quai de la Gare
Porte Dorée
Chevaleret
Glacière
Nationale
Pte de Charenton
Corvisart
PLACE D'ITALIE
5
Liberté
Tolbiac
Bd Masséna
Pte d'Ivry
Charenton Ecoles
Pierre Curie
MAISON BLANCHE
Ivry-s-Seine
Pte de Choisy
Pte d'Italie
7
Alfort-Ecole Vétérinaire
Kremlin-Bicêtre
MAIRIE D'IVRY
Maisons-Alfort Stade
Villejuif-Léo Lagrange
Vitry-s-Seine
Maisons-Alfort Alfortville
Maisons-Alfort les Juilliottes
Créteil-l'Echat
Villejuif-P.V.-Couturier (Hôpital P. Brousse)
Créteil-Univ.
les Ardoines
le Vert-de-Maisons
7
8
VILLEJUIF Louis Aragon
C2
C4
C6
LA FERTÉ-ALAIS-MELUN FONTAINEBLEAU
CRÉTEIL-PRÉFECTURE (Hôtel-de-Ville)

TAXIS

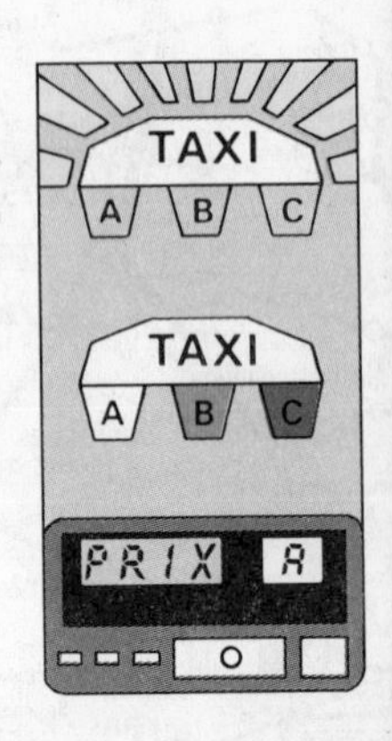

Un taxi est libre lorsque le lumineux placé sur le toit est éclairé.

Taxis may be hailed in the street when showing the illuminated sign.

Le prix d'une course varie suivant la zone desservie et l'heure.
Les voyants lumineux A, B ou C (blanc, orange ou bleu) et le compteur intérieur indiquent le tarif en vigueur.
The rate varies according to the zone and time of day. The white, orange or blue lights correspond to the three different rates A, B and C. These also appear on the meter inside the cab.

Compagnies de Radio-Taxis Radio-Taxi companies

Taxis Bleus	49.36.10.10	Taxis G7 Radio	47.39.47.39
Alpha Taxis	45.85.85.85	Taxis-radio Étoile	42.70.41.41

Les stations de taxis sont indiquées ⓣ sur les plans d'arrondissements.
Numéros d'appels : Consulter les plans MICHELIN de Paris n° 9 ou 11.

*Taxi ranks are indicated by a ⓣ on the arrondissement maps.
The telephone numbers are given in the MICHELIN plans of Paris nos 9 or 11.*

Outre la somme inscrite au compteur, l'usager devra acquitter certains suppléments :
– au départ d'une gare parisienne ou des terminaux d'aéroports des Invalides et de l'Étoile.
– pour des bagages encombrants.
– pour le transport d'une quatrième personne ou d'un animal domestique.

A supplementary charge is made:
– for taxis from the forecourts of Parisian railway stations and the Invalides or Étoile air terminals
– for heavy baggage or unwieldy parcels
– for a fourth person or a domestic animal.

ZONES DE TARIFICATION
TAXI FARE ZONES

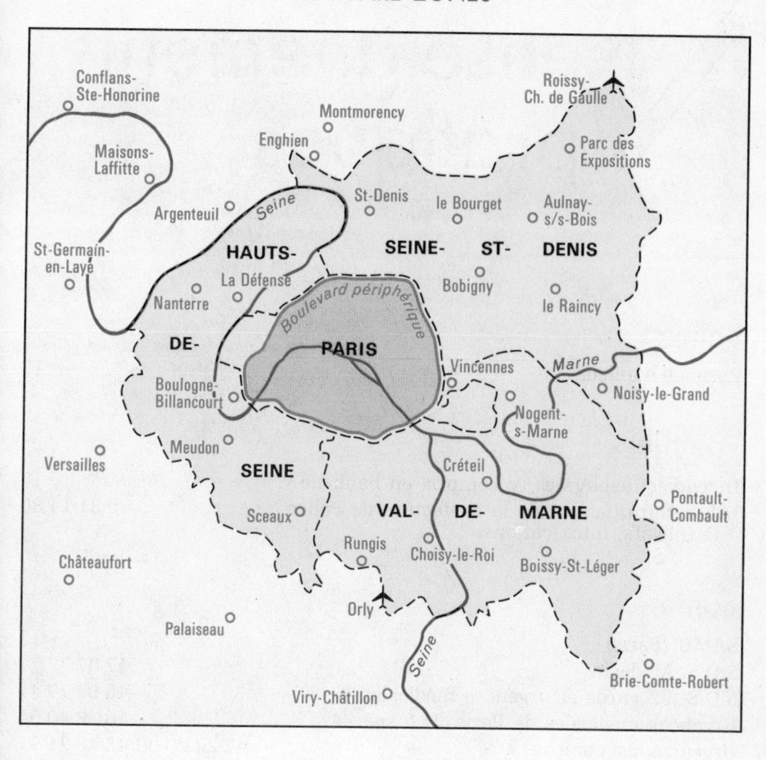

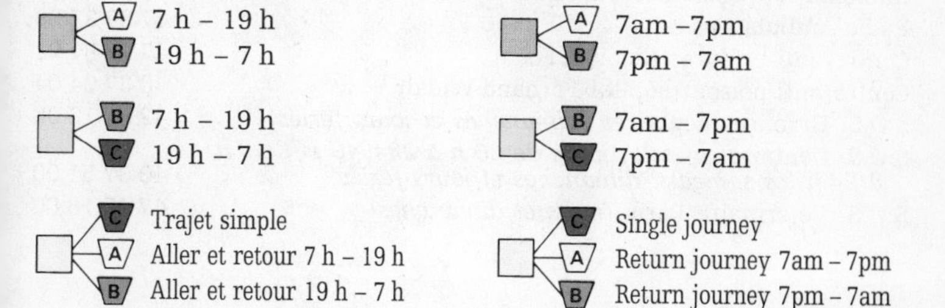

Renseignements pratiques

Police-Secours

Paris et banlieue	17

Pompiers

Incendies, asphyxies, y compris en banlieue	18
Laboratoire Central de la Préfecture de Police (Explosifs, intoxications)	45 31 14 80

Santé

SAMU (Paris)	15
S.O.S. Médecin	47 07 77 77
S.O.S. 92 garde et urgences médicales	46 03 77 44
Urgences médicales de Paris *24 h sur 24*	48 28 40 04
Urgences psychiatrie	42 22 20 00/45 48 31 31
Ambulances Assistance Publique	43 78 26 26
Radio-Ambulances	47 07 37 39
Centre anti-brûlures (hôpital Foch)	47 72 91 91
Centre anti-poison (hôpital Fernand-Widal)	40 37 04 04
S.O.S. Urgences dentaires *(dimanches et jours fériés)*	42 61 12 00
S.O.S. Dentaire *(tous les jours de 20 h à 23 h 40 et de 9 h à 24 h les samedis, dimanches et jours fériés)*	43 37 51 00
S.O.S. Vétérinaire Paris *(nuits et dimanches)*	47 45 18 00

Pharmacies

84 av. des Champs-Elysées, 8e *(jour et nuit)*	45 62 02 41
5 pl. Pigalle, 9e *(8 h 30 à 1 h du matin – lundi à partir de 12 h, dim. à partir de 15 h)*	48 78 38 12
angle av. Italie / r. de Tolbiac, 13e *(jusqu'à 24 h – dim. et jours fériés à partir de 20 h)*	43 31 19 72
106 bd du Montparnasse, 14e *(8 h 30 – dim. et jours fériés 20 h-24 h)*	43 35 44 88
14 av. Mozart, 16e *(t.l.j. sauf dim. jusqu'à 22 h)*	45 27 38 17
6 r. de Belleville, 20e *(t.l.j. sauf dim. de 8 h 30 à 22 h – sam. de 9 h à 21 h)*	46 36 67 42

Circulation — Transports

SNCF Renseignements toutes gares	45 82 50 50
RATP – Renseignements	43 46 14 14
Allo Information Voirie (de 9 h à 17 h sauf jours fériés – réglementation, stationnement, travaux)	42 76 53 53
Voirie (Fermeture du boulevard périphérique et des voies sur berge)	42 76 50 50
F.I.P. (FM 90,4 – circulation à Paris)	45 25 50 50
Centre Régional d'Information et de Coordination Routière d'Ile-de-France	48 99 33 33
S.O.S. Dépannage 24 h/24, 28, r. Pascal, 5e	47 07 99 99
Pré-Fourrière Préfecture de Police, 9 bd. du Palais, 4e	42 60 33 22

Salons — Foires — Expositions

Office du Tourisme et des Congrès de Paris, 127 av. des Champs-Elysées, 8e *(tous les jours de 9 h à 20 h)*	47 23 61 72
Comité des Expositions de Paris – Boulogne-Billancourt – 55, quai Alphonse Le Gallo	49 09 60 00
Espace Austerlitz – 30, quai d'Austerlitz, 13e	45 86 59 40
Espace Champerret – rue Jacques Itert, 17e	40 55 19 55
Grande Halle de la Villette – 211, av. Jean-Jaurès, 19e	42 49 77 22
Hôtel des Ventes – 9, r. Drouot, 9e	48 00 20 20
Palais des Congrès – 2, pl. de la Pte-Maillot, 17e	40 68 22 22
Parc des Expositions – Pte-de-Versailles, 15e	48 42 87 00
Parc d'Expositions de Paris-Nord – Villepinte – Z.A. Paris-Nord II	48 63 30 30

Divers

Hôtel des Postes, 52 r. du Louvre, 1er *(24 h/24)*	40 28 20 00
Objets trouvés, 36 r. des Morillons, 15e (du lundi au vendredi de 8 h 30 à 17 h)	45 31 14 80
Perte Carte Bleue 24 h/24	42 77 11 90
Perte de Carte Orange *(du lundi au vendredi de 9 h à 19 h)*	43 64 91 91

Index

B

C

D

G

H – I

N

Q

R

T

U – V

W – Y

MANUFACTURE FRANÇAISE DES PNEUMATIQUES MICHELIN

Société en commandite par actions au capital de 2 000 000 000 de francs

Place des Carmes-Déchaux - 63 Clermont-Ferrand (France)

R.C.S. Clermont-Fd B 855 200 507

Dépôt légal 4-92 - ISBN 2.06.006.829-0

Printed in France - 03.92.45

Composition : APS à Tours - Impression : KAPP, LAHURE, JOMBART à Évreux